Elegia dla bidoków

Elegia dla bidoków

*Wspomnienia o rodzinie
i kulturze w stanie krytycznym*

J.D. VANCE

PRZEŁOŻYŁ
TOMASZ S. GAŁĄZKA

MARGINESY

Dla Mamaw i Papaw,
moich osobistych
bidoko-Terminatorów

Wstęp

Nazywam się J.D. Vance, a powinienem chyba zacząć od wyznania: otóż fakt zaistnienia tej książki, którą trzymacie właśnie w rękach, wydaje mi się cokolwiek absurdalny. Już na stronie tytułowej stoi, że to wspomnienia, ale mam ledwie trzydzieści jeden lat i sam pierwszy powiedziałbym, że w życiu nie dokonałem niczego wielkiego, a już na pewno niczego wartego wyciągania od nieznajomych pieniędzy za to, żeby mogli sobie o tym poczytać. Najbardziej bajeranckie z moich osiągnięć, przynajmniej na papierze, to ukończenie prawa na Yale, coś, co trzynastoletni J.D. Vance uznałby za słaby żart. Tyle że co roku dokonuje tej sztuki dwustu ludzi i daję wam słowo, że o żywotach większości z nich wcale nie chcielibyście czytać. Nie jestem senatorem, gubernatorem stanowym ani byłym ministrem. Nie rozkręciłem firmy wartej miliardy ani organizacji pozarządowej, która zmieniła oblicze świata. Mam fajną pracę, układa mi się w małżeństwie, jestem właścicielem wygodnego domu i dwóch żwawych psów.

Nie napisałem więc tej książki dlatego, że dokonałem czegoś nadzwyczajnego. Napisałem ją dlatego, że osiągnąłem coś zupełnie zwyczajnego, co jednak bardzo rzadko zdarza się dzieciakom, które dorastają w warunkach takich jak ja. Bo ja, wiecie, wychowywałem się w biedzie, w hutniczym miasteczku w Ohio, jednym z wielu w tak zwanym Pasie Rdzy, skąd jak z otwartej rany, od kiedy pamiętam, wyciekały miejsca pracy i nadzieja. Stosunki z rodzicami mam, delikatnie rzecz ujmując, skomplikowane – jedno z nich boryka się z nałogiem niemal tak długo, jak ja żyję. Wychowywali mnie dziadkowie, z których żadne nie dorobiło się nawet matury, zresztą wśród wszystkich krewnych i powinowatych znalazłoby się raptem parę osób, które poszły na studia. Statystyka powie wam, że takim dzieciom kroi się ponura przyszłość – jeśli im się poszczęści, nie skończą na socjalu, a jeśli będą mieli pecha, umrą, przedawkowawszy heroinę, jak skończyły dziesiątki ludzi z mojego rodzinnego miasteczka tylko w minionym roku.

Byłem jednym z tych dzieciaków z ponurą przyszłością. O włos uniknąłem uwalenia liceum. Mało brakowało, a uległbym zapiekłym urazom i gniewowi, które żywili wszyscy wokół. Teraz ludzie patrzą na mnie, na moją pracę, dyplom prestiżowej uczelni i myślą sobie, że jestem jakimś geniuszem, że tylko naprawdę nadzwyczajny człowiek dopiąłby tego, co dziś mam. Z całym należnym im szacunkiem sądzę, że ta opinia to srogie pierdolenie. Może i mam jakieś talenty, ale niemal wszystkie roztrwoniłem, zanim zostałem ocalony przez grupkę kochających osób.

To właśnie prawdziwa historia mojego życia, a także powód, dla którego napisałem tę książkę. Chcę, żeby inni dowiedzieli się, jakie to uczucie, kiedy człowiek już prawie jest gotów sam siebie skreślić i co może go do tego skłonić. Chcę, żeby pojęli to, co dzieje się w życiach ludzi biednych, i psychologiczne konsekwencje ubóstwa materialnego oraz duchowego dla ich dzieci. Chcę, żeby ludzie zrozumieli amerykański sen – taki, jakiego doświadczyłem ja i moja rodzina. Chcę, żeby pojęli, co naprawdę oznacza awans społeczny. Chcę też, żeby uświadomili sobie to, czego sam nauczyłem się dopiero niedawno: że nawet ci z nas, którym poszczęściło się żyć w amerykańskim śnie, wciąż są ścigani przez upiory życia, które za sobą pozostawili.

W tle mojej opowieści kryje się aspekt etniczny. W naszym społeczeństwie, wrażliwym na kwestie rasowe, słownictwo często dociera nie głębiej niż do koloru ludzkiej skóry: „czarni", „Azjaci", „przywilej bieli". Te szerokie kategorie bywają przydatne, ale żeby zrozumieć moją historię, trzeba przyjrzeć się szczegółom. Może i jestem biały, ale nie utożsamiam się z anglosaską protestancką elitą ze stanów północnego wschodu. Nie, moi pobratymcy to miliony białych Amerykanów wywodzących się ze Szkoto-Irlandczyków, robociarzy bez wyższego wykształcenia. Dla nich bieda to rodzinna tradycja – ich przodkowie byli najmitami w czasach, gdy gospodarka na Południu opierała się na niewolnictwie, potem połownikami, później kopali węgiel, a w nieodległej przeszłości pracowali w hutach i fabrykach maszyn. Amerykanie mówią na nich: *hillbillies* (bidoki), *rednecks* (buraki), białe śmiecie. Dla mnie to przyjaciele, sąsiedzi, rodzina.

Szkoto-Irlandczycy to jedna z najbardziej wyrazistych podgrup społecznych w Stanach. Jak odnotował jeden z obserwatorów tych ludzi: „Podczas moich wędrówek po Ameryce Szkoto-Irlandczycy permanentnie ryli mi mózg jako subkultura regionalna tak uporczywa i niezmienna, że ze świecą szukać drugiej takiej. Ich struktury rodzinne, religia, polityka, życie społeczne – wszystko zachowało się bez zmian, w odróżnieniu od masowego odrzucenia tradycji, do którego doszło wszędzie indziej"*. To wyraźne przywiązanie do tradycji kulturalnej pociąga za sobą wiele cech korzystnych – silne poczucie lojalności, gorące oddanie rodzinie i ojczyźnie – ale i niejedną złą. Nie lubimy przybyszów ani ludzi odmiennych od nas, nieważne, czy różnica polega na wyglądzie, zachowaniu czy też, co najważniejsze, sposobie mówienia. Żeby mnie zrozumieć, musicie pojąć, że ja także w sercu jestem Szkoto-Irlandczykiem.

Jeśli tożsamość etniczna stanowi jedną stronę medalu, drugą jest geografia. Kiedy pierwsza fala protestanckich imigrantów z Irlandii przybyła do Nowego Świata w XVIII wieku, silnie wabiły ich Appalachy. Owszem, to olbrzymi region – ciągnie się od Alabamy i Georgii na południu przez Ohio po część stanu Nowy Jork na północy – jednak kulturowo Appalachy i ich pogórze są zaskakująco spójne. Moi krewni, mieszkańcy gór we wschodnim Kentucky, sami siebie określają jako *hillbillies*, ale Hank Williams junior, urodzony w Luizjanie mieszkaniec Alabamy, w hymnie białych wieśniaków *A Country Boy Can Survive* [Wsiowy chłopak przetrzyma] również tak siebie nazwał. To właśnie fakt, że ten rejon przeniósł poparcie z Partii Demokratycznej na Republikańską, zmienił reguły amerykańskiej gry politycznej po erze Nixona. I to właśnie w szeroko rozumianych Appalachach przyszłość białej klasy robotniczej jawi się najmniej

* Razib Khan, *The Scots-Irish as Indigenous People*, „Discover", 22 lipca 2012, blogs.discovermagazine.com/gnxp/2012/07/the-scots-irish-as-indigenous--people/, dostęp: 25 sierpnia 2017.

ciekawie. Od nikłych możliwości awansu społecznego przez biedę po rozwody i narkomanię, moje ojczyste strony to obraz nędzy i rozpaczy.

Trudno się więc dziwić, że pesymistyczna z nas zgraja. Bardziej zaskakuje fakt, że według badań opinii publicznej biała część klasy robotniczej to najbardziej pesymistyczna warstwa w Stanach. Przerastamy pesymizmem emigrantów z krajów latynoskich, spośród których wielu cierpi niewyobrażalną nędzę. Czarnych Amerykanów również, choć ich szanse na dorobienie się wciąż nie dorównują tym, jakie mają biali. Choć rzeczywistość uprawnia pewną dawkę cynizmu, fakt, że bidoki mojego pokroju patrzą na przyszłość z mniejszą nadzieją niż wiele innych grup społecznych – wśród których są i te ewidentnie stojące znacznie gorzej – sugerowałby, że chodzi tu o coś innego.

I tak właśnie jest. Społecznie jesteśmy odizolowani bardziej niż kiedykolwiek przedtem i przekazujemy tę odrębność naszym dzieciom. Zmieniła się nasza religijność – skupia się teraz wokół Kościołów silnych emocjonalną retoryką, ale nieskorych do budowania wsparcia społecznego tego rodzaju, którego potrzebują ubogie dzieci, żeby do czegoś dojść. Wielu z nas nie należy już do puli siły roboczej czy też odmówiło przeprowadzki w okolice, gdzie są lepsze szanse na dobrą pracę. Naszych mężczyzn dotknęła szczególna postać kryzysu męskości, w którym okazało się, że część cech wpajanych w naszej kulturze wręcz utrudnia osiągnięcie sukcesu w zmieniającym się świecie.

Gdy mówię o niedolach swoich pobratymców, często słyszę w odpowiedzi wyjaśnienie mniej więcej tej treści: „No pewnie, J.D., że dla białej klasy robotniczej perspektywy się pogorszyły, ale stawiasz tu wóz przed koniem. Jest wśród nich więcej rozwodów, mniej małżeństw, doświadczają mniej szczęścia, bo ubyło tego, co gospodarka ma im do zaoferowania. Gdyby tylko mieli lepszy dostęp do zatrudnienia, poprawiłoby się także w innych aspektach ich życia". Kiedyś sam w to wierzyłem, za młodu wręcz rozpaczliwie pragnąłem w to wierzyć. Bo jest w tym pewien sens. Bezrobocie stresuje, tym bardziej gdy brakuje już pieniędzy na utrzymanie. Kiedy doszło do implozji przemysłowego centrum produkcji na Środkowym Zachodzie, biała klasa robotnicza straciła i bezpieczeństwo ekonomiczne, i wynikającą zeń domową oraz rodzinną stabilność.

Doświadczenie bywa jednak niełatwym nauczycielem, mnie zaś nauczyło, że owa historia braku ekonomicznego bezpieczeństwa jest w najlepszym razie niekompletna. Parę lat temu, w wakacje przed rozpoczęciem studiów prawniczych na Yale, rozglądałem się za pracą na cały etat, żeby mieć za co przeprowadzić się do New Haven w stanie Connecticut. Przyjaciel rodziny zaproponował robotę u siebie, w średniej wielkości hurtowni gresu w pobliżu mojego rodzinnego miasteczka. Gres to bardzo ciężki towar: każda płytka waży od kilo trzydzieści do dwóch i pół kilograma, a z reguły pakuje się je w paczki po osiem lub dwanaście sztuk. Moim głównym zadaniem było ładowanie płytek na palety i przygotowywanie palet do ekspedycji. Niełatwa robota, ale płacili trzynaście dolarów za godzinę, a że potrzebowałem pieniędzy, wziąłem tę pracę, pisząc się na tyle nocek i nadgodzin, ile tylko dałem radę.

W hurtowni pracowało raptem parunastu ludzi, większość z nich już od wielu lat. Jeden ciągnął dwa etaty, ale nie z konieczności – praca w hurtowni gresu pozwalała mu spełnić marzenie o pilotowaniu samolotu. Trzynaście dolarów za godzinę to w naszym miasteczku dobra stawka dla samotnego faceta (wynajem porządnego mieszkania kosztuje miesięcznie około pięciuset dolarów), a pracownicy hurtowni regularnie dostawali też podwyżki. Każdy, kto przepracował tam parę lat, zarabiał już co najmniej szesnaście dolarów na godzinę, i to mimo kryzysu ekonomicznego, co oznaczało, że rocznie inkasowali trzydzieści dwa tysiące, co nawet dla żywicieli rodzin było dochodem znacznie wykraczającym ponad biedowanie. Mimo tej względnie stabilnej sytuacji szefowie przekonali się, że nie sposób znaleźć na moje miejsce w magazynie pracownika na długi termin. Kiedy stamtąd odchodziłem, w magazynie pracowało już trzech ludzi – ja, dwudziestosześciolatek, byłem z nich zdecydowanie najstarszy.

Jeden, nazwijmy go: Bob, podjął robotę w magazynie parę miesięcy przede mną. Miał dziewiętnaście lat i dziewczynę w ciąży. Kierownik z dobroci serca zaproponował jej pracę w biurze, przy odbieraniu telefonów. Oboje byli fatalnymi pracownikami. Ona opuszczała mniej więcej co trzeci dzień, zawsze bez zapowiedzi. Choć wiele razy uprzedzano ją, że powinna zmienić swoje podejście, wytrzymała tam góra parę miesięcy. Bob nie przychodził do firmy średnio raz w tygodniu, notorycznie też się spóźniał. Na dobitkę często zdarzało mu się wybywać do toalety trzy albo i cztery razy w ciągu dnia, za każdym razem na ponad pół godziny. Było to już tak dokuczliwe, że pod koniec mojego zatrudnienia w tym miejscu wraz z drugim kolegą zrobiliśmy sobie z tego zabawę: uruchamialiśmy stoper i wykrzykiwaliśmy kolejne przekroczone etapy na cały magazyn: „Trzydzieści pięć minut!", „Czterdzieści pięć minut!", „Godzina!".

W końcu i Bob wyleciał z roboty. Gdy do tego doszło, wydarł się na swojego kierownika: „Jak mogłeś mi to zrobić! Przecież wiesz, że mam dziewczynę w ciąży!". I nie był to odosobniony przypadek: przez tych parę miesięcy, które przepracowałem w magazynie, jeszcze przynajmniej dwóch innych ludzi rzuciło pracę lub zostało z niej zwolnionych, w tym kuzyn Boba.

Nie można ignorować takich sytuacji, kiedy chce się mówić o równości szans. Nobliści z dziedziny ekonomii zamartwiają się o upadek ośrodków przemysłowych Środkowego Zachodu, o to, że gospodarcze podstawy bytu białej klasy robotniczej runęły. Chodzi im o to, że produkcja wyprowadziła się do obcych krajów, a pracę dla klasy średniej coraz trudniej zdobyć bez dyplomu ukończenia studiów. I prawidłowo, mnie również to niepokoi. W tej książce mówię jednak o czym innym: o tym, co dzieje się w życiu prawdziwych ludzi, kiedy gospodarka przemysłowa idzie do piachu. Mówię o reagowaniu na niekorzystne okoliczności w najgorszy możliwy sposób. Mówię o kulturze, która coraz silniej napędza rozpad społeczeństwa, zamiast mu przeciwdziałać.

Korzenie problemów, które dostrzegłem w hurtowni gresu, sięgają znacznie głębiej niż tylko do trendów makroekonomicznych czy polityki. Zbyt wielu młodych ludzi jest odpornych na ciężką robotę. Dobre posady stoją otworem, bo nie ma chętnych, by je podjąć na dłużej. A młody chłopak, który ma wszelkie powody, by wziąć się do pracy – utrzymanie przyszłej żony, dziecko w drodze – beztrosko odpuszcza sobie dobrze płatną robotę ze świetnym ubezpieczeniem medycznym. Co bardziej niepokojące, kiedy ją traci, uważa, że t o o n został skrzywdzony. Widać tu brak chęci: poczucie, że ma się nad własnym życiem niewielką kontrolę, jak też skłonność do obwiniania wszystkich, tylko nie siebie. To coś, co odstaje od ogólnego krajobrazu gospodarczego dzisiejszej Ameryki.

Należy zauważyć, że choć skupiam się na znanej sobie grupie ludzi – przedstawicielach białej klasy robotniczej z rodzinnymi więzami w Appalachach – nie twierdzę, że należy się nam więcej współczucia niż innym. To nie jest opowieść o tym, dlaczego biali mają więcej powodów do narzekania niż czarni czy ktokolwiek inny. Mimo to mam nadzieję, że czytelnicy tej książki zdołają wyciągnąć z niej wnioski co do wpływów klasowych i rodzinnych na biedotę, nie patrząc na to przez filtr rasy. Wielu analitykom określenia typu „królowa socjalu" niesprawiedliwie przywołują obraz leniwej, czarnoskórej matki żyjącej z zasiłków. Czytelnicy tej książki szybko uświadomią sobie, że ta zjawa ma niewiele wspólnego z tym, co chcę przekazać. Znałem wiele wózkar, królowych socjalu: niektóre mieszkały niedaleko mnie, wszystkie były białe.

Ta książka nie jest akademicką monografią. W ciągu ostatnich paru lat William Julius Wilson, Charles Murray, Robert Putnam i Raj Chetty napisali przekonywające, dobrze uargumentowane prace, które wskazują, że w latach siedemdziesiątych minionego wieku szanse na awans społeczny mocno spadły i właściwie ten stan rzeczy nie poprawił się, że niektóre regiony radzą sobie znacznie gorzej niż inne (niespodzianka – Appalachy i cały Pas Rdzy tu wypadły źle), a wiele ze zjawisk, które zauważyłem we własnym życiu, dotyka szerszych kręgów społeczeństwa. Mogę mieć pewne zastrzeżenia do niektórych wniosków, które wyciągają ci badacze, niemniej przekonująco dowiedli oni, że Ameryka ma poważny problem. Choć będę korzystał z danych statystycznych, czasem też, by podkreślić własną tezę, opieram się na publikacjach akademickich, moim głównym celem nie jest przekonanie was o istnieniu już udokumentowanego problemu. Zamierzam przede wszystkim opowiedzieć o tym, jak to jest, kiedy człowiek rodzi się z tym problemem wiszącym mu u szyi.

Nie potrafiłbym przedstawić tej opowieści bez odwoływania się do całej obsady mojego życia. Są to zatem nie tylko osobiste wspomnienia, ale też historia rodziny – historia szans i awansu społecznego, widziana oczami grupy bidoków z Appalachów. Dwa pokolenia temu mój dziadek i babcia byli biedni jak myszy kościelne, ale zakochani. Pobrali się więc i wyjechali na północ z nadzieją, że wyrwą się z otaczającej ich potwornej nędzy. Ich wnuk (ja) ukończył studia na jednym z najlepszych uniwersytetów świata. Tyle w skrócie. Pełną wersję znajdziecie na następnych stronach.

Choć czasem zmieniam nazwiska niektórych osób, by chronić ich prywatność, opowieść ta jest, na ile mogę wierzyć własnej pamięci, w pełni dokładnym portretem świata, jaki dane mi było poznać. Nie ma tu postaci zlepionych z kilku osób, nie ma narracyjnego chodzenia na skróty. Gdzie mogłem, weryfikowałem szczegóły na podstawie innych materiałów – świadectw szkolnych, odręcznych listów, zapisków na rewersach fotografii; jestem jednak pewien, że ta historia jest równie ułomna jak ludzka pamięć. W rzeczy samej, kiedy poprosiłem siostrę, by przeczytała jedną z jej wcześniejszych wersji, lektura ta rozplewała półgodzinną rozmowę o tym, czy czasem nie datowałem błędnie jednego z wydarzeń. Pozostałem przy swojej wersji nie dlatego, że powątpiewam w sprawność pamięci siostry (prawdę mówiąc, sądzę, że jej pamięć jest lepsza od mojej), lecz dlatego, że uważam, iż to, jak poukładałem sobie w głowie kolejność zajść, także może czegoś nauczyć.

Nie jestem też bezstronnym obserwatorem. Niemal każda osoba, o której tu przeczytacie, ma głębokie skazy. Niektórzy próbowali zamordować innych ludzi, paru się to powiodło. Niektórzy poniewierali swoimi dziećmi, krzywdząc je fizycznie lub emocjonalnie. Wielu uległo (i wciąż ulega) narkotykom. Kocham ich jednak, nawet tych, z którymi w obawie o zdrowie psychiczne staram się nie rozmawiać. A jeśli zostawię was z odczuciem, że w moim życiu trafili się źli ludzie, to przepraszam bardzo i was, i tych, których tak odmalowałem. W tej opowieści nie ma bowiem postaci negatywnych. To po prostu luźna gromada bidoków usiłujących odnaleźć właściwą drogę – dla własnego dobra, jak też, z Bożej łaski, dla mojego.

I

Jak większość małych dzieci, uczyłem się na pamięć adresu domowego, żebym mógł wyjaśnić dorosłemu, dokąd ma mnie odprowadzić, na wypadek gdybym się kiedyś zgubił. W przedszkolu, kiedy nauczycielka pytała mnie, gdzie mieszkam, mogłem wyrecytować cały adres bez zająknienia, choć mama często się przeprowadzała, z powodów, których jako dziecko za nic nie potrafiłem pojąć. Mimo wszystko zawsze dostrzegałem różnicę między „moim adresem" a „moim domem". Mój adres oznaczał miejsce, w którym spędzałem większość czasu z mamą i siostrą, gdziekolwiek to akurat było. Mój dom jednak był zawsze ten sam: był to dom mojej prababci, w dulinie, w Jackson, w stanie Kentucky.

Jackson to liczące około sześciu tysięcy mieszkańców miasteczko w sercu zagłębia węglowego w południowo--wschodniej części stanu. W sumie miastem nazywa się je trochę na wyrost: jest tu sąd, parę restauracji (niemal bez wyjątku fastfoodowe sieciówki), do tego kilka większych i mniejszych sklepów. Większość ludzi mieszka wśród wzgórz, między którymi biegnie droga stanowa numer 15, w obozowiskach przyczep kempingowych, w mieszkaniach z dopłatami rządowymi, na niedużych gospodarstwach czy wreszcie w górskich chatach jak ta, która stanowi tło dla najmilszych wspomnień z mojego dzieciństwa.

Mieszkańcy Jackson witają się z każdym, chętnie porzucą nawet ulubione rozrywki, by pomóc nieznajomemu wydostać auto z zaspy, i – co do jednego – zatrzymają samochód, wysiądą i staną na baczność za każdym razem, kiedy zobaczą przejeżdżający kondukt pogrzebowy. To właśnie ten ostatni zwyczaj uświadomił mi, że w Jackson i jego mieszkańcach jest coś wyjątkowego. „Dlaczego każdy zatrzymuje się na widok przejeżdżającego karawanu?" – zapytałem babcię, na którą wszyscy mówiliśmy Mamaw. „Widzisz, słonko, to dlatego, że my jesteśmy z gór. I szanujemy naszych zmarłych".

Dziadkowie wyprowadzili się z Jackson w latach czterdziestych, własne dzieci wychowywali w Middletown w stanie Ohio, gdzie później wyrosłem także i ja. Jednak aż do dwunastego roku życia każde wakacje, jak też wiele pozostałych miesięcy, spędzałem właśnie w Jackson. Przyjeżdżałem tam z Mamaw, która chciała odwiedzić przyjaciół i rodzinę, zawsze świadoma, że czas skracał listę jej ulubieńców. Z upływem lat najistotniejszy stał się jeden powód: opieka nad matką Mamaw, na którą mówiliśmy Mamaw Blanton (chodziło o to, żeby je odróżnić: trochę poplątane, wiem). Zatrzymywaliśmy się więc u Mamaw Blanton, w domu, w którym mieszkała, już zanim jej mąż poszedł walczyć z Japończykami na Pacyfiku.

Dom Mamaw Blanton kochałem najbardziej ze wszystkich na świecie, choć nie był ani duży, ani komfortowy. Miał trzy pokoje. Od frontu była mała weranda, na niej bujana ławka, do tego wielkie podwórze, rozciągające się z jednej strony aż na górę, z drugiej zaś do wlotu do duliny. Choć

Mamaw Blanton miała spory kawał gruntu, w większości były to jednak niegościnne chaszcze. Za domem właściwie nie było już podwórza, tylko piękne górskie zbocze, skały i drzewa. Zawsze jednak zostawały dulina i biegnący obok strumień, to nam w zupełności wystarczało. Wszystkie dzieciaki spały w jednym pokoju na piętrze: jak sala pododdziału, chyba z tuzin łóżek, gdzie bawiliśmy się z kuzynami do późnej nocy, póki nie rozdrażniliśmy babci do tego stopnia, że terrorem zapędzała nas pod kołdry.

Okoliczne góry były dla dziecka rajem, więc wiele czasu spędzałem na zastraszaniu fauny Appalachów: ni żółw, wąż, żaba, ryba, ni wiewiórka nie mogły czuć się bezpiecznie. Uganiałem się tam z kuzynami, nieświadom nieodstępnego ubóstwa ani pogarszającego się stanu zdrowia Mamaw Blanton.

Na głębszym poziomie Jackson było tym miejscem, które należało do mnie, mojej siostry i do Mamaw. Kochałem Ohio, ale miałem stamtąd zbyt wiele bolesnych wspomnień. W Jackson byłem wnukiem najtwardszej kobiety, jaką ktokolwiek znał, i najzręczniejszego mechanika samochodowego w miasteczku, w Ohio zaś – porzuconym synem faceta, którego właściwie nie znałem, i kobiety, której wolałbym nie znać. Mama przyjeżdżała do Kentucky tylko na coroczne zjazdy rodziny albo kiedy wypadł pogrzeb, a gdy już się zjawiała, Mamaw pilnowała, żeby w bagażu nie nawoziła swoich dramatów. W Jackson nie było miejsca na wrzaski, awantury, na bicie mojej siostry, a już na pewno nie było „żadnych chłopów", jak by to ujęła Mamaw. Mamaw nie trawiła rozlicznych lowelasów mojej mamy i żaden z nich nie miał wstępu do Kentucky.

W Ohio wyćwiczyłem się do perfekcji w lawirowaniu między kolejnymi dorywczymi tatuśkami. Przed Steve'em, ofiarą kryzysu wieku średniego, co dało się poznać po kolczyku w uchu, udawałem, że kolczyki są git – do tego stopnia, że uznał za stosowne przekłuć także moje ucho. Przy Chipie, policjancie alkoholiku, który uważał mój kolczyk za oznakę „dziewczyńskości", byłem gruboskórny i uwielbiałem radiowozy. W erze Kena, dziwnego typa, który oświadczył się mamie w trzecim dniu znajomości, byłem jak dobry brat dla dwójki jego dzieciaków. Tyle że to wszystko były pozy. Nienawidziłem kolczyków, nienawidziłem radiowozów, wiedziałem też, że z dziećmi Kena przestanę się widywać, nim upłynie rok. A w Kentucky nie musiałem udawać kogoś, kim nie byłem, bo jedyni mężczyźni, którzy liczyli się tam w moim życiu – bracia babci i jej szwagrowie – i tak już mnie znali. Czy chciałem, żeby mogli się mną chlubić? No pewnie, ale nie dlatego, że udawałem, że ich lubię. Ja ich autentycznie kochałem.

Najstarszym i najbardziej wrednym z Blantonów był wuja Salicyl – przezwisko wzięło się od woni, którą zalatywała jego ulubiona guma do żucia. Wuja Salicyl, podobnie jak jego ojciec, służył w marynarce podczas II wojny światowej. Umarł, kiedy miałem cztery lata, więc tak naprawdę pamiętam go tylko z dwóch wydarzeń. Raz gnałem jak poparzony, bo Salicyl deptał mi po piętach ze sprężynowcem w garści, zarzekając się, że jak mnie dorwie, to moim prawym uchem nakarmi psa. Rzuciłem się w ramiona Mamaw Blanton i tak się skończyła ta przerażająca zabawa. Wiem jednak, że go kochałem, bo drugie wspomnienie dotyczy ataku furii, którego dostałem na wieść o tym, że nie będę mógł zobaczyć go na łożu śmierci – darłem się tak, że babcia musiała wbić się w kitel i przeszwarcować mnie do szpitala. Pamiętam, jak tuliłem się do niej pod tym kitlem, ale samego pożegnania z wujem już nie.

Drugi był wuja Pet. Wysoki facet o ostrym intelekcie i rubasznym poczuciu humoru. Wśród Blantonów to wui Petowi w interesach powiodło się najlepiej: wcześnie wyprowadził się od rodziców i rozkręcił kilka firm, tu handel drewnem, tam budowlanka, dzięki czemu w czasie wolnym stać go było na wyścigi konne. Wydawał się też najsympatyczniejszy z całej tej ferajny, miał ogładę i urok wziętego biznesmena. Pod tym wdziękiem krył się jednak ognisty temperament. Zdarzyło się, że kierowca dostarczający towar do jednej z firm wui powiedział temu staremu góralowi: „Rozładuj mnie to natychmiast, psi synu". Wuja Pet zinterpretował tę uwagę dosłownie: „Kiedy tak mówisz, twierdzisz, że moja najdroższa mama puściła się z psem, więc proszę uprzejmie, uważaj na słowa". Kierowca – wołali go Duży Red, bo był duży i rudy – dał repetę obelgi, więc wuja Pet zachował się tak, jak postąpiłby każdy rozważny właściciel firmy: wywłókł typa z szoferki, obił go do nieprzytomności, a następnie okrzesał piłą elektryczną z góry na dół i z powrotem. Duży Red omal się nie wykrwawił, ale pędem dostarczono go do szpitala i udało się go odratować. Jednak wuja Pet nie poszedł za to siedzieć. Najwyraźniej Duży Red też pochodził z Appalachów i nie zamierzał gadać o tej sprawie z policją ani wnosić oskarżenia. Wiedział, czym się kończy zelżenie komuś matki.

Wuja David był chyba jedynym z braci Mamaw, który niezbyt dbał o kult honorności. Ten stary buntownik o długich, falistych włosach i jeszcze dłuższej brodzie kochał wszystko, tylko nie zasady, co mogłoby tłumaczyć, dlaczego nawet nie starał się usprawiedliwiać, kiedy znalazłem jego wielki krzak marihuany na tyłach starego domu Mamaw Blanton. Wstrząśnięty, zapytałem wuję, co zamierza uczynić z tymi nielegalnymi narkotykami. No to wyciągnął bletki, zapalniczkę i zademonstrował. Miałem dwanaście lat. Wiedziałem, że jeśli Mamaw się dowie, to go zabije.

A bałem się tego, bo wedle rodzinnych legend Mamaw raz o mało co z a b i ł a b y jednego faceta. Kiedy miała może dwanaście lat, wyszła raz na dwór i widzi, a tu dwaj tacy ładują rodzinną krowę – cenny dobytek w świecie pozbawionym wody bieżącej – na pakę półciężarówki. No to wbiegła do domu, złapała za sztucer i wygarnęła do nich parę razy. Jeden zwalił się na ziemię – skutek postrzału w nogę – a drugi wskoczył za kierownicę i nawiał z piskiem opon. Niedoszły bydłokrad ledwie się czołgał, więc Mamaw podeszła bliżej, wymierzyła śmiercionośnym końcem sztucera w jego głowę i szykowała się już do zamknięcia tematu. Na szczęście dla złodzieja do akcji wkroczył wuja Pet. Na pierwsze potwierdzone zabójstwo Mamaw musiała jeszcze poczekać.

Choć wiem, jaka z Mamaw była wariatka, i to pod bronią, nie potrafię uwierzyć w tę historię. Zrobiłem sondaż w rodzinie i połowa ludzi w ogóle o tym zajściu nie słyszała. Jestem gotów uwierzyć w to, że zabiłaby złodzieja, gdyby ktoś jej nie powstrzymał. Mamaw brzydziła się nielojalnością, a nie było gorszego zaprzaństwa niż zdrada klasy. Za każdym razem, kiedy ktoś zwinął nam z werandy rower (naliczyłem trzy takie przypadki), włamał się do jej samochodu i wyczyścił go z bilonu czy zakosił pocztę ze skrzynki, Mamaw mówiła mi tonem generała wydającego żołnierzom rozkazy: „Nie ma gorszego drania jak bidok okradający bidoka. I bez tego mamy ciężko. Ni diabła nie potrzeba nam jeszcze, żeby jeden drugiemu tego ciężaru dokładał".

Najmłodszym z braci Blantonów był wuja Gary. Był ostatnim dzieckiem pradziadków i jednym z najmilszych ludzi, jakich poznałem. Wuja Gary opuścił rodziców za młodu i rozkręcił w Indianie solidny biznes dekarski. Był dobrym mężem i jeszcze lepszym ojcem, a do mnie zawsze mówił: „Jesteśmy z ciebie dumni, Jay Kropka, brachu", a ja aż rosłem z zadowolenia. Jego lubiłem najbardziej, bo jako jedyny z braci Blantonów nigdy nie straszył mnie kopem w dupę czy amputacją ucha.

Babcia miała też dwie młodsze siostry, Betty i Rose, i je obie również bardzo kochałem, ale to mężczyźni z rodu byli przedmiotem mojej obsesji. Siadałem między nimi i błagałem o opowieści z życia, nowe czy powtarzane. To oni byli klucznikami mówionej historii naszej rodziny, a ja – ich najpilniejszym uczniem.

Większa część tej tradycji bynajmniej nie nadawała się dla dziecięcych uszu. Niemal każda opowieść wiązała się z przemocą na taką skalę, że ktoś powinien wylądować za kratami. Sporo dotyczyło powodów, dla których hrabstwo, w którym leży Jackson – Breathitt – dorobiło się swojego aliteracyjnego przydomka: „Bojowe Breathitt". Wiele było wyjaśnień tego stanu rzeczy, ale wszystkie krążyły wokół wspólnego tematu: mieszkańcom hrabstwa pewne rzeczy serdecznie się nie podobały i nie potrzebowali podpierać się prawem, żeby je trzebić.

Jedna z najczęściej serwowanych krwawych historii z Breathitt dotyczyła starszego pana z miasta, oskarżonego o zgwałcenie młodej dziewczyny. Mamaw opowiadała mi, że na parę dni przed procesem znaleźli gościa pływającego twarzą w dół w miejscowym jeziorze, z szesnastoma ranami postrzałowymi w plecach. Władze nigdy nie przeprowadziły śledztwa w sprawie tego morderstwa, a miejscowa gazeta wspomniała o tym zajściu tylko rankiem tego dnia, kiedy odnaleziono zwłoki. Z podziwu godną dziennikarską zwięzłością nagłówek głosił: „Znaleziono zwłoki mężczyzny. Podejrzenie przestępstwa".

– Podejrzenie przestępstwa? – rżała babcia. – Żebyście, cholera, wiedzieli. Bojowe Breathitt załatwiło sukinsyna.

Albo ten dzień, kiedy wuja Salicyl usłyszał przypadkiem deklarację pewnego młodego człowieka, że ten „chętnie zeżarłby jej majty" – miał na myśli bieliznę siostry wui, czyli Mamaw. Wuja pojechał do domu, zabrał jedną parę z szuflady z siostrzanymi barchanami i zmusił owego młodzieńca – trzymając go pod nożem – do konsumpcji.

Być może ten i ów dojdzie do wniosku, że wywodzę się z rodziny pomyleńców. Dzięki tym opowieściom czułem się jednak jak arystokrata wśród bidoków, bo były to historie o klasycznej walce dobra ze złem, a moi krewni stali po stronie dobra. Owszem, zachowywali się ekstremalnie, ale ta skrajność służyła godnej sprawie – obrona honoru siostry czy zagwarantowanie, że zbrodniarz zapłaci za swój czyn. Zarówno bracia Blantonowie, jak i ich zadziorna siostra, ta, na którą mówiłem Mamaw, egzekwowali wyroki na modłę bidoków, a z mojego punktu widzenia była to najlepsza postać wymiaru sprawiedliwości.

Mimo wszelkich swoich cnót, a może i dzięki nim, bracia Blantonowie byli też za pan brat z występkiem. Paru z nich znaczyło swój ślad porzuconymi dziećmi, zdradzanymi żonami, a czasem i jednymi, i drugimi. Wcale też nie znałem ich aż tak dobrze: spotykałem ich tylko na wielkich zjazdach rodzinnych czy przy okazji świąt. Mimo to jednak kochałem ich i wielbiłem. Raz usłyszałem, jak Mamaw mówiła swojej mamie, że kocham braci Blantonów, bo tatusiowie pojawiali się i znikali, a Blantonowie zawsze byli tacy sami. Zdecydowanie coś w tym było. Jednak przede wszystkim bracia Blantonowie byli żywym uosobieniem wzgórz Kentucky. Uwielbiałem ich, bo uwielbiałem Jackson.

Kiedy podrosłem, obsesja na punkcie braci Blantonów przygasła w uznanie, doroślej patrzyłem też na Jackson, już nie jak na raj na ziemi. Zawsze jednak mam to miasteczko za swoje ojczyste. Jest niepojęcie piękne: kiedy w październiku zaczynają się wybarwiać liście, można by pomyśleć, że każde wzgórze tutaj stanęło w płomieniach. Jednak mimo całej swej urody, wszystkich dobrych wspomnień, Jackson to bardzo surowe miejsce. To tam nauczyłem się, że „ludzie z gór" i „biedota" to z reguły pojęcia tożsame. U Mamaw Blanton na śniadanie jedliśmy jajecznicę, szynkę, odsmażane ziemniaki i chlebki sodowe, na lunch kanapki z obsmażoną mortadelą, a na obiad gulasz fasolowy z chlebem kukurydzianym. Wiele rodzin w Jackson nie mogłoby się pochwalić taką dietą, a wiem o tym, bo kiedy podrosłem, nieraz słyszałem, jak dorośli mówili o biednych dzieciach z okolicy i o tym, w jaki sposób miasto mogłoby im pomóc. Mamaw kryła przede mną najgorsze strony Jackson, ale nie da się bez końca zaklinać rzeczywistości.

Kiedy ostatnio odwiedziłem Jackson, oczywiście musiałem zajrzeć do starego domu Mamaw Blanton, gdzie obecnie mieszka wnuk brata Mamaw, Rick, z rodziną. Rozmowa zeszła na zmiany wszędzie dokoła. „Pojawiły się narkotyki – wyjaśnił mi Rick. – No i nikomu nie chce się iść do roboty na dłużej".

Miałem nadzieję, że moja ukochana dulina uniknęła najgorszego losu, poprosiłem więc synów Ricka, żeby wyszli ze mną na spacer. Wszędzie dokoła widziałem najpaskudniejsze oznaki appalaskiej nędzy.

Niektóre były tyleż rozdzierające, co sztampowe: walące się, zapuszczone chaty, bezpańskie psy żebrzące o kęs, walające się na podwórzach stare meble. Inne były bardziej niepokojące. Gdy mijaliśmy mały, dwuizbowy dom, zauważyłem, że z okna jednej sypialni zerkają na mnie zza zasłony wystraszone oczy. Pobudziło to moją ciekawość: przyjrzałem się baczniej i naliczyłem w sumie osiem par oczu, patrzących na mnie z trzech okien z niepokojącą mieszaniną lęku i tęsknoty. Na werandzie przed domem siedział chudy facet, góra trzydziestopięciolatek, najwyraźniej głowa domu. Kilka zajadłych, niedożywionych psów łańcuchowych strzegło mebli porozrzucanych na wydeptanym na klepisko podwórzu. Kiedy zapytałem syna Ricka, jak ten gość zarabia na życie, powiedział mi, że facet nie ma żadnej pracy i jeszcze się tym szczyci. Dodał jednak: „ale to wredne ludzie, więc po prostu staramy się nie wchodzić im w drogę".

Może ten dom to skrajny przykład, ale pod wieloma względami odzwierciedla on życie ludzi z gór w Jackson. Niemal trzecia część ludności miasteczka żyje w ubóstwie, przy czym dotyczy to około połowy tamtejszych dzieci. Co więcej, nie wliczamy tu znacznej większości mieszkańców Jackson, którzy utrzymują się tuż ponad granicą biedy. Rozpanoszyła się tu epidemia uzależnień od leków przeciwbólowych na receptę. Szkoły publiczne stoją na tak fatalnym poziomie, że ostatnio przejęły nad nimi nadzór władze stanowe. Rodzice wciąż jednak posyłają do tych szkół dzieci, bo niezbyt stać ich na czesne w lepszych placówkach, a tymczasem liceum z przerażającą uporczywością nie jest w stanie przygotować swoich podopiecznych do studiów. Tubylcy niedomagają też na zdrowiu, a bez wsparcia rządu nie uporają się nawet z najbardziej podstawowymi problemami. A co najważniejsze, podchodzą do tego w r e d n i e – nie odważą się odsłonić obcym swojego życia z jednego prostego powodu: nie chcą, by ktokolwiek ich osądzał.

W roku 2009 kanał ABC News wyemitował reportaż z Appalachów, wytykając zjawisko znane jako „zęby Mountain Dew": bolesne problemy dentystyczne u małych dzieci, generalnie spowodowane nadmiarem słodkich napojów gazowanych. W reportażu ABC przytoczono całą litanię opowieści o borykających się z nędzą i wykluczeniem dzieciach z Appalachów. Materiał był w górach powszechnie oglądany, spotkał się jednak z totalnym potępieniem. Powszechna reakcja: Nie wasza sprawa, psiakrew. „To chyba najbardziej obelżywa rzecz, jaką w życiu słyszałem, i powinniście się wszyscy wstydzić, w tym całe ABC" – napisał jeden z internetowych komentatorów. Inny dodał: „Wstydźcie się, że podtrzymujecie stare, fałszywe stereotypy, zamiast przedstawić prawdziwszy obraz Appalachów. Tak samo uważa wielu faktycznych mieszkańców małych miasteczek w górach, których znam".

Wiem o tym, bo moja kuzynka ruszyła do boju na Facebooku, by uciszać tych krytyków – podkreślając, że tylko poprzez przyznanie, że są w regionie kwestie stwarzające problemy, jego mieszkańcy mogą mieć jakąkolwiek nadzieję na poprawę sytuacji. Amber ma wyjątkowe prawo do tego, by wypowiadać się na temat problemów Appalachów – w odróżnieniu ode mnie, przeżyła w Jackson całe dzieciństwo. W liceum była prymuską, potem ukończyła też studia, jako pierwsza z całej rozbitej rodziny. Na własnej skórze doświadczyła w Jackson najgorszej biedy, a jednak dała radę.

Ta gniewna reakcja to coś, co zauważono też w opracowaniach akademickich na temat Amerykanów z Appalachów. W artykule z grudnia 2000 roku socjologowie Carol A. Markstrom, Sheila K. Marshall i Robin J. Tryon stwierdzili, że wśród nastolatków z Appalachów unikanie rozważania problemów i myślenie życzeniowe jako formy radzenia sobie występują ze „znacząco uporczywą przewidywalnością". Ich badania wskazywałyby, że „bidoki" już od najmłodszych lat uczą się ignorować niewygodne fakty albo udawać, że istnieją inne, lepsze fakty. Tendencja ta może sprzyjać odporności psychicznej, ale też sprawia, że mieszkańcy Appalachów mają problem ze szczerą samooceną.

Skłaniamy się ku przesadzie i niedopowiedzeniom, ku wychwalaniu własnych zalet i przemilczaniu wad. To dlatego ludzie z Appalachów tak ostro zareagowali, gdy uczciwie przedstawiono niektórych spośród ich najbiedniejszych krajanów. To dlatego wielbiłem braci Blantonów, dlatego przez pierwszych osiemnaście lat życia udawałem, że to cały świat jest pełen problemów, ale bynajmniej nie ja.

Prawda jest niełatwa, a najtrudniejsze dla ludzi z gór są te prawdy, które muszą oni przyznać o sobie samych. W Jackson bez wątpienia mieszka mnóstwo najwspanialszych ludzi pod słońcem, jest tam też jednak pełno lekomanów, jak też przynajmniej jeden facet, który znalazł czas, żeby zmachać ósemkę dzieci, ale żeby je utrzymywać, to już nie. Bez wątpienia jest to piękne miasteczko, ale jego urodę przyćmiewają zniszczona przyroda i śmieci niesione wiatrem po okolicy. Żyją tam ludzie robotni, oczywiście za wyjątkiem wielu zasiłkowiczów, niespecjalnie zainteresowanych uczciwym zarabianiem na życie. Jackson, podobnie jak bracia Blantonowie, jest pełne kontrastów.

Porobiło się tak niedobrze, że zeszłego lata, po tym, jak mój kuzyn Mike pochował matkę, zaraz zaczął myśleć o sprzedaży jej domu.

– Nie chcę tu mieszkać, a domu bez opieki nie mogę zostawić – powiedział. – Zaraz by go ćpuny splądrowały.

W Jackson zawsze było biednie, ale nigdy nie było tak, żeby człowiek bał się zostawić niezamieszkany dom po matce. Miejsce, które mam za swój dom, nieprzyjemnie się zmieniło.

Jeśli kogoś kusiłoby, żeby uznać te problemy za partykularne troski peryferyjnych dulin, wystarczy rzucić okiem na mój życiorys, żeby przekonać się, że niedole Jackson widać już w życiu całych Stanów. Dzięki masowej migracji z biedniejszych rejonów Appalachów w inne okolice, do Ohio, Michigan, Indiany, Pensylwanii czy Illinois, system wartości bidoków rozplenił się szeroko, podobnie jak oni sami. W rzeczy samej, wychodźcy z Kentucky i ich potomstwo stanowią tak znaczną część mieszkańców Middletown w stanie Ohio, gdzie dorastałem, że jako dzieci wzgardliwie nazywaliśmy to miasto „Middletucky".

Moi dziadkowie wyrwali się z prawdziwego Kentucky i przenieśli do Middletucky w poszukiwaniu lepszego życia, pod pewnymi względami nawet im się udało. Jednak jeśli spojrzeć z innych stron, przed niczym nie zdołali uciec. Plaga lekomanii, która zstąpiła na Jackson, dotknęła też ich starszej córki, na całe jej dorosłe życie. Może zęby Mountain Dew są szczególnym problemem w Jackson, ale moi dziadkowie walczyli z tym także w Middletown: miałem dziewięć miesięcy, kiedy Mamaw po raz pierwszy zauważyła, że mama leje mi pepsi do butelki ze smoczkiem. W Jackson niełatwo znaleźć porządnego ojca, ale niewielu takich trafiło się też w życiu wnuków moich dziadków. Od dziesięcioleci ludzie starali się uciec z Jackson, a teraz walczą o szansę wydostania się z Middletown.

Może te problemy wyrastają z Jackson, trudno jednak dostrzec, gdzie jest ich kres. Kiedy lata temu widziałem z Mamaw ów kondukt pogrzebowy, uświadomiłem sobie, że i ja jestem z gór. Podobnie jak znaczna część amerykańskiej klasy robotniczej. I my, ludzie z gór, nie radzimy sobie najlepiej.

2

Bidoki lubią przekręcać różne słowa na swój sposób. Na płotki mówimy „pletki", na raki – „rakuny". Według słownikowej definicji „dolina" to „podłużne wgłębienie terenu", ale ja nigdy nie mówiłem „dolina", jeśli nie tłumaczyłem akurat koledze, co to jest „dulina". Inni ludzie mają dla swoich dziadków przeróżne określenia: babcia, bunia, dziadzia, babka i tak dalej. Nigdy jednak nie słyszałem, żeby ktoś spoza naszej społeczności powiedział „Mamaw" (wymawia się to „meem-o") czy „Papaw". Tak można nazywać tylko dziadków bidoków.

Moi dziadkowie – Mamaw i Papaw – to bez wątpienia, bez zastrzeżeń najlepsze, co mi się przytrafiło. Ostatnie dwadzieścia lat swojego życia spędzili na wpajaniu mi, ile są warte miłość i stabilność, na dawaniu mi lekcji, które większość dzieci otrzymuje od rodziców. Oboje przyczynili się do tego, że nie straciłem pewności siebie, że dostałem dobrą szansę na ziszczenie amerykańskiego snu. Wątpię jednak, by w dzieciństwie Jim Vance i Bonnie Blanton liczyli na coś wielkiego we własnym życiu. Bo i skąd? Appalachy i szkoły, w których w jednej klasie siedzieli wszyscy, od zerówki po maturę, to nie miejsce dla marzycieli.

Niewiele wiemy o najmłodszych latach Papaw, i tak już raczej pozostanie. Ot, tyle, że należał poniekąd do arystokracji wśród bidoków. Jego daleki krewny, także Jim Vance, wżenił się w Hatfieldów i dołączył do grupy byłych żołnierzy konfederackich i ich sympatyków, zwanej Żbikami. Kiedy ów kuzyn Jim zabił Asę Harmona McCoya, eksżołnierza Północy, dał początek jednej z najsłynniejszych wróżd rodzinnych w dziejach Stanów Zjednoczonych.

Papaw urodził się jako James Lee Vance w roku 1929, drugie imię dostał po ojcu, Lee Vansie. Ojciec zmarł raptem kilka miesięcy po narodzeniu Jamesa, a jego matka, Goldie, przygnieciona nieszczęściem oddała dziecko pod opiekę własnemu ojcu, Papowi Taulbee, surowemu właścicielowi niedużego składu drzewnego. Choć Goldie czasem podsyłała pieniądze, z synkiem widywała się rzadko. Papaw mieszkał u dziadka Taulbee w Jackson, stan Kentucky, przez pierwszych siedemnaście lat życia.

Pap Taulbee miał mały, dwuizbowy domek raptem paręset metrów od domu Blantonów, gdzie Blaine i Hattie wychowywali ósemkę dzieci. Hattie użaliła się nad młodym półsierotą i stała się dla mojego dziadka przyszywaną matką. Jim wkrótce był już niemal członkiem rodziny – wolny czas spędzał na gonitwach z Blantonami, a i większość posiłków jadał w kuchni Hattie. Nie ma się co dziwić, że w końcu poślubił jej najstarszą córkę.

Jim wżenił się w niesforne towarzystwo. Blantonowie mieli w Breathitt wyrobioną renomę, a historia ich wendet niewiele odstawała od tej w rodzinie Vance'ów. W pierwszej dekadzie XX wieku pradziadek Mamaw wygrał wybory na sędziego hrabstwa, ale najpierw jej dziadek, Tilden (syn owego sędziego), w dzień wyborów zabił członka zwaśnionej z nimi rodziny*. W artykule w „New York Timesie" opisującym tę brutalną wendetę uderzają dwie rzeczy. Po pierwsze, Tilden nie poszedł do więzienia za popełnioną zbrodnię**. Po drugie, jak doniósł reporter „Timesa", „spodziewane [są] komplikacje". No nie wątpię.

Kiedy po raz pierwszy przeczytałem tę historię w jednym z najbardziej wysokonakładowych dzienników w kraju, jedna emocja górowała nad wszystkimi, które odczuwałem: duma. Nie wydaje mi się, żeby którykolwiek inny z moich przodków trafił na łamy „New York Timesa". A nawet gdyby, nie sądzę, żeby jakiekolwiek ich dokonania przyniosły mi tyle dumy, co sukces w rodzinnej pomście. I to taki, od którego mógł zależeć wynik wyborów! Jak to mawiała Mamaw, można wyciągnąć człowieka z Kentucky, ale Kentucky się z człowieka nie wyciągnie.

Papaw musiał mieć chyba nie po kolei w głowie. Mamaw wywodziła się z rodziny, gdzie spory chętniej rozstrzygano kulą niż słowem. Jej ojcem był przerażający, stary bidok, który ze służby w marynarce wyniósł medale i piętrowe wiązanki. Mordercze wyczyny jej dziadka zasłużyły na wzmiankę w „New York Timesie". Zresztą mniejsza o jej przodków, sama Mamaw Bonnie była takim biczem bożym, że jeszcze po wielu dziesięcioleciach werbownik Korpusu Marines zapewniał mnie, że w porównaniu z mieszkaniem u niej szkolenie unitarne to pryszcz.

---

* *Kentucky Feudist Is Killed*, „New York Times", 3 listopada 1909.
** Tamże.

– Sierżanci od musztry to wredne typy – powiedział. – Ale kudy im do tej twojej babci.

Cóż, wredna czy nie, Papaw się nie przestraszył. I tak Mamaw i Papaw, oboje jeszcze nastoletni, pobrali się w Jackson w 1947 roku.

W owym czasie, kiedy euforia zwycięstwa w II wojnie światowej już zgasła i zaczęto oswajać się z życiem w czasach pokoju, mieszkańców Jackson dało się podzielić na dwie grupy: tych chętnych przesadzić się z korzeniami do przemysłowych centrów nowej Ameryki, i całą resztę. Te niemal dzieci, siedemnastolatek i czternastolatka, musiały wybrać jedną z tych grup.

Jak opowiedział mi kiedyś Papaw, dla wielu z jego przyjaciół jedyną opcją była praca „w szybach" – w kopalniach węgla nieopodal Jackson. Ci, którzy zostali w Jackson, pędzili życie na krawędzi ubóstwa, a czasem i osuwali się w nędzę. Dlatego też wkrótce po ożenku Papaw podniósł kotwicę i przeniósł swoją świeżo upieczoną rodzinę do Middletown, miasteczka w Ohio, gdzie szybko rozwijała się gospodarka uprzemysłowiona.

Tak opowiadali mi o tym dziadkowie i jak większość rodzinnych legend jest to historia zasadniczo prawdziwa, ale w szczegółach tkwią diabełki. Podczas niedawnej wizyty u rodziny w Jackson mój prawuja Arch – szwagier Mamaw, ostatni żyjący mieszkaniec Jackson z tego pokolenia – przedstawił mnie Bonnie South, kobiecie, która całe życie, osiemdziesiąt cztery lata, spędziła może o sto metrów od domu, w którym wyrosła Mamaw. Póki Mamaw nie wyjechała do Ohio, Bonnie South była jej najlepszą przyjaciółką. I jeśli wierzyć jej słowom, owemu wyjazdowi dziadków towarzyszył jednak pewien skandal, o którym dotąd nie słyszeliśmy.

Otóż w roku 1946 Papaw i Bonnie South chodzili ze sobą. Nie do końca wiem, co to oznaczało w owych czasach w Jackson – czy kroiły się zaręczyny, czy po prostu spędzali razem czas. Bonnie niewiele miała na ten temat do powiedzenia, poza stwierdzeniem, że Papaw był „okrutnie przystojny". Wspomniała jeszcze tylko o jednym: że w tymże 1946 roku zdarzyło się, że Papaw zdradził ją z najlepszą przyjaciółką – czyli z Mamaw. Mamaw miała wówczas trzynaście lat, Papaw – szesnaście, a jednak romans skończył się ciążą. A ta ciąża tak dołożyła do pieca, że planowanym terminem wyjazdu z Jackson stało się j u ż, n a t y c h m i a s t, bo przecież: szpakowaty, zatrważający pradziadek, frontowy weteran; bracia Blantonowie, którzy już wyrobili sobie reputację obrońców honoru Mamaw; no i powiązana z nimi siatka zbrojnych bidoków, natychmiast uświadomionych w kwestii ciąży Bonnie Blanton. A co najważniejsze, Bonnie i Jim Vance mieli zaraz dostać kolejną gębę do wykarmienia, choć sami jeszcze nie mieli kiedy nauczyć się, jak zadbać o własne utrzymanie. Mamaw i Papaw błyskawicznie wynieśli się do Dayton w Ohio, gdzie pomieszkali chwilę, nim osiedli na dobre w Middletown.

W późniejszych latach Mamaw wspominała czasem córeczkę, która zmarła w niemowlęctwie, jednak tak, że wszyscy zrozumieliśmy, iż urodziła się ona jakoś po wui Jimmym, najstarszym z dzieci Mamaw i Papaw. W ciągu dekady dzielącej narodziny wui Jimmy'ego od przyjścia na świat mojej mamy Mamaw przeszła osiem poronień. Ostatnio jednak moja siostra odnalazła akt urodzenia „Dziecka" Vance, owej ciotki, której nigdy nie dane mi było poznać, dziecka, które zmarło tak młodo, że na akcie urodzenia odnotowano także datę zgonu. Dziewczynka, przez którą moi dziadkowie przenieśli się do Ohio, nie przeżyła nawet tygodnia. Pogrążona w żałobie matka noworodka skłamała, podając wiek do rejestru urodzeń – miała wówczas raptem czternaście lat i siedemnastoletniego męża; gdyby powiedziała prawdę, zostałaby odesłana do rodziców albo Papaw trafiłby do więzienia.

Pierwsze zetknięcie Mamaw z dorosłością skończyło się tragicznie. Ostatnio często się nad tym zastanawiam: czy wyjechałaby w ogóle z Jackson, gdyby nie ta ciąża? Czy uciekłaby u boku Jima Vance'a na nowe ziemie? Być może dziewczynka, która przeżyła ledwie sześć dni, odmieniła kurs, po którym potoczyło się całe życie Mamaw – i naszej rodziny.

Jakkolwiek patrzeć, co przeważyło: szukanie okazji do lepszego życia czy konieczność natury rodzinnej, dziadkowie migiem znaleźli się w Ohio i tam już pozostali, a o powrocie nie było mowy. Papaw znalazł więc pracę w Armco, dużym koncernie stalowniczym, który intensywnie werbował pracowników w zagłębiu węglowym wschodniego Kentucky. Przedstawiciele Armco odwiedzali miasteczka takie jak Jackson, obiecując (zgodnie z prawdą) lepsze życie każdemu, kto zechce przenieść się na północ, do pracy w fabryce. Działała regularna polityka wspierania masowej migracji – chętni, którzy mieli już kogoś z rodziny wśród pracowników Armco, wędrowali na czoło listy kandydatów do przyjęcia. Zatem Armco nie tylko werbowało młodych mężczyzn z górskich rejonów Kentucky, lecz także zachęcało ich, by sprowadzali się na północ całymi rodzinami.

Tę samą strategię stosowało wiele innych przedsiębiorstw przemysłowych, i najwyraźniej przynosiła ona skutki. W owym czasie istniało niejedno takie Jackson i niejedno Middletown. Historycy opisali dwie główne fale migracji z Appalachów do przemysłowych kompleksów Środkowego Zachodu. Pierwsza miała miejsce po I wojnie światowej, kiedy powracający do ojczyzny weterani przekonali się, że znalezienie pracy w nieuprzemysłowionych jeszcze pogórzach Kentucky, Wirginii Zachodniej czy Tennessee graniczy z niemożliwością. Koniec tej migracji nastąpił, kiedy Wielki Kryzys zadał potężny cios gospodarce północnych stanów*. Moi dziadkowie należeli do drugiej fali, w której także znaleźli się żołnierze z demobilu oraz młodzi dorośli, których w latach czterdziestych i pięćdziesiątych gwałtownie w Appalachach przybywało**. Gospodarczo stany Kentucky i Wirginia Zachodnia coraz bardziej zostawały w tyle za sąsiadami, okazało się też, że z tego, czego potrzebowała Północ, góry miały do zaoferowania tylko węgiel i ludzi. Więc jedno i drugie eksportowano z Appalachów na potęgę.

Trudno tu o dokładne kwoty, bo z reguły badacze podają „liczbę emigrantów netto" – to jest od tych, którzy wyjechali, odejmują tych przyjeżdżających. Wiele rodzin bez przerwy kursowało tam i z powrotem, co zaburza wyliczenia. Na pewno jednak wiele milionów ludzi ruszyło „gościńcem bidoków" – to metaforyczne określenie owładnęło wyobraźnią mieszkańców Północy, którzy widzieli potoki ludzi pokroju

* Phillip J. Obermiller, Thomas E. Wagner, E. Bruce Tucker, *Appalachian Odyssey: Historical Perspectives on the Great Migration*, Westport 2000, rozdz. 1.
** Tamże; Razib Khan, *The Scots-Irish as Indigenous People*, dz. cyt.

moich dziadków zalewające większe i mniejsze miasta. Skala tej migracji zwala z nóg. W latach pięćdziesiątych z Kansas wyemigrowało trzynastu z każdej setki mieszkańców tego stanu. Były okolice, z których wyjeżdżało jeszcze więcej ludzi: na przykład hrabstwo Harlan, które zyskało sławę dzięki nagrodzonemu Oscarem filmowi dokumentalnemu o strajkach górniczych, straciło w ten sposób trzydzieści procent ludności. W roku 1960 spośród dziesięciu milionów mieszkańców Ohio milion stanowili urodzeni w Kentucky, Wirginii Zachodniej czy w Tennessee. Liczba ta nie obejmuje znacznej grupy przybyszów z innych części południowych Appalachów ani też dzieci i wnuków migrantów, wciąż jeszcze bidoków z krwi i kości. Owych dzieci i wnuków niewątpliwie było niemało, przybyszów z gór bowiem cechowała z reguły znacznie wyższa dzietność niż dotychczasowych mieszkańców terytoriów, na które przybyli*.

Krótko mówiąc, doświadczenia moich dziadków były zupełnie typowe. Istotna część ludności całego regionu zebrała klamoty i wyniosła się na północ. Chcecie mocniejszych dowodów? Wjedźcie na drogę międzystanową, w kierunku północnym, gdziekolwiek w Kentucky czy Tennessee, dzień po Bożym Narodzeniu czy Święcie Dziękczynienia, a zobaczycie, że prawie wszystkie samochody są na rejestracjach z Ohio, Indiany czy Michigan – pełne bidoków przesiedleńców, którzy przyjechali do domu na święta.

Rodzina Mamaw z entuzjazmem dołączyła do tych ludzkich potoków. Spośród siedmiorga jej rodzeństwa Pet, Paul

---

* Jack Temple Kirby, *The Southern Exodus, 1910–1960: A Primer for Historians*, „The Journal of Southern History”, listopad 1983, t. 49, nr 4, s. 585–600.

i Gary wyprowadzili się do Indiany, znaleźli pracę w budowlance. Każdy stał się właścicielem dobrze prosperującej firmy, dorabiając się przy tym sporego majątku. Rose, Betty, Salicyl i David zostali w Kentucky. Wszyscy borykali się z kłopotami finansowymi, choć jak na miejscowe standardy tylko Davidowi nie udawało się żyć całkiem wygodnie. Czwórka migrantów w chwili śmierci stała na drabinie socjoekonomicznej zdecydowanie wyżej niż ci, którzy zostali w Jackson. Papaw wiedział to już za młodu: jeśli bidok chciał do czegoś dojść, najlepiej było na początek odejść z gór.

Zapewne nietypowe było to, że Mamaw i Papaw w nowym mieście nie mieli żadnych krewnych. O ile jednak stracili bezpośrednią styczność z rodziną, bynajmniej nie oznaczało to wyobcowania pośród ogółu mieszkańców Middletown. Większość ludności miasteczka sprowadziła się tu za pracą w nowych fabrykach, w lwiej części z Appalachów. Wykorzystywanie więzi rodzinnych w rekrutacji pracowników przez duże przedsiębiorstwa przemysłowe* przyniosło zamierzony efekt, a rezultaty były do przewidzenia. Na całym obszarze uprzemysłowionego Środkowego Zachodu pojawiły się nowe społeczności przybyszów z Appalachów i ich rodzin, zaczynających właściwie od zera. Jak odnotował autor jednej z prac: „Migracja nie tyle rozbiła więzi sąsiedzkie i rodzinne, ile je przetransportowała"**. Położenie, w którym moi dziadkowie znaleźli się w latach pięćdziesiątych w Middletown, było dla nich tyleż nowe, ile znajome. Nowe o tyle, że po raz pierwszy byli odcięci od sieci wzajemnego

* Tamże.
** Tamże, s. 598.

rodzinnego wsparcia, do której przyzwyczaili się w Appalachach; znajome, bo i tak wciąż żyli wśród bidoków.

Chętnie opowiedziałbym wam, jak moi dziadkowie rozkwitli na nowej ziemi, jak z powodzeniem wychowali dzieci, jak mogli przejść na godną klasy średniej emeryturę. Byłaby to jednak półprawda. Cała prawda jest taka, że nowe życie nie szło dziadkom łatwo i ta walka trwała całe dziesięciolecia.

Przede wszystkim na tych, którzy opuścili góry Kentucky w poszukiwaniu lepszego życia, spadło niezwykłe odium. Bidoki mają takie powiedzonko: „Wyżej sra, niż dupę ma", na określenie tych, którym wydaje się, że są lepsi niż ich przodkowie. Przez całe lata po przybyciu do Ohio dziadkowie te właśnie słowa słyszeli o sobie od tych, co zostali w Kansas. Wyraźnie dawano im do zrozumienia, że porzucili rodzinę, za to oczekiwano, że niezależnie od wszelkich zobowiązań będą regularnie przybywać w odwiedziny. Było to zachowanie typowe dla migrantów z Appalachów. Ponad dziewięćdziesiąt procent z nich przynajmniej raz odwiedziło jeszcze „rodzinne strony", a ponad dziesięć procent robi to mniej więcej co miesiąc*. Moi dziadkowie często przyjeżdżali do Jackson, czasem nawet weekend w weekend, nie zważając na to, że w latach pięćdziesiątych taka podróż wymagała około dwudziestu godzin za kółkiem. Awans majątkowy pociągał za sobą różnego rodzaju naciski, jak też wiele nowych zobowiązań.

Stygmatyzowanie przychodziło z obu stron: także nowi sąsiedzi nierzadko przyglądali się bidokom podejrzliwie. Dla białych mieszkańców Ohio z klasy średniej ci nowi po prostu

---

* Carl E. Feather, *Mountain People in a Flat Land: A Popular History of Appalachian Migration to Northwest Ohio, 1940–1965*, Athens 1998, s. 4.

do nich nie pasowali. Mieli zbyt wiele dzieci, a jeśli gościli krewnych, czasem bardzo dalekich, te wizyty potrafiły się mocno przeciągać. Zdarzało się, że bracia i siostry Mamaw przemieszkiwali u niej i Papaw całymi miesiącami, usiłując znaleźć sobie na równinach jakąś dobrą robotę. Innymi słowy, rodowici mieszkańcy Middletown traktowali wiele elementów kultury i obyczaju bidoków z nieskrępowaną dezaprobatą. Książka *Appalachian Odyssey* opisuje napływ ludzi z gór do Detroit: „Nie chodziło po prostu o to, że migranci z Appalachów, jako przybysze ze wsi, «nieswoi» w mieście, bulwersowali białych mieszczan ze Środkowego Zachodu. Gorzej, ci migranci podważali cały wachlarz założeń przyjętych przez białych z Północy odnośnie do wyglądu, mowy i zachowania właściwych tej rasie [...] problematycznym aspektem była przynależność rasowa b i d o k ó w. Powierzchownie przynależeli oni do tej samej rasy (białej), co ci, którzy posiadali lokalną i ogólnokrajową dominację gospodarczą, polityczną i społeczną. Jednak b i d o k ó w wiele cech regionalnych upodabniało do napływających do Detroit Murzynów z Południa"*.

Jeden z przyjaciół, których znalazł sobie Papaw w Ohio – także bidok z Kentucky – dostał pracę jako listonosz w ich dzielnicy. Niedługo po sprowadzeniu się do Middletown ów listonosz wdał się w zatarg z władzami miejskimi. Poszło o stadko kur, które hodował za domem. Obchodził się z nimi dokładnie tak samo, jak Mamaw ze swoimi w rodzinnej dulinie: każdego ranka zbierał wszystkie jajka, a jeśli stado

---

* Phillip J. Obermiller, Thomas E. Wagner, E. Bruce Tucker, *Appalachian Odyssey...*, dz. cyt., s. 145.

rozrastało się zanadto, wybierał parę starszych sztuk, ukręcał im łby i sprawiał tam na podwórzu. Można sobie wyobrazić, jak jakaś pani domu z dobrej rodziny ze zgrozą patrzy przez okno na sąsiada z Kentucky, który raptem parę metrów od niej urządza jatkę rozgdakanym kurom. Z siostrą wciąż mówimy na staruszka listonosza „kurzy boss", a byle wzmianka o tym, jak to władze miasta uwzięły się na niego, jeszcze po latach burzyła w Mamaw jej sławetną żółć: „Jebane rozporządzenia rady miasta. Możecie mnie cmoknąć prosto w kakaowy wylot, ćwoki".

Przeprowadzka do Middletown zrodziła też inne problemy. W górskich domostwach w Jackson prywatność była kwestią raczej teoretyczną niż praktykowaną. Krewni, znajomi i sąsiedzi ładowali się człowiekowi do domu niemal bez zapowiedzi. Matki uczyły córki, jak wychowywać dzieci. Ojcowie wykładali synom, jak wykonywać pracę. Bracia klarowali szwagrom, jak mają traktować żony. Życia rodzinnego uczyło się tam w boju, ze znaczną pomocą bliźnich. W Middletown obowiązywała zasada „mój dom to moja twierdza".

Cóż, kiedy dla Mamaw i Papaw owa twierdza ziała pustką. Z gór przywieźli archaiczny model rodziny i próbowali trzymać się go w świecie prywatności i rodzin zatomizowanych. Byli nowożeńcami, ale nie było komu uczyć ich, jak to jest w małżeństwie. Byli rodzicami, ale zabrakło dziadków, ciotek, wujków czy kuzynów, którzy przejęliby część obowiązków. Jedyną bliską krewną w pobliżu była matka Papaw, Goldie. Jednak syn praktycznie jej nie znał, a Mamaw nie potrafiła uszanować kogoś, kto porzucił własne dziecko.

Minęło parę lat i Mamaw i Papaw zaczęli dostosowywać się do otoczenia. Mamaw zaprzyjaźniła się serdecznie z „panią sąsiadką" (tak nazywała te, które polubiła) z mieszkania nieopodal, Papaw w wolnym czasie naprawiał samochody, a towarzysze pracy powoli ze znajomych stali się kolegami. W roku 1951 dziadkowie przywitali na świecie chłopczyka – mojego wui Jimmy'ego – i zasypali go świeżo zdobytymi luksusami. Jak opowiadała mi później Mamaw, Jimmy już mając dwa tygodnie, umiał siedzieć, w wieku czterech miesięcy chodził, a jako trzylatek czytał powieści klasyków („Trochę z tym przesadzała" – wyznał po latach sam wujek). Odwiedzali braci Mamaw w Indianapolis, wybierali się na pikniki z nowymi przyjaciółmi. Jak mówił wuja Jimmy, „typowe życie klasy średniej". Według niektórych kryteriów nudnawe, ale było w nim szczęście, które docenią tylko ci, którzy znają konsekwencje braku nudy w życiu.

Co nie znaczy, że zawsze wszystko szło gładko. Raz wyjechali do centrum handlowego, żeby wśród przedświątecznych tłumów kupować prezenty pod choinkę. Jimmy'ego puścili samopas, by odnalazł wymarzoną zabawkę.

– Reklamowali je w telewizji – opowiadał mi niedawno. – Taka konsola z plastiku, która wyglądała jak pulpit myśliwca odrzutowego. Dało się włączyć lampkę, odpalać strzałki. Generalnie dzieciak mógł udawać, że jest pilotem myśliwca.

Jimmy zaszedł do drogerii, gdzie akurat sprzedawali te zabawki, wziął jedną i zaczął się nią bawić.

– Sprzedawcy się to nie spodobało. Kazał mi odłożyć zabawkę i wynosić się ze sklepu.

Skarcony Jimmy stał w zimnie na dworze, kiedy nadeszli Mamaw i Papaw i zapytali go, czy nie chciałby zajrzeć do tej drogerii.

– Nie mogę – odpowiedział Jimmy ojcu.

– Czemu?

– Nie mogę i już.

– No mów.

Wskazał na sprzedawcę.

– Ten pan się na mnie zdenerwował i kazał mi wyjść. Nie wolno mi tam wrócić.

Mamaw i Papaw wpadli do sklepu jak burza, żądając od sprzedawcy wytłumaczenia jego nieuprzejmego zachowania. Ten wyjaśnił, że Jimmy dobrał się do kosztownej zabawki.

– Tej tutaj? – spytał Papaw, podnosząc konsolę.

Gdy sprzedawca przytaknął, Papaw cisnął nią o podłogę, aż rozleciała się na kawałki. Zapanował totalny chaos.

– Dostali szału – opowiadał wuja Jimmy. – Tata rzucił kolejną konsolą przez cały sklep i ruszył na sprzedawcę z bardzo groźną miną. Mama zaczęła zgarniać z półek każdy szajs, który nawinął się jej pod rękę, i miotała gdzie popadło. Wrzeszczy: „Zajeb skurwysyna! Zajeb skurwysyna!". Wtedy tata nachylił się nad tym sprzedawcą i mówi mu powoli i wyraźnie: „Jeszcze raz odezwiesz się do mojego syna choćby słowem, a ci, kurwa, łeb ukręcę". Biedaczysko był totalnie przerażony, a ja po prostu chciałem stamtąd zniknąć.

Sprzedawca przeprosił, a Vance'owie kontynuowali świąteczne zakupy, jak gdyby nigdy nic.

Więc owszem – nawet w najlepszych momentach Mamaw i Papaw mieli z adaptacją do otoczenia trochę pod górkę. Middletown należało do innego świata. Papaw powinien chodzić do pracy, a skargi na nieuprzejmych drogistów grzecznie składać na ręce kierownika sklepu. Od Mamaw oczekiwano gotowania obiadów, prania i opieki nad dziećmi.

Jednak kółka robótkowe, pikniki czy komiwojażerowie od odkurzaczy – to wszystko zupełnie nie przystawało do kobiety, która w wieku ledwie dwunastu lat omal nie zabiła człowieka. Mamaw nie za bardzo miała kogo poprosić o pomoc, kiedy dzieci były małe i wymagały ciągłego nadzoru, ale też nie miała nic innego do roboty. Jeszcze po dziesięcioleciach pamiętała, jak odizolowana czuła się w powolnym życiu bezkresnych przedmieść Middletown w połowie XX wieku. Opisywała te czasy z właściwą sobie bezpośredniością: „Wtedy zawsze ktoś srał kobietom na głowy".

Mamaw miała swoje marzenia, ale nigdy nie dostała szansy, by je realizować. Najbardziej na świecie kochała dzieci, zarówno w szczególe (zdawało się, że na starość tylko własne dzieci i wnuki jeszcze ją cieszyły), jak i w ogóle (oglądała programy o dzieciach bitych, poniewieranych, o uciekinierach z domu, a skromne nadwyżki finansowe, jakimi dysponowała, wydawała na buty i przybory szkolne dla najbiedniejszych dzieci z okolicy). Wydawało się, że sama przejmuje się cierpieniami zaniedbywanych dzieci, często mówiła też, jak bardzo nienawidzi tych, co znęcają się nad dziećmi. Nigdy nie dowiedziałem się, skąd brały się te uczucia – czy sama jako dziecko padła ofiarą przemocy, czy był to tylko wyraz żalu, że jej dzieciństwo tak szybko dobiegło końca. Kryje się za tym jakaś historia, lecz zapewne nigdy już jej nie poznam.

Marzeniem Mamaw było przekucie tej troski na pracę adwokata do spraw dzieci – bycie głosem tych, którzy głosu nie mieli. Nigdy nie zrobiła nic w tym kierunku, być może dlatego, że nie wiedziała, czego trzeba, by zostać adwokatem. Nie zaliczyła ani dnia w szkole średniej. Urodziła i pochowała dziecko, zanim mogła zdobyć prawo jazdy. Nawet gdyby poznała wymagania stawiane kandydatom na prawników, na nowej drodze życia żona i matka trójki dzieci, ani nie miała okazji, ani nie była zachęcana do studiowania prawa. Mimo tych przeciwności, moi dziadkowie niemal nabożnie wierzyli w zalety ciężkiej pracy i w amerykański sen. Oboje trzeźwo dostrzegali fakt, że w Ameryce liczą się majątek i odziedziczone przywileje. Względem polityków, na przykład, Mamaw nie robiła rozróżnień – „To wszystko banda po jednych pieniądzach" – ale Papaw stał się zagorzałym zwolennikiem Partii Demokratycznej. Do Armco nie miał zastrzeżeń, lecz i on, i wszyscy jemu podobni nienawidzili spółek węglowych w Kentucky, które miały za sobą długą historię zwalczania ruchu robotniczego. Innymi słowy, według dziadków nie wszyscy bogacze byli złymi ludźmi, ale wszyscy źli ludzie byli bogaci. Papaw przystał do demokratów, bo ta partia wstawiała się za ludźmi pracy. Tę postawę przejęła Mamaw: może i wszyscy politycy to była jedna banda, ale jeśli trafiły się wśród nich jakieś wyjątki, bez wątpienia należeli do nich członkowie koalicji Nowego Ładu Franklina Delano Roosevelta.

Mimo wszystko jednak Mamaw i Papaw wierzyli, że ciężka praca liczy się bardziej. Wiedzieli, że życie to ciągła walka, i choć ludzie ich pokroju mieli w niej nieco gorsze szanse, bynajmniej nie usprawiedliwiało to kapitulanctwa.

– Żebyś mi nigdy nie był jak ci, kurwa, frajerzy, co jojczą, że wszystko jest przeciwko nim – powtarzała mi często babcia. – Możesz osiągnąć wszystko, co tylko zechcesz.

Wiarę tę podzielało całe ich otoczenie i w latach pięćdziesiątych wydawało się, że to całkiem zasadne podejście. Nie minęły dwa pokolenia, a bidoki migranci już praktycznie do-równali miejscowym w kategoriach dochodów i oddalenia od nędzy. Jednak pod finansowym powodzeniem kryła się nie-pewność osadzenia w kulturze, i o ile moi dziadkowie eko-nomicznie nie odstawali od sąsiadów, nie jestem pewien, czy na pewno rzeczywiście się z nimi asymilowali. Zawsze stali jedną nogą w nowym życiu, drugą w starym. Powoli znaleźli sobie niedużą gromadkę przyjaciół, ale wciąż byli mocno za-korzenieni w ojczystym Kentucky. Nie cierpieli udomowio-nych zwierząt, nie widzieli pożytku z tych „sierściuchów", których nawet nie dało się zjeść, ale w końcu ulegli błaga-niom dzieci i do domowników dołączyły psy i koty.

Ich dzieci były już jednak zupełnie inne. Pokolenie mojej mamy było pierwszym, które wychowało się na uprzemysło-wionym Środkowym Zachodzie, z dala od śpiewnych akcen-tów z gór i szkół z jedną klasą dla wszystkich. Oni chodzili do nowoczesnych liceów, wśród tysięcy innych uczniów. Ce-lem moich dziadków było wyrwanie się z Kentucky i umoż-liwienie dzieciom lepszego startu w życiu. Dzieci z kolei miały dzięki temu lepszemu startowi osiągnąć coś więcej. Niezupełnie tak wyszło.

Zanim Lyndon Johnson i Regionalna Komisja do spraw Appalachów doprowadzili do południowo-wschodniej czę-ści Kentucky nowe drogi, głównym szlakiem wiodącym z Jackson do Ohio była droga międzystanowa numer 23. Odegrała ona tak wielką rolę podczas masowej migracji bidoków, że Dwight Yoakam napisał piosenkę o mieszkań-cach Północy, którzy wykpiwali dzieci z Appalachów, bo nie nauczono ich mówić „po ludzku": „Reading, Rightin', Rt. 23". Piosenka Yoakama o tym, jak on sam wyprowadził

się z południowo-wschodniego Kentucky, mogłaby pocho-
dzić wprost z pamiętnika Mamaw:

Myśleli, że jak kto pisaty, czytaty, to droga numer dwajścia
[trzy
Zabierze go tam, gdzie się spełnią ich o dobrym życiu sny
Nie wiedzieli, że tą szeroką drogą dotrą tylko w świat pełen
[niedoli

Może Mamaw i Papaw zdołali wydostać się z Kentucky,
ale i oni, i ich dzieci boleśnie przekonali się, że droga numer
23 nie zaprowadziła ich do wymarzonego celu.

3

Mamaw i Papaw mieli troje dzieci: Jimmy'ego, Bev (moją mamę) i Lori. Jimmy urodził się w 1951 roku, kiedy Mamaw i Papaw dopasowywali się do nowego sposobu życia. Chcieli mieć więcej dzieci, więc starali się i starali, przez długi, okrutny czas straszliwego pecha i kolejnych poronień. Mamaw do końca życia miała psychiczne blizny po dziewiątce utraconych dzieci. Na studiach dowiedziałem się, że skrajny stres może doprowadzić do poronienia, a już szczególnie na wczesnym etapie ciąży. Wciąż nie mogę przestać myśleć o tym, ile jeszcze miałbym cioć i wujków, gdyby nie początkowe problemy dziadków na nowym miejscu, niewątpliwie spotęgowane w latach, kiedy Papaw tęgo popijał. Uparli się jednak, przetrzymali dekadę niedonoszonych ciąż i w końcu dopięli swego: mama urodziła się 20 stycznia 1961 roku – w dniu inauguracji prezydentury Johna F. Kennedy'ego – a ciocia Lori przyszła na świat niespełna dwa lata później. Z jakiegoś powodu Mamaw i Papaw poprzestali na trójce.

Kiedyś wuja Jimmy opowiedział mi, jak to było, zanim urodziły się jego siostry:

– Byliśmy po prostu szczęśliwą, normalną rodziną z klasy średniej. Pamiętam, że oglądałem w telewizji serial

Leave It to Beaver i myślałem sobie, że oni są dokładnie tacy jak my.

Kiedy opowiadał mi to pierwszy raz, w zasłuchaniu kiwałem głową i nie drążyłem tematu. Wracając do tego myślami, zdaję sobie sprawę, że dla większości ludzi spoza naszego kręgu takie stwierdzenia muszą brzmieć jak bełkot szaleńca. Normalni rodzice z klasy średniej nie robią w drogerii piekła, bo sprzedawca zachował się wobec ich dziecka niezbyt uprzejmie. Tyle że tu obowiązywały chyba jednak inne standardy. Niszczenie towaru i wygrażanie sprzedawcy było dla Mamaw i Papaw czymś normalnym: tak właśnie zachowują się Szkoto-Irlandczycy z Appalachów, kiedy ktoś czepia się ich dziecka.

– Chodzi mi o to, że byli zgraną parą, że układało im się – przyznał wuja Jimmy, kiedy później dopytałem go o tę historię. – No ale tak jak każdy w tej rodzinie, potrafili, kurwa, w jednej chwili przeskoczyć całą skalę, od zera do śmierci w oczach.

Wszelka jedność, jaka istniała na początku w ich małżeństwie, zaczęła się ulatniać po narodzinach ostatniej córki, Lori – mówię na nią ciocia Łii – w roku 1962. Nim minęła połowa lat sześćdziesiątych, Papaw pił już nawykowo, a Mamaw zaczęła odcinać się od świata na zewnątrz. Dzieci sąsiadów ostrzegały listonoszy przed „złą czarownicą" z ulicy McKinley. Jeśli listonosz ignorował te porady, napotykał postawną kobietę ze zwisającym z ust mentolowym papierosem *king size*, która nakazywała mu wypierdalać z jej posesji. Wtedy jeszcze nie mówiono powszechnie o „patologicznym zbieractwie", ale Mamaw pasowała do definicji tej przypadłości, a im bardziej izolowała się od świata, tym bardziej te zachowania się nasilały. W domu piętrzyły się śmieci, cała jedna sypialnia była zagracona durnostojkami i barachłem bez żadnej wartości.

Słuchając opowieści z tych czasów, można by pomyśleć, że Mamaw i Papaw prowadzili podwójne życie. Jedno na zewnątrz, dla innych: tu zaliczałyby się stała praca i przygotowywanie dzieci do szkoły. To życie widzieli wszyscy dokoła i pod każdym względem należało je uznać za udane: dziadek zarabiał tyle, że dla przyjaciół w rodzinnych okolicach były to kwoty niemal niewyobrażalne, lubił swoją pracę i wykonywał ją jak trzeba; ich dzieci chodziły do nowoczesnych szkół ze sporymi budżetami; babcia zaś mieszkała w domu, który w Jackson uchodziłby za pałac: ponad sto osiemdziesiąt metrów kwadratowych, cztery sypialnie, nowoczesna hydraulika.

Życie domowe wyglądało inaczej.

– Z początku, jako nastolatek, nie zauważałem tego – wspominał wuja Jimmy. – W tym wieku ma się na głowie tyle własnego bagażu, że prawie nie widzi się zmian. A jednak się zmieniało. Tata częściej wybywał, mama zapuściła dom... wszędzie były śmieci i brudne naczynia. O wiele częściej się kłócili. Ogólnie nie było łatwo.

W owym czasie (a może i wciąż) kultura bidoków spajała niewzruszone poczucie honoru, poświęcenie dla rodziny i karykaturalny seksizm w mieszankę chwilami wybuchową. Nim Mamaw wyszła za mąż, jej bracia byliby gotowi zamordować każdego, kto uchybiłby jej czci. Kiedy jednak stała się żoną człowieka, który w oczach niejednego z jej braci nie był już obcym, lecz dołączył do rodzeństwa, do przyjęcia okazało się zachowanie, za które Papaw w dulinie zarobiłby krzyż brzozowy.

– Przyjeżdżali bracia mamy i chcieli iść w miasto z tatą – wyjaśniał wuja Jimmy. – Pili, uganiali się za babami. Zawsze szefował im wuja Pet. Nie chciałem o tym słuchać, ale i tak zawsze opowiadali. Takie wtedy były obyczaje, że mężczyźni wręcz powinni iść z domu i robić, na co tylko mieli ochotę.

Mamaw boleśnie odczuwała każdy brak lojalności. Wszystko, co sugerowało niepełne oddanie rodzinie, traktowała z najwyższą pogardą. We własnym domu potrafiła powiedzieć: „Przepraszam, że taka ze mnie wredna cholera" czy „Wiesz, że cię kocham, ale stuknięta ze mnie suka". Jeśli jednak dowiedziała się, że obgadano ją przed kimś z zewnątrz choćby za dobór skarpetek, robiła siwy dym. „Ja tych ludzi nie znam. Nigdy nie rozmawiaj o rodzinie z nieznajomymi. Przenigdy". Moja siostra Lindsay i ja mogliśmy w domu żreć się jak pies z kotem, a Mamaw prawie nigdy nie interweniowała w te spory. Gdybym jednak w zasięgu jej słuchu napomknął koledze, że mam paskudną siostrę, przy następnej okazji, gdy byłbym z nią sam na sam, wypomniałaby mi, że popełniłem śmiertelny grzech nielojalności. „Jak ś m i e s z gadać o swojej siostrze jakiemuś szczylowi? Za pięć lat nawet nie będziesz, cholera, pamiętał, jak on się nazywa. A twoja siostra to jedyny prawdziwy przyjaciel, jakiego będziesz miał". A jednak w jej własnym życiu, z trójką dzieci w rodzinie, mężczyźni, którzy powinni być wobec niej najbardziej lojalni – bracia i mąż – wspólnie knuli przeciwko niej.

Wydawało się, że Papaw walczy przeciwko temu, czego społeczeństwo oczekiwało od ojca z klasy średniej, czasem z rozbrajającymi skutkami. Mówił na przykład, że idzie do sklepu, pytał dzieci, czy czegoś chcą... i wracał z nowym samochodem. W jednym miesiącu nowiutki chevrolet cabrio. W następnym – luksusowy oldsmobile. „Skąd go masz?" – pytali go, a on na to nonszalancko: „To mój, zamieniłem się".

Czasem jednak ta odmowa przystosowania się pociągała za sobą straszliwe konsekwencje. Moja mama i jej mała siostra miały taką grę, kiedy ich ojciec wracał z pracy do domu. Czasami parkował starannie i wtedy gra szła dobrze – wchodził do domu, jedli razem obiad jak normalna rodzina, rozśmieszali się nawzajem. Często jednak zdarzały się dni, kiedy nie parkował jak trzeba: zbyt szybko cofał w zatoczkę, beztrosko zostawiał samochód na ulicy czy wręcz zawadzał o słup telefoniczny podczas manewru. Wtedy gra była przegrana już na starcie. Mama i ciocia Łii gnały do domu i uprzedzały Mamaw, że Papaw wrócił do domu pijany. Czasem wymykały się tylnymi drzwiami, żeby spędzić noc u przyjaciółek Mamaw. Kiedy indziej babcia nalegała, żeby zostały, a wtedy mogły już tylko szykować się na przetrzymanie ciężkich chwil. Raz Papaw przyjechał pijany w Wigilię i zażądał przygotowania świeżego obiadu. Zignorowany, złapał choinkę i wyrzucił ją przez tylne drzwi domu. W następnym roku powitał tłumek gości przybyłych na urodziny córki, po czym zaraz charknął im pod nogi potężną melę flegmy. Uśmiechnął się szeroko i poszedł do kuchni po kolejne piwo.

W głowie mi się nie mieściło, że uwielbiany przeze mnie w dzieciństwie Papaw, tak łagodny w obejściu, mógł być takim wrednym pijakiem. Jego zachowanie przynajmniej w części wynikało z nastawienia Mamaw. Ta była wredną niepijaczką. A swoje frustracje przekuwała na najbardziej twórczą formę działalności, jaką można sobie wyobrazić: mały sabotaż. Kiedy Papaw, pijaniutki, chrapał na kanapie, nadcinała mu nożyczkami szwy w spodniach, żeby popękały, kiedy znów usiądzie. Potrafiła też buchnąć mu portfel i schować w piekarniku, żeby tylko się wściekł. Kiedy wracał z pracy do domu i domagał się świeżego obiadu, starannie nakładała mu porcję świeżych śmieci. Jeśli był w nastroju do awantury, ona była gotowa na to samo. Krótko mówiąc, całkowicie zaangażowała się w przeobrażenie jego pijackich lat w piekło na ziemi.

Z racji młodego wieku Jimmy przez jakiś czas nie dostrzegał oznak rozpadu małżeństwa rodziców, wkrótce jednak sytuacja sięgnęła już oczywistego dna. Wuja Jimmy wspominał jedną z ich kłótni: „Słyszałem, jak meble łomoczą, znów, znów, szło już na całego. Oboje się darli. Zszedłem na dół, chciałem ich błagać, żeby już przestali". Ale nie przestali. Mamaw capnęła za wazon z kwiatami, cisnęła – zawsze miała krzepę w ręce – i trafiła męża prosto między oczy. „Rozharatało mu czoło do krwi, naprawdę mocno krwawił, kiedy wsiadł do samochodu i odjechał. O tym właśnie myślałem następnego dnia, idąc do szkoły".

Papaw po szczególnie burzliwym nocnym ochlaju usłyszał od Mamaw, że go zabije, jeśli jeszcze raz wróci do domu pijany. Tydzień później znów przyszedł na bani i zasnął na kanapie. Mamaw, która zawsze dotrzymywała słowa, ze spokojem przyniosła z garażu kanister z benzyną, opróżniła go na męża, zapaliła zapałkę i rzuciła mu ją na pierś. Gdy Papaw stanął w ogniu, to jego jedenastoletnia córka ruszyła do akcji i zdusiła płomienie, ratując mu życie. Papaw cudem przeżył to zajście tylko lekko poparzony.

Ponieważ zaś byli ludźmi z gór, musieli oddzielać życie publiczne od prywatnego. Nikt z zewnątrz nie mógł się dowiedzieć o rodzinnych bojach – przy czym owo „zewnętrze" definiowano bardzo szeroko. Gdy Jimmy ukończył osiemnaście lat, znalazł pracę w Armco i zaraz wyprowadził się od rodziców. Niedługo potem ciocia Łii zaplątała się przypadkiem w jedną z wyjątkowo paskudnych kłótni i Papaw rąbnął ją pięścią w twarz. Cios był przypadkowy, ale została makabryczna śliwa. Gdy Jimmy, jej rodzony brat, przyjechał z wizytą do rodziców, cioci Łii nakazano schować się w piwnicy. Ponieważ Jimmy nie mieszkał już z rodziną, nie wolno było pokazywać mu, co się kotłuje pod powierzchnią.

– Właśnie tak sobie radzili z takimi sytuacjami, szczególnie Mamaw – wspomina ciocia Łii. – Bo inaczej byłby straszny wstyd.

Nikt nie ma pewności, czemu dokładnie ich małżeństwo się rozpadło. Może Papaw przegrał wojnę z alkoholem. Wuja Jimmy podejrzewał, że w końcu „puścił Mamaw w trąbę". A może to ona w końcu pękła – miała trójkę żywych dzieci, jedno zmarłe, i do tego tyle poronień, któż mógłby mieć do niej pretensję?

Mimo burzliwości związku, Mamaw i Papaw zawsze zachowywali powściągliwy optymizm w kwestii przyszłości własnych dzieci. Ich zdaniem, skoro sami od wiejskiej szkoły doszli do piętrowego domu na przedmieściach i wszelkich wygód klasy średniej, to ich dzieci (i wnuki) bez problemu pójdą na studia i wyrwą dla siebie kawałek amerykańskiego snu. Bez dwóch zdań byli bogatsi od tych krewniaków, którzy pozostali w Kentucky. Jako dorośli wybrali się nad Atlantyk, jak też do wodospadu Niagara, choć w dzieciństwie zawędrowali najdalej do Cincinnati. Uważali, że dorobili się już w życiu wiele, a ich dzieci zajdą nawet dalej.

Była jednak w tej postawie pewna dogłębna naiwność. Całą trójkę dzieci boleśnie dotknęły zawirowania domowego życia. Papaw chciał, żeby Jimmy kontynuował naukę, zamiast harować w stalowni. Uprzedzał syna, że jeśli ten podejmie pracę zaraz po liceum, pieniądze będą jak narkotyk – na krótką metę przyniosą błogość, ale nie pozwolą mu zająć się tym, na czym powinien się skupić. Papaw nie pozwolił nawet synowi, by ten powołał się na niego, składając do Armco podanie o pracę. Nie wziął jednak pod uwagę jednego: Armco oferowało nie tylko wypłatę, ale też możliwość wyrwania się z domu, w którym matka rzucała wazonami w głowę ojca.

Lori miała problemy z nauką, głównie przez nieustanne wagarowanie. Mamaw żartowała sobie, że odwoziła córkę pod szkołę, wysadzała ją przy bramie, a Lori i tak była z powrotem w domu jeszcze przed nią. Kiedy była w drugiej licealnej, jej chłopak buchnął skądś trochę anielskiego pyłu i we dwójkę poszli do domu Mamaw, żeby zrobić sobie dobrze. „Powiedział mi, że powinien wciągnąć więcej, bo jest większy. Potem już nic nie pamiętam". Lori ocknęła się, kiedy Mamaw i jej przyjaciółka Kathy włożyły ją do wanny z zimną wodą. Jednak jej chłopak nie reagował na nic. Kathy nie potrafiła nawet stwierdzić, czy oddycha. Mamaw poleciła jej, żeby zawlokła licealistę do parku po drugiej stronie ulicy. „Jak ma, kurwa, wykorkować, to nie u mnie w domu" – oznajmiła. Zadzwoniła jednak, żeby ktoś zabrał młodego do szpitala, gdzie spędził pięć dni na oddziale intensywnej opieki.

Rok później, w wieku szesnastu lat, Lori rzuciła szkołę i wyszła za mąż. Natychmiast okazało się, że wpakowała się w związek przemocowy, dokładnie taki sam jak ten, z którego próbowała się wyrwać. Mąż zamykał ją czasem w sypialni, żeby nie mogła spotkać się z rodziną.

– Było prawie jak w więzieniu – wspominała mi po latach ciocia Łii.

Na szczęście i Jimmy, i Lori wyszli na prostą. Jimmy ukończył wieczorówkę dla pracujących i znalazł posadę w sprzedaży w Johnson & Johnson. Jako pierwszy w mojej rodzinie „wszedł na ścieżkę kariery". Lori jeszcze przed trzydziestką zdobyła fach technika radiologii, a jej drugi mąż był tak sympatyczny, że Mamaw oświadczyła całej rodzinie: „Jeśli kiedykolwiek się rozejdą, ja trzymam z nim".

Niestety rachunek prawdopodobieństwa dopadł rodzinę Vance'ów i Bev (moja mama) nie poukładała sobie życia. Podobnie jak reszta rodzeństwa, wcześnie wyprowadziła się od rodziców. Miała zadatki na dobrą studentkę, ale kiedy w wieku osiemnastu lat zaszła w ciążę, uznała, że uniwersytet musi poczekać. Po liceum pobrała się więc ze swoim chłopakiem i spróbowała żyć po dorosłemu. Okazało się jednak, że dorosłe życie to niezupełnie jej bajka – zbyt dobrze przyswoiła lekcje dzieciństwa. Kiedy w nowej rodzinie pojawiły się takie same kłótnie i fochy jak u rodziców, mama złożyła pozew rozwodowy i zaczęła życie samotnej matki. Miała dziewiętnaście lat, zero studiów, zero męża i jedną córeczkę – moją siostrę Lindsay.

Mamaw i Papaw w końcu jednak wzięli się w garść. Papaw rzucił picie w 1983 roku, bo tak zdecydował, nie trzeba było interwencji lekarza, obeszło się też bez większych fanfar. Po prostu odstawił alkohol, niewiele o tym mówił. Rozeszli się z Mamaw, ale potem pogodzili, i choć wciąż spali w osobnych domach, to jednak spędzali razem niemal każdą godzinę za dnia. Próbowali też naprawić szkody, które wyrządzili: pomogli Lori wyrwać się ze związku z brutalnym mężem. Pożyczali Bev pieniądze i pomagali jej w opiece nad dziećmi. Dawali jej dach nad głową, wspierali w walce z na-łogiem, opłacili szkołę pielęgniarską. Co jednak najważniej-sze, zastąpili moją mamę, kiedy nie chciała czy nie mogła być takim rodzicem, jakimi oni poniewczasie pragnęli być dla niej w dawnych latach. Może i zawiedli Bev, kiedy sama była dzieckiem, lecz poświęcili resztę życia na zadośćuczy-nienie za tę przewinę.

4

Urodziłem się późnym latem w roku 1984, ledwie parę miesięcy przed tym, jak Papaw po raz pierwszy i ostatni zagłosował na republikanina – Ronalda Reagana. Reagan, zdobywszy poparcie licznych zastępów demokratycznych wyborców z Pasa Rdzy, wygrał reelekcję z taką przewagą, jakiej we współczesnej historii Ameryki nie osiągnął nikt inny.

– Nigdy nie przepadałem za Reaganem – powiedział mi później Papaw – ale tego sukinsyna Mondale'a po prostu nienawidziłem.

Rywal Reagana z Partii Demokratycznej, porządnie wykształcony liberał z Północy, stanowił pod względem kulturalnym całkowite przeciwieństwo mojego dziadka – bidoka. Mondale nie miał najmniejszych szans, a kiedy zniknął ze sceny politycznej, Papaw już nigdy więcej nie zagłosował przeciwko swojej ukochanej „partii ludzi pracujących".

Jackson w Kentucky zawsze będzie miało miejsce w moim sercu, ale to w Middletown, w Ohio, spędziłem najwięcej czasu. Pod wieloma względami miasto, w którym się urodziłem, wciąż bardzo przypominało to, do którego czterdzieści lat wcześniej sprowadzili się moi dziadkowie. Liczba jego ludności nie zmieniła się zanadto od lat pięćdziesiątych, kiedy to rzeka migrantów napływająca „gościńcem bidoków" skurczyła się do strumyczka. Moją podstawówkę zbudowano w latach trzydziestych, zanim jeszcze dziadkowie wyprowadzili się z Jackson, a liceum powitało pierwszych uczniów zaraz po I wojnie światowej, czyli przed urodzeniem moich dziadków. Armco wciąż było największym pracodawcą w Middletown i miasteczko uniknęło poważniejszych kłopotów gospodarczych, choć na horyzoncie widać już było pierwsze ich niepokojące oznaki.

– Uważaliśmy, że jesteśmy naprawdę świetnie działającą społecznością, porównywalną z Shaker Heights czy Upper Arlington – wyjaśniał wieloletni weteran szkolnictwa publicznego, porównując Middletown do miejscowości z czołówki zamożnych „sypialni" Ohio. – Oczywiście, nikt z nas nie wiedział, co się wydarzy.

Middletown należy do najstarszych miast stanu: powstało jeszcze w XIX wieku, dzięki bliskości koryta Miami, bezpośredniego dopływu rzeki Ohio. W dzieciństwie żartowaliśmy, że nasze miasto jest tak przeciętne, że nikomu nie chciało się nawet wymyślić dla niego porządnej nazwy: leży w połowie (*middle*) trasy z Cincinnati do Dayton, jest miastem (*town*), no to bęc, gotowe. (I nie jest pod tym względem wyjątkiem: o kilka kilometrów od Middletown znajduje się miejscowość Centerville). Middletown jest szablonowe jeszcze z kilku innych względów. Na jego przykładzie można było prześledzić rozwój gospodarczy przemysłowego miasteczka w Pasie Rdzy. Socjoekonomicznie dominuje w nim klasa robotnicza. Jeśli chodzi o profil rasowy, jest tu wielu białych i czarnych (ci drudzy to owoc podobnej wielkiej migracji), ale inni trafiają się bardzo rzadko. Pod względem kultury z kolei zdecydowanie przeważa tu konserwatyzm, choć zachowawczość kulturalna i konserwatyzm polityczny nie zawsze idą w Middletown w parze.

Ludzie, wśród których spędziłem dzieciństwo, nie za bardzo różnią się od mieszkańców Jackson. Szczególnie wyraźnie widać to w zakładach Armco, które zatrudniały większość mężczyzn w miasteczku. W rzeczy samej, środowisko pracy odzwierciedlało niegdyś owe miejscowości w Kentucky, z których przybyli ci robotnicy. Jeden z historyków odnotował, że „tablica nad przejściem między wydziałami głosiła: «Hrabstwo Morgan żegna, hrabstwo Wolfe wita»"*. Migranci z Appalachów przywieźli tu Kentucky w bagażu, włącznie z rywalizacją między tamtejszymi regionami.

Jako dzieciak dzieliłem sobie Middletown z grubsza na trzy rejony geograficzne. Przede wszystkim tereny wokół liceum, oddanego do użytku w roku 1969, kiedy wuja Jimmy był w ostatniej klasie (jeszcze w 2003 Mamaw mówiła na nie „nowe liceum"). Tam mieszkały „bogate" dzieci. Duże domy gnieździły się wygodnie wśród zadbanych parków i kompleksów biurowych. Jeśli miało się za ojca lekarza, niemal na pewno miał on w tej okolicy dom lub gabinet, albo i jedno, i drugie. Marzyło mi się, że będę miał dom w Manchester Manor, względnie nowo wybudowanej dzielnicy jakiś kilometr z kawałkiem od liceum, gdzie fajne sztuki kosztowały niespełna jedną piątą tego, co trzeba by zapłacić za znośny dom w San Francisco. Dalej: biedne dzieciaki (te naprawdę biedne) mieszkały koło Armco, gdzie nawet dobre domy podzielono na mieszkania dla wielu rodzin. Dopiero niedawno

* Jack Temple Kirby, *The Southern Exodus, 1910–1960*, dz. cyt., s. 598.

dowiedziałem się, że w rzeczywistości ten rejon składał się z dwóch osobnych części – w jednej mieszkała czarna klasa robotnicza Middletown, w drugiej najbiedniejsi z tutejszych białych. Tam również znajdowały się nieliczne bloki komunalne, które zbudowało miasto.

No i na koniec rejon, w którym mieszkaliśmy my – głównie domki jednorodzinne, ale spacerem dało się dojść pomiędzy opuszczone magazyny i hale fabryczne. Patrząc wstecz, nie umiem stwierdzić, czy między rewirem „prawdziwej biedy" a moją okolicą istniała jakaś zasadnicza różnica, czy też ów podział był tylko konstruktem umysłu niechętnego uwierzyć, że i on należy do n a p r a w d ę ubogich.

Po drugiej stronie ulicy od domu dziadków leżał park Miami, jeden kwartał gruntu, a na nim huśtawki, kort tenisowy, boisko do bejsbolu i drugie do koszykówki. Z upływem lat zauważyłem, że linie na korcie płowiały z każdym mijającym miesiącem, że miasto zrezygnowało z łatania dziur i wymieniania siatek na boisku do kosza. Wciąż jeszcze byłem młody, kiedy kort stał się właściwie betonowym plackiem, usianym trawiastymi łatami. O tym, że okolica „zrobiła się kiepska", dowiedziałem się, kiedy w ciągu tygodnia łupem złodziei padły dwa rowery. Mamaw twierdziła, że jej dzieci przez lata mogły zostawiać na podwórzu rowery, nie przypinając ich do płotu. Teraz jej wnuki rano znajdowały już tylko grube kłódki, rozłupane na pół nożycami do metalu. Od tego momentu wszędzie chodziłem pieszo.

Jeśli Middletown do chwili mojego urodzenia nie zmieniało się zanadto, niemal zaraz potem pojawiły się zwiastuny katastrofy. Nawet tutejsi mogli ich z początku nie dostrzegać, bo zmiany przychodziły stopniowo – to była raczej erozja, nie lawina błotna. Jeśli jednak człowiek wie, gdzie patrzeć, rzeczy stają się oczywiste, i ci z nas, którzy wracają tam tylko od czasu do czasu, powtarzają jak refren: „O kurczę, Middletown nie wygląda dobrze".

W latach osiemdziesiątych miasto chlubiło się niemal idyllicznym centrum: była tam zawsze pełna klientów galeria handlowa, wciąż działały restauracje otwarte jeszcze przed II wojną światową, do tego kilka barów, gdzie panowie tacy jak Papaw mogli po dniu ciężkiej harówki w stalowni zebrać się przy piwku (czasem niejednym). Moim ulubionym sklepem był dyskont sieci Kmart, główna atrakcja w ciągu handlowym, niedaleko którego był jeszcze spożywczak miejscowej firmy Dillman's – jeden z trzech czy czterech, które mieli. Obecnie ów ciąg handlowy stoi niemal zupełnie pusty: Kmart to wolna hala, rodzina Dillmanów zamknęła ów duży spożywczy i wszystkie pozostałe też. Kiedy byłem tam ostatnim razem, w owym niegdysiejszym handlowym sercu Middletown działały tylko fastfoodowy bar Arby's, dyskont spożywczy i chińska knajpka. To, co przytrafiło się ciągowi handlowemu w Middletown, to nic wyjątkowego. Mało której firmie w tym miasteczku dobrze się wiedzie, wiele w ogóle zaprzestało działalności. Dwadzieścia lat temu w okolicy były dwa centra handlowe. Obecnie jedno to już tylko olbrzymi parking, a drugie służy jako spacerniak dla emerytów (choć wciąż działa tam parę sklepów).

Dzisiaj centrum Middletown to praktycznie tylko zabytek z czasów przemysłowej świetności Ameryki. Wzdłuż ulic zieją powybijane witryny sklepów, tam gdzie Central Avenue krzyżuje się z Main Street. Od dawna nie działa już stary lombard u Richiego, choć, jeśli się nie mylę, na budynku wciąż jest jego ohydny żółto-zielony szyld. Lombard znajdował się niedaleko drogerii, która w zamierzchłych dobrych czasach miała nawet kontuar z napojami, gdzie dało się kupić korzenną lemoniadę z kulką lodów. Po drugiej stronie ulicy jest budynek wyglądający na teatr, z jednym z tych ogromnych, trójkątnych szyldów, na którym litery tworzą napis „ST___L", bo te w środku wyrazu zostały rozbite i nikt nie zajął się ich wymianą. Jeśli szukacie firmy chwilówkowej czy skupu złota za gotówkę, w centrum Middletown na pewno je znajdziecie.

Niedaleko od głównych ulic, pustych sklepów i zabitych dyktą okien znajduje się rezydencja Sorgów. Sorgowie, potężna i bogata rodzina przemysłowców, której korzenie sięgają XIX wieku, prowadzili w Middletown wielką papiernię. Miejscową operę dotowali na tyle hojnie, że nosiła ich nazwisko, pomogli też rozbudować miasteczko do rozmiarów na tyle pokaźnych, że zwabiło to Armco. Ich rezydencja, gigantyczny pałac, stoi nieopodal dumnego niegdyś klubu dla elit Middletown. Choć to piękny dom, małżeństwo z Maryland nabyło go niedawno za dwieście dwadzieścia pięć tysięcy dolarów, mniej więcej połowę tego, co trzeba by dać za porządne kilkupokojowe mieszkanie w Waszyngtonie.

Z rezydencji Sorgów, stojącej dosłownie przy Main Street, krótkim spacerkiem można dojść do kilku bogato wyglądających domów, w których za czasów świetności miasta żyli tutejsi bogacze. Większość z nich wymaga obecnie remontu. Te, które jeszcze się trzymają, podzielono na ciasne mieszkania dla najuboższych mieszkańców Middletown. Ulica, która była niegdyś chlubą miasta, obecnie służy jako miejsce spotkań ćpunów z dilerami. Lepiej nie zapuszczać się tam po zmroku.

Ta zmiana to oznaka nowej rzeczywistości ekonomicznej: nasilających się podziałów mieszkaniowych. Rośnie liczba białych przedstawicieli klasy robotniczej w dzielnicach bardziej dotkniętych nędzą. W 1970 roku dwadzieścia pięć procent białych dzieci mieszkało w dzielnicach, w których ponad dziesięć procent mieszkańców żyło poniżej granicy ubóstwa. W roku 2000 odsetek ten wynosił czterdzieści procent. Od tej pory niemal na pewno jeszcze wzrósł. Jak wykazują badania opublikowane przez Instytut Brookingsa w roku 2011, „w porównaniu z rokiem 2000 w latach 2005–2009 częściej zdarzało się, że w dzielnicach skrajnej nędzy mieszkali biali, urodzeni w USA absolwenci szkół średnich lub uniwersytetów, właściciele domów, nieotrzymujący pomocy państwa"*. Innymi słowy, teraz nędzne dzielnice to już nie tylko getta – ubóstwo rozpełzło się także na willowe przedmieścia.

Powody tego stanu rzeczy są złożone. Państwowa polityka mieszkaniowa czynnie promowała prywatną własność domów, od Ustawy o reinwestowaniu w społeczność za Jimmy'ego Cartera po głoszone przez George'a W. Busha społeczeństwo właścicieli. Jednak w miasteczkach takich jak Middletown posiadanie domu pociąga za sobą istotne koszty społeczne: gdy w danym rejonie znika rynek pracy, spadające ceny domów sprawiają, że ludzie z niektórych dzielnic

* Elizabeth Kneebone, Carey Nadeau, Alan Berube, *The Re-Emergence of Concentrated Poverty: Metropolitan Trends in the 2000s*, Brookings Institution, listopad 2011, www.brookings.edu/research/papers/2011/11/03-poverty-kneebone-nadeauberube, dostęp: 25 sierpnia 2017.

są tam zakleszczeni. Nawet jeśli chcieliby się wyprowadzić, nie mogą, bo ceny nieruchomości poleciały na łeb na szyję – dług hipoteczny jest wyższy niż cena, jaką zaproponowałby jakikolwiek nabywca. Koszt wyprowadzki staje się tak wielki, że wielu woli zostać na miejscu. Oczywiście w tę pułapkę najczęściej wpadają ci, którzy mają najmniej pieniędzy: jeśli kogoś stać na wyprowadzenie się, to tak uczyni.

Ojcowie miasta podejmowali daremne próby reanimacji centrum Middletown. Aby ujrzeć najbardziej poroniony rezultat ich wysiłków, należy udać się Central Avenue aż do jej kresu nad brzegiem rzeki Miami. Niegdyś było to urocze miejsce. Ci urbanistyczni geniusze, kierowani przesłankami, których nie jestem w stanie pojąć, postanowili przeobrazić nasze piękne wybrzeże w jezioro Middletown, który to projekt infrastrukturalny polegał najwyraźniej na zwalaniu w nurt rzeki ton piachu z nadzieją, że wyniknie z tego coś ciekawego. Prace nie przyniosły pożądanych rezultatów, ot, tyle że na rzece jest teraz sztuczna wyspa wielkości miejskiego kwartału.

Próby znalezienia nowego pomysłu na centrum Middletown zawsze wydawały mi się próżnym trudem. Ludzie wyprowadzają się nie dlatego, że w mieście brakuje im modnych instytucji kultury. Modne instytucje kultury wywiało z Middletown, bo nie miały tu dość klientów, by się utrzymać. A czemu zabrakło tych klientów z wypchanymi portfelami? Bo brakowało posad, które by im portfele wypchały. Niedole centrum Middletown były symptomatyczne dla tego wszystkiego, co spadło na tutejszych mieszkańców, ze szczególnym uwzględnieniem roli odgrywanej przez koncern Armco Kawasaki Steel.

AK Steel powstał w 1989 roku w wyniku fuzji Armco Steel i Kawasaki – tak jest, tej samej japońskiej korporacji, która produkuje nieduże motocykle o potężnych silnikach (jako szczeniaki nazywaliśmy je „rakiety pod dupę"). Większość ludzi wciąż mówi na tę firmę Armco z dwóch powodów. Po pierwsze, jak powiadała Mamaw, „to Armco zbudowało to jebane miasto". Nie przesadzała: zarówno znaczna część najpiękniejszych parków w Middletown, jak i liczne urządzenia miejskie powstały za pieniądze Armco. Przedstawiciele koncernu zasiadali w zarządach ważnych organizacji lokalnych, stalownia pomagała również utrzymywać szkoły. No i zatrudniała tysiące mieszkańców miasta, którzy – jak mój dziadek – mimo braków w formalnym wykształceniu całkiem nieźle zarabiali.

Armco na swoją reputację zapracowało starannie przemyślanymi działaniami. W swojej książce *Southern Migrants, Northern Exiles* [Emigranci z Południa, wygnańcy na Północy] Chad Berry pisze: „Aż do lat pięćdziesiątych «wielka czwórka» pracodawców z doliny rzeki Miami – Procter and Gamble w Cincinnati, Champion Paper and Fiber w Hamilton, stalownie Armco w Middletown oraz National Cash Register w Dayton – mogła się cieszyć z ułożonych stosunków z pracownikami po części dlatego, że [...] [zatrudniano] krewnych i przyjaciół pracowników, którzy sami niegdyś przeprowadzili się za pracą. Na przykład wśród pracowników zakładów Inland Container w Middletown było 220 urodzonych w Kentucky – z samego hrabstwa Wolfe było ich 117". Choć niewątpliwie do lat osiemdziesiątych stosunki między pracodawcami a pracownikami uległy pogorszeniu, to jednak dobra wola, zaskarbiona przez Armco (i podobne przedsiębiorstwa), w znacznej mierze wciąż jeszcze istniała.

Drugim powodem używania przez większość tutejszych nazwy Armco jest fakt, że Kawasaki to koncern japoński, więc gdy wieść o tej fuzji rozeszła się wśród mieszkańców, w znacznej części weteranów wojny na Pacyfiku i ich krewnych, można by pomyśleć, że to generał Tojo we własnej osobie postanowił rozkręcić biznes w południowo-wschodnim Ohio. Jednak protesty sprowadzały się właściwie tylko do wrzasków. Nawet Papaw – który kiedyś zagroził dzieciom, że je wydziedziczy, jeśli któreś zafunduje sobie japoński samochód – przestał narzekać kilka dni po ogłoszeniu fuzji.

– Prawda jest taka – powiedział mi – że Japończycy to teraz nasi przyjaciele. Jeśli przyjdzie czas, że znów będziemy się tam z kimś bili, to z tymi cholernymi Chińczykami.

Fuzja z Kawasaki świadczyła o niewygodnej rzeczywistości: w zglobalizowanym świecie utrzymywanie produkcji w Ameryce było niełatwym interesem. Jeśli firmy pokroju Armco chciały przetrwać, musiały zainwestować w zmianę wyposażenia. Kawasaki dało Armco szansę, bez której sztandarowe przedsiębiorstwo w Middletown prawdopodobnie nie zdołałoby ocaleć.

Dorastając, ani ja, ani moi koledzy nie mieliśmy pojęcia, że świat się zmienił. Papaw odszedł na emeryturę raptem kilka lat wcześniej, miał akcje Armco, dostawał niezłe pieniądze. Park Armco wciąż był najfajniejszym i najbardziej ekskluzywnym miejscem rekreacji w całym mieście, a możliwość wejścia na ten prywatny teren – oznaką statusu: oznaczała, że twój tata (czy dziadek) był kimś z porządną robotą. Nigdy nie przyszłoby mi do głowy, że Armco nie będzie trwać wiecznie, że skończy się fundowanie stypendiów, tworzenie parków, urządzanie darmowych koncertów.

A jednak niewielu z moich przyjaciół ambitnie planowało zatrudnić się w stalowni. Jako małe dzieci marzyliśmy o tym samym, co inne grzdyle: chcieliśmy być astronautami, piłkarzami, bohaterami komiksów. Ja pragnąłem zawodowo bawić się ze szczeniaczkami, co w tamtym okresie wydawało mi się zupełnie rozsądnym wyborem. W szóstej klasie myśleliśmy już o przyszłości jako weterynarze, lekarze, duchowni czy biznesmeni. Ale nie w stalowni. Nawet w podstawówce imienia Roosevelta, gdzie większość rodziców – z racji położenia geograficznego Middletown – nie miała wyższego wykształcenia, nikt nie planował życia przy maszynie, choćby i obiecywało ono szacowną pozycję w klasie średniej. Nigdy nie myśleliśmy, że znalezienie pracy w Armco będzie jak dar boży. Armco traktowaliśmy jak stały element krajobrazu.

Nawet dzisiaj wiele dzieciaków wciąż tak myśli. Kilka lat temu rozmawiałem z Jennifer McGuffey, nauczycielką z liceum w Middletown, pracującą z zagrożoną młodzieżą.

– Wielu uczniów zupełnie nie rozumie, jak wygląda sytuacja – mówiła mi, kręcąc głową. – Masz takich, którzy chcą zostać zawodowymi bejsbolistami, ale nie grają nawet w licealnej drużynie, bo trener jest dla nich ostry. Albo takich, co jadą na trójach, a kiedy próbujesz się od nich dowiedzieć, co zamierzają robić w przyszłości, mówią o AK. „E, znajdę robotę w AK. Mój wujek tam pracuje". Zupełnie jakby nie zauważali związku między sytuacją panującą w mieście a małą liczbą miejsc pracy w AK.

Z początku nie potrafiłem tego pojąć: jak to możliwe, że oni nie rozumieją, jaki jest świat? Nie zauważyli, że na ich oczach miasto zupełnie się zmieniło? Ale potem uświadomiłem sobie: myśmy też tego nie widzieli, więc czego się spodziewamy po nich?

Dla moich dziadków Armco było gospodarczym zbawcą – motorem, który wypchnął ich z gór Kentucky w szeregi amerykańskiej klasy średniej. Mój dziadek kochał tę firmę, znał na pamięć każdą markę i model samochodu wyprodukowanego ze stali z Armco. Nawet po tym, jak większość amerykańskich producentów samochodów odeszła od stalowych nadwozi, Papaw miał w zwyczaju zatrzymywać się przed każdym autokomisem, jeśli na placu stał jakiś stary ford czy chevrolet. „To ze stali z Armco" – mówił. Niewiele było takich chwil, kiedy okazywał autentyczną dumę.

Mimo tej dumy nie był zainteresowany tym, żebym i ja tam pracował. „Twoje pokolenie będzie zarabiać na życie głową, a nie rękami" – powiedział mi pewnego razu. Jedyną posadą dla mnie w Armco, jaką by zaakceptował, była praca inżyniera, a nie robola w spawalni. Najwyraźniej wielu innych rodziców i dziadków w Middletown uważało podobnie – ich zdaniem, prawdziwy amerykański sen wymagał, by wciąż iść naprzód. Praca ręczna nie hańbiła, ale to była praca dla ich pokolenia – my musieliśmy wziąć się do czegoś innego. Aby iść naprzód, trzeba było piąć się wyżej. A to wymagało studiów.

Nie było jednak poczucia, że niepowodzenie w staraniach o wyższe wykształcenie pociągnie za sobą wstyd czy inne konsekwencje. To nie był wyraźnie wyartykułowany komunikat, nauczyciele nie mówili nam, że jesteśmy zbyt głupi czy zbyt biedni, by odnieść sukces. A przecież mieliśmy to dokoła jak powietrze, którym oddychamy: nikt z naszych rodzin nie szedł na studia; starszych przyjaciół i rodzeństwo w zupełności zadowalała perspektywa pozostania w Middletown, nieważne, jakie tu mieli szanse na rozwój kariery; nie znaliśmy nikogo, kto uczyłby się na prestiżowej uczelni poza stanem; każdy zaś miał wśród znajomych przynajmniej jednego młodego człowieka zatrudnionego poniżej kwalifikacji, albo i w ogóle bezrobotnego.

Dwadzieścia procent uczniów rozpoczynających naukę w liceum w Middletown porzuci szkołę przed jej ukończeniem. Większość nie ukończy studiów. Praktycznie nikt nie wybierze uniwersytetu poza stanem. Uczniowie nie spodziewają się po sobie zbyt wiele, bo tak też podchodzą do tych spraw wszyscy dokoła. Wielu rodziców także godzi się na takie podejście. Nie pamiętam, bym dostał burę za kiepskie stopnie, póki Mamaw nie zainteresowała się moimi wynikami w nauce, kiedy już byłem w liceum. Kiedy siostra czy ja mieliśmy problemy z materiałem, słyszałem co najwyżej coś takiego: „No, może ona po prostu nie ma głowy do ułamków" czy „J.D. jest lepszy z matmy, więc nie róbmy dramatu z jednego sprawdzianu z ortografii".

Istniało – wciąż istnieje – odczucie, że ci, którym uda się coś w życiu osiągnąć, należą do dwóch typów ludzi. Pierwsi to farciarze: pochodzą z bogatych rodzin z koneksjami, byli w życiu ustawieni już od urodzenia. Drudzy zasłużyli sobie na sukces, bo urodzili się mądrzy i choćby chcieli, nie mogli zawalić. Ponieważ w Middletown mało kto należał do pierwszej kategorii, ludzie sądzą, że każdy, kto do czegoś doszedł, jest naprawdę geniuszem. Przeciętny mieszkaniec Middletown uważa, że samą pracą nie dojdzie się aż tak daleko jak dzięki samym wrodzonym talentom.

To nie tak, że rodzice i nauczyciele pomijają ciężką pracę milczeniem. Nie deklarują też wszem wobec, że spodziewają się, iż ich dzieci do niczego nie dojdą. Takie nastawienie kryje się pod powierzchnią, widoczne nie tyle w wypowiedziach, co w zachowaniach tutejszych ludzi. Wśród naszych sąsiadów była kobieta, która przez całe życie utrzymywała się z zasiłków, ale kiedy akurat nie prosiła babci o użyczenie samochodu czy nie proponowała zakupu talonów żywnościowych z opieki społecznej za ułamek wartości, bez przerwy klepała komunały o tym, jak ważna jest pracowitość.

– Tylu ludzi nadużywa opieki społecznej, że ci, co naprawdę ciężko harują, nie mają szans na wsparcie, którego im trzeba – powiadała. Taki właśnie obraz skonstruowała w swoim umyśle: ci, co korzystali z pomocy systemowej, to w większości bezczelni naciągacze, ale ona – choć w życiu nie przepracowała ani dnia – stanowiła wśród nich ewidentny wyjątek.

W miejscowościach pokroju Middletown ludzie bez przerwy gadają o ciężkiej harówce. Da się przejść przez całe miasto, w którym trzydzieści procent młodych ludzi pracuje niespełna dwadzieścia godzin tygodniowo, i nie napotkać nikogo świadomego własnego lenistwa. W trakcie skumulowanego ciągu wyborów w roku 2012 nieco lewicująca instytucja sondażowo-konsultingowa, Public Religion Research Institute [Instytut Badań nad Religią w Społeczeństwie], opublikowała raport na temat białej klasy robotniczej. Stwierdzał on między innymi, że biali robotnicy przepracowują więcej godzin niż biali z wyższym wykształceniem. Prawdziwość tezy, jakoby przeciętny biały robotnik pracował dłużej, została jednak rzetelnie zakwestionowana*. Public Religion Research Institute oparł swoje badania na sondażach – zasadniczo rzecz biorąc, dzwonili do ludzi i pytali ich o zdanie**. Ten raport dowodzi tylko jednego: że wielu ludzi więcej gada o pracowaniu, niż rzeczywiście pracuje.

Oczywiście powody, dla których ubodzy pracują mniej niż inni, są złożone, i zbyt łatwo byłoby zwalać winę za wszystko na lenistwo. Wielu ma dostęp wyłącznie do pracy na niepełny etat, bo każde Armco tego świata jest o włos od zwinięcia działalności, a oni nie posiedli umiejętności przydatnych w nowoczesnej gospodarce. Jednak niezależnie od powodów, gadanina o ciężkiej harówce kłóci się z namacalną rzeczywistością. Dzieci w Middletown chłoną ten konflikt i borykają się z nim.

Pod tym względem, jak i pod wieloma innymi przesiedleni Szkoto-Irlandczycy przypominają swoich krewniaków z dulin. W zrealizowanym przez HBO filmie dokumentalnym o mieszkańcach gór wschodniego Kentucky nestor licznej appalaskiej rodziny tytułem przedstawienia wytycza ostre granice pomiędzy pracami do przyjęcia dla mężczyzn a zajęciami dopuszczalnymi dla kobiet. O ile jasne jest, które zajęcia uważa za „babskie", trudno orzec, jaką pracę ma za godną siebie – jeżeli w ogóle taka istnieje. Najwyraźniej jednak nie jest to praca zarobkowa, bo przy takiej w swoim

---

* *Nice Work if You Can Get Out*, „The Economist", kwiecień 2014, www.economist.com/news/finance-and-economics/21600989-why-rich-now-have-less-leisure-poor-nice-work-if-you-can-get-out, dostęp: 25 sierpnia 2017.

** Robert P. Jones, Daniel Cox, *Beyond Guns and God*, Public Religion Research Institute 2012, www.prri.org/research/race-class-culture-survey-2012/, dostęp: 25 sierpnia 2017.

życiu nie spędził ani jednego dnia. W ostatecznym rozrachunku pogrąża go werdykt własnego syna: „Tato mówi, że
w życiu się napracował. Jedyne, co tato w życiu wytężał, to
dupsko, psiakrew. Może tak odrobina szczerości, co, ojciec?
Tato był alkoholikiem. Wciąż był skuty, nie on przynosił rodzinie jedzenie. Mama utrzymywała całą dzieciarnię. Gdyby
nie mama, to byśmy zdechli"*.

Obok tych sprzecznych pojęć o wartości pracy fizycznej
istniała również ogromna nieświadomość wymogów nie-
zbędnych, by zdobyć posadę umysłową. Nie wiedzieliśmy,
że w całym kraju – ba, nawet w naszym rodzinnym miasteczku – inne dzieciaki już zaczęły wyścig o lepszą pozycję
w życiu. W pierwszej klasie każdego ranka mieliśmy taką
zabawę: nauczycielka ogłaszała „liczbę dnia", a wtedy kolejni
uczniowie prezentowali działanie matematyczne, którego
wynikiem miała być ta liczba. Jeśli więc liczbą dnia byłoby
cztery, wystarczyło powiedzieć „dwa plus dwa", żeby otrzymać nagrodę, najczęściej cukiereczka. Pewnego dnia padła
liczba trzydzieści. Uczniowie przede mną szli na łatwiznę:
„dwadzieścia dziewięć plus jeden", „dwadzieścia osiem plus
dwa", „piętnaście plus piętnaście". Mnie stać było na więcej.
Zamierzałem zaimponować nauczycielce, że hej.

Kiedy przyszła kolej na mnie, z dumą powiedziałem:
„Pięćdziesiąt minus dwadzieścia". Nauczycielka pochwaliła
mnie gorąco, a za wypad w krainę odejmowania, które to
działanie poznaliśmy ledwie kilka dni wcześniej, dostałem
dwa cukierki. Parę chwil później, kiedy wciąż jeszcze napa-
wałem się własnym geniuszem, kolejny uczeń powiedział:

* *American Hollow* (film dokumentalny), reż. Rory Kennedy, USA 1999.

„Dziesięć razy trzy". Nie miałem w ogóle pojęcia, co to może znaczyć. Razy? Co ten gość, oszalał?

Nauczycielka była jednak pod jeszcze większym wrażeniem, a mój rywal otrzymał nie dwa, a trzy cukierki. Nauczycielka opowiedziała pokrótce o mnożeniu, zapytała, czy są w klasie inne dzieci, które wiedzą, że coś takiego istnieje. Nikt się nie zgłosił. Osobiście byłem załamany. Po powrocie do domu poryczałem się w głos. Byłem pewien, że moja niewiedza wynika z jakichś niedostatków osobowości. Po prostu poczułem się jak głupek.

Nie moja wina, że nigdy przedtem nie zetknąłem się ze słowem „mnożenie". Nie nauczyłem się tego w szkole, a w rodzinie też nie mieliśmy zwyczaju siadać gromadką i rozwiązywać zadań matematycznych. Jednak dla malca, który pragnął mieć dobre oceny w szkole, była to miażdżąca porażka. Mój niedojrzały umysł nie pojmował jeszcze różnicy między wiedzą a inteligencją. Uznałem więc, że jestem idiotą.

Może tamtego dnia nie wiedziałem, co to mnożenie, ale kiedy wróciłem do domu i Papaw wysłuchał moich łkań, zabrał się do przekuwania tej goryczy na triumf. Jeszcze przed kolacją nauczyłem się mnożenia i dzielenia. Przez dwa następne lata raz w tygodniu siadałem z dziadkiem do coraz trudniejszych zadań z matematyki, a jeśli spisywałem się dobrze, w nagrodę były lody. Jeśli nie rozumiałem jakiejś koncepcji, tłukłem się po głowie i z poczuciem porażki uciekałem od stołu. Jednak kiedy fochy po kilku minutach mijały, Papaw był zawsze gotów do kolejnego podejścia. Mama nigdy nie była mocna z matematyki, ale zanim jeszcze nauczyłem się czytać, zaprowadziła mnie do biblioteki publicznej, wyrobiła mi kartę, pokazała, jak z niej korzystać, i pilnowała, żebym w domu zawsze miał pod ręką literaturę dziecięcą.

Innymi słowy, wbrew wszelkim naciskom otoczenia, czy to bezpośrednich sąsiadów, czy całej społeczności, ja wyniosłem z domu inne lekcje. I może to właśnie temu zawdzięczam ocalenie.

5

Przypuszczam, że nie ja jeden mam niewiele wspomnień z okresu, nim ukończyłem sześć czy siedem lat. Wiem, że kiedy miałem cztery latka, wgramoliłem się na stół w jadalni naszego ciasnego mieszkanka, obwieściłem, że jestem Niesamowitym Hulkiem, po czym rzuciłem się głową naprzód na ścianę, by wykazać, że jestem twardszy niż byle budynek. (Myliłem się).

Pamiętam, jak zostałem przeszmuglowany do szpitala, żeby zobaczyć się z wujem Salicylem. Pamiętam, jak siadałem na kolanach Mamaw Blanton, kiedy ta przed wschodem słońca czytała na głos przypowieści biblijne, pamiętam też, że gładziłem włoski na jej podbródku i zastanawiałem się, czy Bóg dawał zarost na twarzy wszystkim starszym kobietom. Pamiętam, jak tłumaczyłem pani Hydorne, w dulinie, że mam na imię „J.D., jot-kropka-de-kropka". Pamiętam, jak Joe Montana poprowadził atak wart przyłożenia w meczu Super Bowl przeciwko rodzimej drużynie Bengals. Pamiętam też ten dzień, na początku września, kiedy z przedszkola odebrały mnie mama i Lindsay i powiedziały, że już nigdy więcej nie zobaczę się z tatą. Oznajmiły, że oddał mnie do adopcji. Już nigdy w życiu nie doznałem takiego smutku.

Mój ojciec, Don Bowman, był drugim mężem mamy. Pobrali się w 1983 roku, a rozeszli mniej więcej wtedy, kiedy zacząłem sam chodzić. Mama kilka lat po rozwodzie znalazła sobie kolejnego męża. Tata oddał mnie do adopcji, kiedy miałem sześć lat. Po tym, jak zostałem przysposobiony, przez sześć następnych lat stał się raczej widmem w moim życiu. Niewiele zostało mi wspomnień z naszych wspólnych czasów. Wiedziałem, że uwielbiał Kentucky, jego piękne góry i pagórkowate, zielone pastwiska dla koni. Pił colę marki Royal Crown, miał wyraźny akcent z Południa. Popijał, ale przestał, kiedy nawrócił się na zielonoświątkowe chrześcijaństwo. Kiedy byłem w jego towarzystwie, zawsze czułem się kochany, dlatego też przeżyłem taki szok, kiedy mama i babcia powiedziały mi, że „już mnie nie chce". Miał nową żonę i dwójkę małych dzieci, więc zostałem zastąpiony.

Bob Hamel, mój ojczym, a w końcu także przysposobiony ojciec, był porządnym facetem o tyle, że odnosił się miło do mnie i do Lindsay. Mamaw nie miała o nim najlepszego zdania. „Toż to pierdolony debil bez zębów" – perorowała mamie, wychodząc zdaje się od poglądów klasowych i kulturowych: Mamaw zrobiła wszystko, co było w jej mocy, by wspiąć się ponad środowisko, w którym się urodziła. Nie była bynajmniej bogata, ale chciała, żeby jej dzieci zdobyły wykształcenie, posady za biurkiem i zakładały rodziny z dobrze wychowanymi partnerami z klasy średniej – innymi słowy, ludźmi zupełnie innymi niż Mamaw i Papaw. Tymczasem Bob był jak chodzący stereotyp bidoka. Z własnym ojcem łączyło go niewiele i przyswoił sobie z dzieciństwa tę lekcję: dorobił się już dwójki dzieci, których prawie nie widywał, choć mieszkały w Hamilton, miasteczku odległym od

Middletown raptem o piętnaście kilometrów. Połowa zębów już mu wygniła, a pozostałe to były zbrązowiałe czy sczerniałe koślawe pieńki, skutek lat picia mountain dew i zapewne niejednej przegapionej wizyty u dentysty. Nie ukończył liceum, a zarabiał na życie jako kierowca ciężarówki.

W końcu wszyscy mieliśmy się dowiedzieć, że w Bobie było czego nie lubić, i to pod dostatkiem. Jednak pierwotna niechęć Mamaw dotyczyła właśnie tych aspektów, w których był on najbardziej podobny do niej samej. Mamaw najwyraźniej pojmowała to, czego ja miałem się nauczyć dopiero dwadzieścia lat później: otóż społeczne podziały klasowe w Stanach nie opierają się wyłącznie na pieniądzach. A pragnienie babci, by jej dzieci poradziły sobie w życiu lepiej niż ona sama, wykraczało poza kwestie wykształcenia i zatrudnienia, i zahaczało również o ich życiowych partnerów. Jeśli szło o małżeństwa jej dzieci, o rodziców jej wnuków, Mamaw czuła, świadomie czy nie, że ktoś jej pokroju to nie dość dobra partia.

Gdy Bob usynowił mnie oficjalnie, mama zmieniła mi nazwisko z James Donald Bowman na James David Hamel. Dotąd drugie imię miałem po tacie, ale mama przy okazji przysposobienia postanowiła zatrzeć po nim wszelkie ślady. Zachowała tylko inicjał D, żeby wszyscy wciąż mogli wołać na mnie J.D. Powiedziała mi, że teraz mam drugie imię po wujku Davidzie, starszym bracie Mamaw, tym od trawki. Nawet jako sześciolatek miałem wrażenie, że to trochę naciągane tłumaczenie. Każde imię na D by się nadało, byle nie Donald.

Nowe życie z Bobem z pozoru przypominało scenariusz familijnego sitcomu: chodziłem do szkoły, wracałem do domu, jadłem obiad. Niemal codziennie odwiedzałem dziadków.

Papaw siadał na naszej werandzie, żeby sobie zapalić, a ja kucałem obok niego i słuchałem, jak wyrzekał na politykę czy na związki zawodowe w stalowni. Kiedy nauczyłem się czytać, mama kupiła mi pierwszą książkę, w której tekstu było więcej niż obrazków – *Space Brat* [Kosmiczny urwis] – i zasypywała mnie pochwałami, kiedy raz-dwa ją przeczytałem. Uwielbiałem czytać, uwielbiałem rozwiązywać z dziadkiem zadania matematyczne, uwielbiałem też to, że mama najwyraźniej była zachwycona wszystkimi moimi dokonaniami.

Z mamą łączyły mnie też inne rzeczy, w tym szczególnie nasz ulubiony sport – futbol. Czytałem wszystko, co tylko się dało, na temat Joego Montany, najwspanialszego rozgrywającego wszech czasów, oglądałem każdy mecz, pisałem fanowskie listy do drużyny 49ers, a potem do Chiefs, gdy przeszedł tam Montana. Mama wypożyczała z biblioteki publicznej książki o taktykach futbolowych, po czym budowaliśmy z brystolu makiety boisk i obstawialiśmy je drobniakami: centy jako obrońcy, pięcio- i dziesięciocentówki w ataku.

Mama chciała, żebym pojął nie tylko reguły gry w futbol, ale też taktykę rozgrywki. Ćwiczyliśmy więc na naszych brystolowych stadionach, przerabiając rozliczne sytuacje: a co, jeśli któryś liniowy (lśniąca pięciocentówka) spóźni się z blokiem? Co może zrobić rozgrywający (dziesięciocentówka), jeśli nie ma żadnego niekrytego skrzydłowego (też dziesięć centów)? Nie graliśmy w szachy, ale mieliśmy futbol.

Mama, bardziej niż ktokolwiek inny w naszej rodzinie, chciała dać nam styczność z ludźmi ze wszelkich możliwych sfer. Jej przyjaciel Scott był miłym, starszym panem, gejem – jak mi później powiedziała, zmarł niespodziewanie. Kazała mi obejrzeć film z życia Ryana White'a, chłopaka niewiele starszego ode mnie, który został zarażony AIDS wskutek transfuzji krwi i musiał stoczyć bitwę w sądach, by mógł wrócić do szkoły. Za każdym razem, kiedy marudziłem na zajęcia w szkole, mama przypominała mi o Ryanie i tłumaczyła, jak wielkim błogosławieństwem jest wykształcenie. Dzieje White'a tak ją poruszyły, że kiedy chłopiec zmarł w 1990 roku, napisała odręcznie list do jego matki.

Mama całym sercem wierzyła w to, że wykształcenie oznacza lepsze szanse. W jej klasie w liceum tylko jedna osoba miała lepszą średnią, ale mama nie poszła na studia, bo ledwie kilka tygodni po ukończeniu ogólniaka urodziła Lindsay. Potem jednak zapisała się do miejscowej wieczorówki i zrobiła licencjat z pielęgniarstwa. Miałem może siedem, osiem lat, kiedy zaczęła pracę na cały etat w zawodzie i miło było uważać, że choć trochę wsparłem ją na drodze do tego sukcesu: „pomagałem" w nauce, gramoląc się na nią przy każdej okazji, i pozwalałem ćwiczyć pobieranie krwi z moich dziecięcych żyłek.

Można by mamie wytknąć, że czasami przesadzała z tym poświęceniem dla naszego wykształcenia. Kiedy w trzeciej klasie miałem przedstawić projekt naukowy na konkursie, pomagała mi na każdym kroku – od zaplanowania prezentacji przez wsparcie przy notatkach z doświadczeń po montaż wystawki. Wieczorem w przeddzień konkursu wystawka wyglądała dokładnie tak, jak powinna: jak dzieło trzecioklasisty, który troszkę sobie odpuścił. Poszedłem do łóżka, zakładając, że następnego dnia wstanę, wygłoszę kiepską prezentację, i cześć. W konkursie naukowym panowała rywalizacja, ale miałem nawet nadzieję, że jeśli dobrze sprzedam swój projekt, zdołam przejść do kolejnej rundy. Rano zobaczyłem jednak, że mama przerobiła całą wystawkę. Teraz wyglądała ona tak, jakby przy jej budowie naukowiec połączył siły z profesjonalnym artystą. Choć wystawka zrobiła na sędziach piorunujące wrażenie, zaczęli jednak zadawać pytania, na które nie potrafiłem odpowiedzieć (a twórca prezentacji musiał tę wiedzę posiadać), i tak połapali się, że coś tu nie gra. No i nie dostałem się do finałowej rundy konkursu.

Dzięki temu zajściu nauczyłem się dwóch rzeczy: po pierwsze, że sam powinienem wykonywać powierzone mi zadania, a po drugie, że mama przykłada wielką wagę do pracy umysłu. Nic nie cieszyło jej bardziej, niż kiedy kończyłem lekturę jakiejś książki czy prosiłem o kolejną. Wszyscy powtarzali mi, że mama to najmądrzejsza osoba, jaką znają. A ja im wierzyłem. Zdecydowanie była najmądrzejszą osobą, jaką znałem.

W południowo-wschodnim Ohio lat mojego dzieciństwa uczyliśmy się, że trzeba cenić lojalność, honor i zawziętość. Pierwszy raz zaliczyłem rozkwaszony nos, mając pięć lat, pierwszą śliwę pod okiem rok później. Każda z tych bójek zaczęła się od tego, że ktoś obraził moją mamę. Żarty z czyjejś matki były zawsze zakazane, a za kpiny z babci należała się najsroższa kara, jaką tylko mogłem wymierzyć małymi piąstkami. Mamaw i Papaw zadbali o to, bym poznał podstawowe zasady bitek: nigdy nie zaczynaj walki; jeśli ktoś inny zacznie, ty masz ją skończyć; no i choć nie wolno zaczynać, to jednak czasem, może, jest to dozwolone, jeśli ktoś poniewiera ci rodzinę. Ta ostatnia zasada, choć niewypowiedziana, była dla nas oczywista. Lindsay miała kiedyś chłopaka, nazywał się Derrick, to chyba nawet był jej pierwszy chłopak, no i koleś rzucił ją po paru dniach. Rozkleiła się, jak to tylko potrafią trzynastolatki, kiedy więc pewnego dnia zobaczyłem, że Derrick mija nasz dom, postanowiłem mu pokazać. Górował nade mną wiekiem, o pięć lat, masą, o co najmniej piętnaście kilo, ale dwa razy startowałem do niego, choć z łatwością mnie przewracał. Kiedy rzuciłem się na niego trzeci raz, stracił cierpliwość i spuścił mi wpierdol. Pobiegłem do domu Mamaw po szybką pierwszą pomoc, zapłakany, trochę zakrwawiony. Babcia uśmiechnęła się tylko do mnie. „Byłeś dzielny, kochanie. Naprawdę dzielny".

O bójkach, jak i o wielu innych rzeczach, Mamaw uczyła mnie na przykładach. Nigdy nie podniosła na mnie ręki za karę – była przeciwna karom cielesnym do tego stopnia, że musiało to wynikać ze złych doświadczeń z dzieciństwa – kiedy jednak zapytałem ją, jakie to uczucie dostać z piąchy w głowę, pokazała mi. Szybki cios, wnętrzem dłoni, prosto w policzek. „Nie bolało aż tak bardzo, prawda?" No i rzeczywiście, nie tak bardzo. Uderzenie w twarz nie było wcale takie straszne, jak się obawiałem. To była jedna z najważniejszych zasad walki, które wpoiła mi Mamaw: lepiej dostać w twarz, niż stracić okazję na zadanie własnego ciosu. Druga wskazówka: stać bokiem, lewym barkiem w stronę przeciwnika, dłonie wysoko, bo „wtedy dajesz mu znacznie mniejszy cel". Po trzecie, za pięścią musi iść całe ciało, szczególnie obrót bioder. Jak tłumaczyła mi babcia, bardzo niewielu ludzi rzeczywiście zdaje sobie sprawę z tego, że kiedy kogoś się bije, naprawdę mało zależy od samych pięści.

Choć Mamaw upominała nas, byśmy nie wszczynali bójek, dzięki niepisanemu kodeksowi honorowemu bardzo łatwo było skłonić kogoś, by zrobił to za nas. Jeśli naprawdę chciało się z kimś zadrzeć, wystarczyło zakpić z jego matki. Choćby koleś był opanowany jak jogin, nie zdzierżył dobrze zagranej krytyki pod adresem rodzicielki. „Twoja stara jest taka gruba, że jej dupa ma własny kod pocztowy", „Twoja stara to taki bidok, że nawet w sztucznej szczęce ma próchnicę", ba, wystarczyło po prostu „Twoja stara!". Nawet wypowiedziana bez złych intencji wystarczała za powód do walki, bo komu zabrakło woli, by pomścić wiązkę obelg, ten tracił honor, godność, może nawet przyjaciół. Oznaczało to konieczność powrotu do domu i strach przed wyjawieniem rodzinie, że ściągnęło się na nią hańbę.

Nie wiem czemu, z czasem jednak poglądy Mamaw na bijatyki uległy pewnej ewolucji. Byłem w trzeciej klasie, przegrałem wyścig i uznałem, że jest tylko jeden sposób godziwego wyrównania rachunków z drwiącym zwycięzcą. Interwencja przyczajonej nieopodal babci zapobiegła niechybnej kolejnej szkolnej walce w klatce. Mamaw zapytała mnie ostro, czy zapomniałem już o jej naukach, że sprawiedliwe walki to tylko te, w których się broni. Nie wiedziałem, co jej odpowiedzieć – przecież raptem parę lat wcześniej akceptowała niewypowiedzianą zasadę słuszności bicia się o honor.

– Kiedyś zacząłem bójkę, a ty mi powiedziałaś, że byłem dzielny – stwierdziłem w końcu.

– No cóż, widać nie miałam racji – odparła. – Nie powinno się bić, chyba że nie ma innego wyjścia.

No, t o wryło mi się w pamięć. Mamaw nigdy nie przyznawała się do błędu.

Rok później zauważyłem, że pewien klasowy osiłek szczególnie upatrzył sobie jedną ofiarę, takiego dziwnego chłopaka, z którym rzadko gadałem. Za sprawą zawadiackiej przeszłości osiłki najczęściej dawały mi spokój, a ja, jak większość dzieciaków, generalnie cieszyłem się, że to nie mnie zaczepiają. Jednak któregoś dnia usłyszałem przypadkiem jakąś zaczepkę pod adresem ofiary i poczułem przemożną chęć, żeby stanąć w obronie prześladowanego chłopaka. Budził on wręcz żałość, wydawało się, że docinki osiłka ranią go wyjątkowo boleśnie.

Gdy tego dnia po szkole rozmawiałem z Mamaw, rozpłakałem się. Dręczyło mnie niewiarygodnie silne poczucie winy, bo zabrakło mi odwagi, żeby wstawić się za tym chłopcem – bo po prostu siedziałem i słuchałem, jak ktoś urządzał mu piekło na ziemi. Babcia zapytała, czy powiedziałem o tym nauczycielce, a ja potwierdziłem, że tak zrobiłem.

– Suka powinna zgnić w pierdlu, jak tak siedzi na tyłku i nic z tym nie robi. – Następnych słów Mamaw nie zapomnę do końca życia: – Kochanie, czasem trzeba walczyć, nawet jeśli nie we własnej obronie. Czasem po prostu tak trzeba. Jutro musisz stanąć za tym chłopcem, a jeśli będziesz musiał się bronić, to się broń. – A potem nauczyła mnie jednego ciosu: szybkiego, mocnego (pamiętaj o obrocie bioder) haka prosto w brzuch. – Jeśli tamten cię zaczepi, pamiętaj, wal go w sam pępek.

Następnego dnia w szkole nerwy miałem napięte jak postronki, łudziłem się, że być może osiłek zrobił sobie dzień wolnego. Jednak kiedy wśród tradycyjnego chaosu klasa ustawiała się w kolejkę do obiadu na stołówce, usłyszałem go – na imię miał Chris – jak dopytywał się mojego drobnego podopiecznego, czy ten ma w planie na dziś dużo płaczu.

– Zamknij się – powiedziałem Chrisowi. – Zostaw go w spokoju.

Chris podszedł, popchnął mnie i zapytał, co ja na to. Stanąłem tuż przed nim, obróciłem się z prawego biodra i bez zapowiedzi rąbnąłem go prosto w brzuch. Chris z miejsca – przerażająco – zwalił się na kolana, wydawało się, że nie może złapać oddechu. Zanim się zorientowałem, że naprawdę go załatwiłem, na zmianę kaszlał i próbował złapać oddech. Nawet trochę pluł krwią.

Chris poszedł do szkolnej pielęgniarki, a ja, kiedy już miałem pewność, że go nie zabiłem i nie zgarnie mnie policja, zaraz zacząłem myśleć o szkolnym wymiarze sprawiedliwości: czy zostanę zawieszony w prawach ucznia, czy nawet wydalony, i na jak długo. Podczas gdy pozostałe dzieci bawiły się na przerwie, a Chris wracał do siebie w gabinecie pielęgniarki, nauczycielka zaprowadziła mnie do klasy. Byłem pewien, że usłyszę, że już wezwała moich rodziców, że zostanę wywalony ze szkoły. Jednak nie – zaserwowała mi kazanie o bójkach i posadziła do ćwiczenia pisania, kiedy reszta dzieci bawiła się na dworze. W jej zachowaniu wyczułem jednak nutkę aprobaty i do dzisiaj zastanawiam się, czy w jej niezdolności do odpowiedniego utemperowania tego osiłka pewnej roli nie odegrały szkolne gierki polityczne. Tak czy inaczej, Mamaw dowiedziała się o całym zajściu bezpośrednio ode mnie i dostałem od niej pochwałę za naprawdę słuszne zachowanie. Nigdy więcej nie brałem już udziału w żadnej bójce.

Choć widziałem, że nie wszystko układało się idealnie, byłem też świadom faktu, że nasza rodzina pod wieloma względami przypominała większość rodzin w okolicy. Owszem, moi rodzice urządzali zapamiętałe awantury, ale to samo robili inni. Owszem, dziadkowie odgrywali w moim życiu rolę równie dużą, jak mama i Bob, ale w rodzinach bidoków to norma. My nie wiedliśmy statecznego żywota w małej, odseparowanej komórce społecznej. Nasze życie to był chaos wśród wielkiego stada cioć, wujków, dziadków i kuzynów. Takie właśnie życie było mi dane i czułem się z tym całkiem szczęśliwy.

Kiedy miałem może dziewięć lat, w domu sprawy zaczęły się sypać. Mama i Bob mieli już dość ciągłej obecności dziadka i „wtrącania się" Mamaw i postanowili przenieść się do hrabstwa Preble, słabo zaludnionego rolniczego regionu Ohio, może pięćdziesiąt kilometrów od Middletown. Nawet jako dzieciak wiedziałem, że to absolutnie najgorsze, co mogło mi się przytrafić. Mamaw i Papaw byli moimi najlepszymi przyjaciółmi. Pomagali mi w pracach domowych, rozpieszczali przysmakami, kiedy zachowywałem się grzecznie czy uporałem z trudnym zadaniem od nauczycielki. Byli też strażnikami zamku. Najbardziej przerażający ludzie, jakich znałem – stare bidoki – chowający nabitą broń w kieszeniach kurtek i pod siedzeniami samochodów, niezależnie od okazji. Potwory trzymały się od nich z dala.

Bob był trzecim mężem mamy, ale „do trzech razy" nie zadziałało. Awantury zaczęły się jeszcze przed przeprowadzką do hrabstwa Preble, a czasami były tak zajadłe, że długo nie mogłem zasnąć. Padały słowa, których nigdy nie powinno się wypowiadać do przyjaciół i członków rodziny: „Pierdol się!". Zdarzało się, że mama mówiła Bobowi: „Wracaj do swojej przyczepy na placu", nawiązując do życia, jakie prowadził, zanim się pobrali. Czasami zabierała nas do miejscowego motelu, gdzie ukrywaliśmy się przez kilka dni, póki Papaw czy Mamaw nie nakłonili mamy, by stawiła czoła domowym problemom.

Mama odziedziczyła po babci sporo ognia, co oznaczało, że w domowych sporach nigdy nie pozwalała sobie przyjąć roli ofiary. Oznaczało to też jednak, że często rozkręcała normalne spory do zupełnie niepotrzebnych rozmiarów. Kiedy w drugiej klasie rozgrywaliśmy kolejny mecz futbolowy, jedna z mam kolegów, wysoka, przy kości, mruknęła pod nosem, że to nie do mnie trzeba było puścić podanie po ostatnim wznowieniu. Mama, która siedziała na trybunach w rzędzie za nią, usłyszała ten komentarz i oznajmiła tamtej, że dostałem piłkę, bo w odróżnieniu od jej syna nie byłem zasranym spaślakiem wychowywanym przez zasraną spaślaczkę. Zanim zauważyłem, że na trybunach zrobiło się zamieszanie, Bob już siłą odrywał mamę od tamtej kobiety, ale włosów nie chciała puścić. Po meczu zapytałem mamę, co się stało.

– Nikt nie będzie krytykował mojego synka – odparła krótko.

Aż spuchłem z dumy.

W hrabstwie Preble, skąd jazda do dziadków trwała ponad czterdzieści pięć minut, kłótnie przerodziły się w zawody we wrzeszczeniu. Często szło o pieniądze, choć wydaje się niemożliwe, by zamieszkała na wsi w Ohio rodzina, w której łączny roczny dochód wynosił ponad sto tysięcy dolarów, miała kłopoty finansowe. A jednak żarli się o to, bo kupowali rzeczy niepotrzebne: nowe samochody osobowe, nowe pikapy, basen. Nim ich małżeństwo się rozpadło, na co nie trzeba było długo czekać, narobili już długów na dziesiątki tysięcy dolarów i nawet nie wiadomo, na co poszły te pieniądze.

Jednak problemy finansowe to był drobiazg. Mama i Bob nigdy dotąd nie uciekali się do przemocy wobec siebie, ale i to powoli się zmieniało. Pewnej nocy obudził mnie odgłos tłuczonego szkła – mama ciskała w Boba talerzami – więc zbiegłem na parter, żeby zobaczyć, co się dzieje. Bob przyparł mamę do kuchennego blatu, a ona szarpała się i próbowała go gryźć. Kiedy zwaliła się na ziemię, podbiegłem i przytuliłem się do jej łona. Gdy Bob ruszył ku nam, poderwałem się i zdzieliłem go w twarz. Wyprostował się (jak podejrzewałem, żeby odpłacić ciosem za cios), a ja padłem na podłogę, w oczekiwaniu uderzenia osłaniając głowę rękami. Cios nie padł – Bob nigdy nie używał siły wobec dzieci – a moja interwencja jakimś cudem zakończyła awanturę. Ojczym podszedł do kanapy i usiadł na niej bez słowa, tępo patrząc w ścianę, a mama i ja potulnie ruszyliśmy na górę, do łóżek.

Problemy mamy i Boba były dla mnie pierwszą lekcją w rozwiązywaniu sporów małżeńskich. Oto jakie wyniosłem z nich nauki: nigdy nie mów normalnym tonem, jeśli możesz wrzeszczeć; jeśli kłótnia nabierze ciut przydużo kolorków, dozwolone są policzkowanie i ciosy z pięści, pod warunkiem że mąż nie uderzy pierwszy; uczucia zawsze należy wyrażać w sposób obelżywy i przykry dla małżonka; a jeśli wszystko inne zawiedzie, można zwinąć się z dzieciakami i psem do motelu nieopodal, nie mówiąc partnerowi, gdzie was znajdzie – jeśli będzie wiedział, gdzie was szukać, nie będzie aż tak zaniepokojony, więc wasze zniknięcie wywoła słabszy efekt.

Zacząłem gorzej sobie radzić w szkole. Często nocami leżałem w łóżku, niezdolny zasnąć, taki był hałas – zgrzytanie mebli, tupanie, wrzaski, czasem tłukące się szkło.

Rano budziłem się zmęczony i przygnębiony, snułem się po szkole, wciąż myśląc o tym, co czeka mnie w domu. Chciałem tylko móc ukryć się gdzieś, gdzie mógłbym posiedzieć w ciszy. Nie mogłem zwierzyć się nikomu z tego, co się działo, bo byłoby mi tak okropnie wstyd. I choć nie cierpiałem szkoły, w domu czułem się jeszcze gorzej. Kiedy nauczycielka polecała sprzątać rzeczy z ławek, bo do ostatniego dzwonka zostało już tylko parę minut, od razu siadał mi humor. Na zegar patrzyłem jak na tykającą bombę. Nawet Mamaw nie rozumiała, że sytuacja wyglądała tak koszmarnie. Pierwszym objawem były pogarszające się oceny.

Oczywiście nie każdy dzień był taki. Jednak nawet kiedy pozornie w domu panował spokój, w naszym życiu było tyle napięć, że wiecznie miałem się na baczności. Mama i Bob nigdy się do siebie nie uśmiechali, przestali też chwalić mnie i Lindsay. Nie dało się przewidzieć, kiedy słowo wypowiedziane nie w porę zmieni spokojną kolację w karczemną awanturę, kiedy mikroskopijne dziecięce wykroczenie sprawi, że przez pokój śmignie książka czy talerz. Zupełnie jakbyśmy mieszkali na polu minowym – jeden fałszywy krok, i b a b a c h.

Nim zaczął się ten okres mojego życia, byłem wzorcowym, sprawnym i zdrowym chłopakiem. Wciąż byłem w ruchu, więc nawet jeśli niezupełnie dbałem o dietę, naprawdę nie miało to znaczenia. Zacząłem jednak przybierać na wadze, a na początku piątej klasy byłem już wręcz pulchny. Często czułem mdłości, uskarżałem się szkolnej pielęgniarce na silne bóle brzucha. Choć wówczas nie zdawałem sobie z tego sprawy, to traumatyczne przeżycia w domu odciskały piętno na moim zdrowiu. „Uczniowie szkół podstawowych mogą zdradzać objawy obciążeń emocjonalnych poprzez dolegliwości cielesne, takie jak bóle brzucha, głowy czy innych części ciała" – możemy przeczytać w jednym z poradników dla personelu administracyjnego szkół, któremu przypada w udziale zajmowanie się dziećmi doświadczającymi w domu przemocy. „Zmienić się może zachowanie tych uczniów, na przykład poprzez nasilone rozdrażnienie, agresję czy gniew. Ich postawa może być niestała. U uczniów takich może dojść do zmiany wyników w nauce, mogą oni mieć osłabioną uwagę i zdolność skupienia się, rośnie też liczba ich nieobecności". A ja myślałem, że po prostu mam zaparcie czy może, że naprawdę nie znoszę miasteczka, w którym mieszkaliśmy.

Mama i Bob nie byli jacyś wyjątkowi. Trudno byłoby wyliczyć wszystkie incydenty i koncerty wrzasków, których byłem świadkiem, a do których moja rodzina nie dołożyła ani decybela. Miałem w sąsiedztwie kolegę – bawiliśmy się na jego podwórku, póki jego rodzice nie zaczynali drzeć się na siebie, a wtedy zwiewaliśmy do zaułku za domami i tam się kryliśmy. Sąsiedzi Papaw wydzierali się tak głośno, że słychać ich było nawet u niego w domu, a działo się to na tyle regularnie, że dziadek zawsze komentował to krótkim: „No do diabła, a ci znowu swoje". Raz widziałem, jak sprzeczka młodego małżeństwa przy barze sałatkowym w miejscowej restauracji chińskiej rozwinęła się w istną symfonię przekleństw i obelg. Mamaw i ja mieliśmy w zwyczaju otwierać okna po jednej stronie jej domu, żeby dokładnie słyszeć, o co jej sąsiadka Pattie żre się jak wariatka ze swoim chłopakiem. Patrzenie na ludzi rzucających wyzwiskami, wrzeszczących, a czasem i przechodzących do bijatyki było po prostu częścią naszego życia codziennego. Z czasem nie zwracało się już na to uwagi.

Zawsze myślałem, że po prostu dorośli tak właśnie ze sobą rozmawiają. Kiedy Lori wyszła za Dana, dowiedziałem się o istnieniu przynajmniej jednego wyjątku od tej reguły. Mamaw powiedziała mi, że Dan i ciocia Łii nigdy na siebie nie wrzeszczeli, bo Dan nie jest taki. „To święty człowiek" – mawiała. Kiedy poznaliśmy całą jego rodzinę, zorientowałem się, że oni wszyscy byli milsi dla siebie nawzajem. Nie wrzeszczeli na siebie przy ludziach. Odnosiłem przemożne wrażenie, że nawet na osobności rzadko im się to zdarzało. Podejrzewałem, że kogoś tu nabierają. Ciocia Łii postrzegała to nieco inaczej: „Po prostu uznałam, że są naprawdę dziwni. Wiedziałam, że są w tym szczerzy. Jak dla mnie byli szczerze nie z tej ziemi".

Niekończące się boje pociągnęły za sobą nieuniknione koszty. Jeszcze dziś, gdy je wspominam, robię się nerwowy. Serce zaczyna mi łomotać, żołądek podchodzi do gardła. Kiedy byłem bardzo młody, chciałem tylko od tego uciec – ukryć się przed awanturami, może u Mamaw, może wręcz zniknąć. Nie mogłem jednak się przed tym schować, bo agresja była wszędzie dokoła.

Z czasem polubiłem te dramatyczne sceny. Nie kryłem się już przed nimi, lecz biegłem na dół czy przykładałem ucho do ściany, żeby wszystko lepiej słyszeć. Serce wciąż mi waliło, ale tym razem w radosnym wyczekiwaniu, jak na meczu koszykówki, kiedy już zaraz miałem zaliczyć celny rzut. Nawet wtedy, gdy awantura zanadto się rozkręciła – kiedy bałem się, że Bob mnie zdzieli – byłem nie tyle odważnym dzieciakiem podejmującym interwencję, co raczej kibicem, który ciut za bardzo zbliżył się do ringu. To, czego przedtem nienawidziłem, stało się dla mnie niemal narkotykiem.

Pewnego dnia, wracając ze szkoły, zobaczyłem na podjeździe przed domem samochód Mamaw. Był to niepokojący widok, bo babcia nie zjawiała się u nas, w hrabstwie Preble, bez uprzedzenia. Tego dnia jednak zrobiła wyjątek, ponieważ mama trafiła do szpitala po nieudanej próbie samobójczej. Choć dostrzegałem tyle zjawisk w otaczającym mnie świecie, oczy jedenastolatka nie zauważyły jednak wszystkiego. Pracując w szpitalu w Middletown, mama poznała jednego z tamtejszych strażaków i wdała się z nim w romans, który ciągnął się już kilka lat. Tego ranka Bob oznajmił jej, że wie o wszystkim, i zażądał rozwodu. Mama wskoczyła do nowiutkiej furgonetki i rozmyślnie wjechała w słup telefoniczny. Przynajmniej tak twierdziła. Babcia miała własne zdanie na ten temat: uważała, że mama próbowała odwrócić uwagę od zdrady małżeńskiej i kłopotów finansowych.

– Kto, kurwa, próbuje popełnić samobójstwo, rozbijając samochód? – wytknęła Mamaw. – Jakby chciała się zabić, mam broni pod dostatkiem.

I ja, i Lindsay zasadniczo zgadzaliśmy się z opinią Mamaw, a najsilniej odczuwaliśmy ulgę – bo mama nie ucierpiała za bardzo, a jej próba samobójcza oznaczała koniec eksperymentu z wyprowadzką do hrabstwa Preble. Mama wyszła ze szpitala już po paru dniach. Nie minął miesiąc, a byliśmy z powrotem w Middletown, o przecznicę bliżej domu Mamaw niż przedtem i bez mężczyzny w pakiecie.

Mimo powrotu na stare śmieci zachowanie mamy było coraz mniej przewidywalne. Była dla nas raczej współlokatorką niż rodzicem, a z naszej trójki – Lindsay, mamy i mnie – to mama rozrabiała najbardziej. Kładłem się spać, ale o północy budziła mnie Lindsay, wracając do domu z tego, co po nocach wyrabiają nastolatki. Potem budziłem się znów o drugiej czy trzeciej rano, gdy zjawiała się mama. Znalazła sobie nowe koleżanki, z reguły młodsze i bezdzietne. Robiła też rotację facetów, zmieniając partnera co kilka miesięcy. Zrobiło się tak nieciekawie, że mój najlepszy kumpel z tamtego okresu żartował już o jej „hitach miesiąca". Do pewnego poziomu niestabilności zdołałem się przyzwyczaić, ale chodziło o zjawiska znajome: kłótnie czy ucieczki przed bijatyką, mama jednak potrafiła zacząć wrzeszczeć na nas, czasem nawet szczypała czy biła otwartą dłonią. Nie podobało mi się to, bo i komu by się podobało, ale to jej nowe zachowanie było po prostu niespotykane. Co prawda mama wyprawiała różne rzeczy, lecz nigdy dotąd nie była imprezowiczką. Kiedy wróciliśmy do Middletown, odmieniło się jej.

Jeśli imprezy, to alkohol, a tego zdarzało się wypić w nadmiarze, co powodowało jeszcze bardziej zaskakujące zachowania. Pewnego dnia, miałem wtedy chyba dwanaście lat, mama powiedziała coś, czego teraz nawet nie potrafię sobie przypomnieć, ale wiem, że wypadłem z domu na bosaka i popędziłem do Mamaw. Przez dwa dni odmawiałem odzywania się do matki, nie chciałem nawet jej widzieć. Papaw, zaniepokojony rozpadem więzi między jego córką a wnukiem, wręcz błagał mnie, bym się z nią spotkał.

Wysłuchałem więc przeprosin, które znałem już z miliona poprzednich okazji. Mama zawsze była mistrzynią przeprosin. Może nie miała innego wyjścia – gdyby nie mówiła „wybaczcie", ani Lindsay, ani ja nie odzywalibyśmy się już do niej. Myślę jednak, że naprawdę wierzyła w swoje słowa. W głębi ducha zawsze obwiniała się o to, co się działo. Pewnie wierzyła nawet w zapowiedzi, że „to już się nie powtórzy". Cóż, kiedy zawsze się powtarzało.

Tym razem było dokładnie tak samo. Mama złożyła superprzeprosiny, bo nagrzeszyła superciężko. Wobec tego zaoferowała też superpokutę: obiecała, że zabierze mnie do centrum handlowego i zafunduje karty kolekcjonerskie z futbolistami. Te karty były dla mnie jak kryptonit dla Supermana, zgodziłem się więc na ten wspólny wypad. W życiu nie popełniłem chyba gorszego błędu.

Wyjechaliśmy na międzystanową, kiedy powiedziałem coś, od czego w mamie zagotowała się krew. Przyspieszyła bodaj do stu pięćdziesięciu i oznajmiła mi, że zamierza rozbić samochód, żebyśmy oboje zginęli. Przeskoczyłem na tylne siedzenie z myślą, że jeśli przypnę się pasami dla dwóch osób, będę miał większe szanse na przeżycie uderzenia. To jeszcze bardziej ją rozjuszyło, więc zjechała na pobocze, żeby spuścić mi łomot. Ledwie się zatrzymała, wyskoczyłem z wozu i rzuciłem się do ucieczki, by ocalić głowę. Byliśmy w rolniczej części Ohio – biegłem przez rozległą łąkę, wysokie źdźbła trawy chłostały mnie po kostkach, kiedy pędziłem przed siebie. Natknąłem się na nieduży dom z rozkładanym basenem. Właścicielka posesji – nieco otyła pani mniej więcej w wieku mamy – unosiła się w wodzie na plecach, napawając się ciepłą, czerwcową pogodą.

– Niech pani zadzwoni do mojej babci! – wrzasnąłem. – Niech mi pani pomoże. Mama chce mnie zabić.

Kobieta wygramoliła się z basenu, a ja trwożliwie łypałem oczyma dokoła, obawiając się, że zaraz zauważę nadciągającą matkę. Weszliśmy do domu, zadzwoniłem do Mamaw i podałem jej adres kobiety, gdy mi go wyjawiła.

– Proszę, przyjedź szybko – błagałem. – Mama mnie tu znajdzie.

No i faktycznie znalazła. Chyba zauważyła z szosy, dokąd pobiegłem. Zaczęła walić w drzwi i domagać się, żebym wyszedł. Błagałem właścicielkę, żeby nie otwierała, więc przekręciła klucz i obiecała mamie, że poszczuje ją psami, jeśli spróbuje wejść. Psy były dwa, żaden z nich nie większy od średnio odkarmionego kota. Mama jednak w końcu wyłamała drzwi i wywlokła mnie na dwór, choć darłem się wniebogłosy i chwytałem wszystkiego po drodze: siatkowych drzwi przeciwko owadom, balustradek na schodach, trawy na podwórzu. Tamta stała tylko i patrzyła, a ja nienawidziłem jej za to, że nic nie zrobiła. W rzeczywistości jednak pomogła mi: w czasie między telefonem do Mamaw a przybyciem mamy najwyraźniej zadzwoniła pod numer alarmowy, więc kiedy mama wlokła mnie do samochodu, podjechały dwa radiowozy, a gliniarze, którzy z nich wyskoczyli, zakuli mamę w kajdanki. Nie poddała się łatwo, musieli wepchnąć ją siłą na tylne siedzenie radiowozu. I pojechała.

Drugi gliniarz posadził mnie na tylnym siedzeniu swojego wozu, kiedy czekaliśmy na przybycie Mamaw. Nigdy nie czułem się tak samotny: patrzyłem, jak policjant przesłuchiwał właścicielkę domu – wciąż w mokrym kostiumie kąpielowym, oskrzydlaną przez dwa psy obronne w rozmiarze mini; nie mogłem od wewnątrz otworzyć drzwi, nie wiedziałem też, kiedy przyjedzie Mamaw. Właśnie oddałem się marzeniom, kiedy drzwi wozu otworzyły się, do środka wgramoliła się Lindsay i przygarnęła mnie do siebie tak mocno, że brakło mi tchu. Nie płakaliśmy, nie odzywaliśmy się choćby słowem. Siedziałem sobie po prostu, powoli duszony na śmierć, i czułem, że świat wrócił na właściwe tory.

Kiedy wysiedliśmy z radiowozu, Mamaw i Papaw uściskali mnie, pytając, czy nic mi nie jest. Babcia obróciła mną jak frygą, żeby mnie obejrzeć. Dziadek rozmawiał z policjantem, dopytując się, gdzie znajdzie aresztowaną córkę. Lindsay nie spuszczała mnie z oczu. To był najbardziej przerażający dzień w moim życiu. Jednak trudne chwile już minęły.

Kiedy dotarliśmy do domu, żadne z nas nie było w stanie się odezwać. Babcię roznosiła bezsłowna, przerażająca furia. Miałem nadzieję, że Mamaw ochłonie, zanim wypuszczą mamę z aresztu. Byłem wykończony, myślałem tylko o tym, żeby paść na kanapę i oglądać telewizję. Lindsay poszła na piętro się zdrzemnąć. Papaw zebrał zamówienia na fastfoodowy posiłek z baru Wendy's. Kiedy szedł już do drzwi, zatrzymał się przy kanapie, pochylił nade mną. Mamaw akurat wyszła na chwilę z pokoju. Dziadek położył dłoń na moim czole i zaczął łkać. Bałem się tak bardzo, że nie uniosłem nawet wzroku ku jego twarzy. Nigdy nie słyszałem, żeby płakał, nie widziałem jego łez, myślałem, że był tak twardy, że nawet jako niemowlę nie płakał. Stał tak przez jakiś czas, póki obaj nie usłyszeliśmy, że babcia wraca do pokoju. Wtedy wziął się w garść, otarł oczy i wyszedł. Żaden z nas nigdy później nie napomknął o tej chwili.

Mamę wypuszczono z aresztu za kaucją, ale miała sprawę o wykroczenie za przemoc domową. Wyrok zależał wyłącznie od tego, jak zeznam. Jednak podczas przesłuchania, kiedy zapytano mnie, czy mama kiedykolwiek mi groziła, zaprzeczyłem. Powód był prosty: dziadkowie wyłożyli ciężkie pieniądze na najlepszego adwokata w mieście. Byli wściekli na moją mamę, ale nie chcieli, żeby wylądowała w pudle. Adwokat nie zachęcał mnie wprost do kłamstw, ale postawił sprawę jasno: moje słowa mogą zwiększyć lub zmniejszyć ryzyko dłuższego uwięzienia mamy. „Nie chcesz, żeby mamusia trafiła za kraty, prawda?" – pytał. Kłamałem więc, mając pełną świadomość, że nawet jeśli mama zostanie na wolności, ja będę mógł mieszkać z dziadkami, kiedy tylko zechcę. Oficjalnie mama miała zachować prawa rodzicielskie, ale od tej chwili mieszkałem z nią tylko wtedy, kiedy sam wyraziłem taką chęć – a Mamaw powiedziała wprost, że jeśli mamie nie podoba się taki układ, to może pertraktować z lufą jej pistoletu. Tak wyglądała praworządność w wydaniu bidoków, i w moim przypadku się sprawdziła.

Pamiętam, jak siedzieliśmy na tej zatłoczonej sali sądowej, obok nas jeszcze z pół tuzina innych rodzin, a ja zauważyłem, że wyglądaliśmy zupełnie tak samo jak oni. Matki, ojcowie i dziadkowie nie ubierali się w garnitury czy garsonki, jak adwokaci i sędzia. Mieli na sobie dresy, spodnie ze streczu, koszulki z krótkim rękawem. Włosy z grubsza uczesane. Po raz pierwszy też usłyszałem „akcent z telewizji" – ten pozbawiony naleciałości ton, którym posługuje się tylu prezenterów wiadomości. Pracownicy opieki społecznej, sędzia i adwokat – oni wszyscy mówili z akcentem z telewizji, jak żadne z nas. Ludzie, którzy rządzili tu, w sądzie, nie byli tacy jak my. Ludzie poddani ich decyzjom – tak.

Tożsamość to dziwna sprawa – wówczas nie rozumiałem, czemu ci nieznajomi ludzie wydają mi się tak bliscy. Kilka miesięcy później, podczas pierwszej w życiu wyprawy do Kalifornii, zacząłem to pojmować. Wuja Jimmy zafundował mi i Lindsay przelot do swojego domu w Napa w Kalifornii. Wiedząc, że odwiedzę wujka, rozpowiadałem wszystkim znajomym, że latem wybieram się nad Pacyfik, i co więcej – pierwszy raz w życiu wsiądę do samolotu. Główną reakcją było niedowierzanie, że mój wujek ma tyle pieniędzy, by opłacić dwojgu ludziom, i to nawet nie własnym dzieciom, lot do Kalifornii. Oto dowód świadomości klasowej z czasów mojego dzieciństwa: myśli moich przyjaciół krążyły przede wszystkim wokół cen biletów lotniczych.

Ja sam byłem zachwycony perspektywą podróży na zachód i spotkania z wujem Jimmym, którego uwielbiałem tak samo jak braci babci, wujów Blantonów. Mimo wczesnej pory wylotu, nie zmrużyłem oka przez cały sześciogodzinny lot z Cincinnati do San Francisco. Wszystko było takie ekscytujące: widok ziemi kurczącej się pod nami po starcie, chmury oglądane z bliska, zasięg wzroku w przestworzach i ich bezkres, i jak wyglądały góry widziane ze stratosfery. Stewardessa zauważyła moją fascynację i jeszcze zanim znaleźliśmy się nad Kolorado, stałem się regularnym gościem w kabinie pilotów (to było przed jedenastym września), gdzie kapitan dawał mi krótkie lekcje pilotażu i informował, ile jeszcze drogi przed nami.

A przygoda dopiero się zaczynała. Już wcześniej zdarzało mi się wyjechać poza granice stanu: z dziadkami wyprawialiśmy się do Karoliny Południowej i Teksasu, regularnie też bywałem w Kentucky. Podczas tych wypadów jednak rzadko rozmawiałem z ludźmi spoza rodziny, nigdy też nie zauważyłem, by byli od nas istotnie odmienni. Napa była jak miasto w zupełnie innym kraju. W Kalifornii każdy dzień niósł nowe przygody w towarzystwie moich nastoletnich kuzynów i ich przyjaciół. Podczas jednej wycieczki wybraliśmy się do dzielnicy Castro w San Francisco – jak to ujęła starsza siostra cioteczna, Rachael, w celu upewnienia mnie, że geje nie czyhają tylko na okazję, żeby mnie molestować. Kiedy indziej odwiedziliśmy winiarnię. Jeszcze innego dnia pomagaliśmy kuzynowi Nate'owi podczas treningu drużyny futbolowej jego liceum. Wszystko to było takie ekscytujące. Każdy, kogo poznałem, mówił, że mam akcent z Kentucky. Oczywiście, w sumie poniekąd wywodziłem się z Kentucky. I strasznie podobało mi się, że ludzie uważali moją wymowę za dziwną. Zauważyłem jednak, że Kalifornia naprawdę była zupełnie inna. Wcześniej byłem już w Pittsburghu, Cleveland, Columbus i Lexington. Sporo czasu spędziłem w Karolinie Południowej, w Kentucky, Tennessee, nawet w Arkansas. Więc czemu Kalifornia tak się różniła od tych stanów?

Jak miałem się dowiedzieć, rozwiązaniem tej zagadki był ten sam szlak bidoków, który sprowadził babcię i dziadka ze wschodniego Kentucky do południowo-zachodniego Ohio. Mimo różnic w topografii i regionalnej specyfiki gospodarki między Południem a uprzemysłowionym Środkowym Zachodem, w dotychczasowych podróżach trafiałem głównie w miejsca, gdzie ludzie wyglądali i zachowywali się jak moja rodzina. Jedliśmy te same potrawy, oglądaliśmy te same sporty, wyznawaliśmy tę samą religię. To dlatego te inne rodziny w sądzie wydawały mi się tak swojskie: podobnie jak my, oni też, w mniejszym czy większym stopniu, byli przesiedlonymi bidokami.

6

Jednym z pytań, których nie cierpiałem, a które wiecznie
zadają dorośli, jest to o rodzeństwo. Kiedy jest się dzieckiem, nie da się tego zbyć machnięciem ręką i krótkim: „To
złożona sprawa". A trzeba by być wyjątkowo uzdolnionym
socjopatą, żeby zawsze zdołać się wyłgać. Tak więc przez
dłuższy czas odpowiadałem wyczerpująco, prowadząc ludzi poplątanymi ścieżkami rodzinnych koneksji, do których byłem przyzwyczajony. Miałem przyrodnich brata
i siostrę, z którymi nigdy się nie widziałem, bo mój biologiczny ojciec oddał mnie do adopcji. Jeśli liczyć w jeden
sposób, miałem mnóstwo przyrodnich braci i sióstr, ale
tylko dwoje, jeśli ograniczyć się wyłącznie do potomków
bieżącego męża mamy. Dalej – żona mojego biologicznego
ojca: ona też miała przynajmniej jedno dziecko, więc chyba
i je należałoby dodać. Czasami wdawałem się w rozważania filozoficzne nad znaczeniem pojęcia „rodzeństwo".
Czy dzieci poprzednich mężów mojej mamy to wciąż moi
krewni? A jeśli tak, to co z przyszłymi dziećmi jej byłych
mężów? Zależnie od metod obliczeń, mógłbym pewnie
twierdzić, że przyrodniego rodzeństwa miałem już parę-
naście głów.

Jednak zdecydowanie w grupie „rodzeństwa" znajdowała się jedna osoba: moja siostra Lindsay. Jeśli przedstawiając ją, używałem jakiegoś przymiotnika, to zawsze symbolizującego dumę – „moja p e ł n a siostra Lindsay", „s t u p r o c e n t o w a siostra Lindsay", „w i ę k s z a siostra Lindsay". Lindsay była (i wciąż jest) osobą, ze znajomości z którą byłem najbardziej dumny. Ta chwila, kiedy dowiedziałem się, że słowo „pół-siostra" nie ma żadnego związku z moimi uczuciami wobec Lindsay, ale najcelniej odzwierciedla genetyczną jakość naszego pokrewieństwa – że pochodząc od innego ojca, jest ona moją przyrodnią siostrą dokładnie tak samo jak ludzie, których w życiu nie widziałem na oczy – wciąż należy do najbardziej rozdzierających momentów mojego życia. Mamaw oznajmiła mi o tym nonszalancko, kiedy pewnego dnia wyszedłem spod prysznica przed snem – rozryczałem się, wyłem, jakbym właśnie się dowiedział, że zdechł mój ukochany pies. Uspokoiłem się, dopiero gdy babcia ustąpiła i obiecała, że już nikt nigdy nie nazwie Lindsay moją „półsiostrą".

Lindsay Leigh jest starsza ode mnie o pięć lat, urodziła się ledwie dwa miesiące po tym, jak mama ukończyła liceum. Miałem na jej punkcie obsesję, zarówno tak, jak wszystkie dzieci wobec starszego rodzeństwa, jak i szczególną, wynikłą z warunków naszego życia. Jej bohaterskie interwencje w mojej obronie były godne legendarnych herosów. Raz, kiedy pokłóciłem się z nią o precla, mama wysadziła mnie z samochodu na pustym parkingu, żeby pokazać Lindsay, jak będzie wyglądać jej życie bez brata. Moja siostra dostała takiego ataku żałości i furii, że mama zaraz po mnie wróciła. Gdy dochodziło do wybuchowych spięć między mamą a kolejnymi facetami, których sprowadzała do domu, to Lindsay ewakuowała się do swojego pokoju i dzwoniła do dziadków po pomoc. Karmiła mnie, gdy byłem głodny, przewijała mnie, kiedy nie było innych chętnych, wszędzie ciągała mnie ze sobą – choć jak twierdziły i babcia, i ciocia Łii, ważyłem prawie tyle samo, co ona.

Zawsze widziałem w niej bardziej osobę dorosłą niż dziecko. Nigdy nie dawała upustu niezadowoleniu ze swoich nastoletnich chłopaków poprzez gniewne wymarsze czy trzaskanie drzwiami. Kiedy mama pracowała na nocnych zmianach czy z innych powodów nie docierała wieczorem do domu, Lindsay dopilnowywała, żebyśmy mieli coś na kolację. Wkurzałem ją, jak każdy młodszy brat wkurza siostrę, ale nigdy na mnie nie wrzasnęła, nie nakrzyczała, nie sprawiła, że bałbym się jej. W zajściu, za które wstydzę się jak za mało co w życiu, obaliłem ją na ziemię, nie pamiętam już za co. Miałem wtedy dziesięć czy jedenaście lat, co oznaczałoby, że ona miała około piętnastu, i choć uświadomiłem sobie wtedy, że siłowo już ją przegoniłem, nadal uważałem, że w Lindsay nie było nic z dziecka. Była ponad takie rzeczy, jako „jedyny prawdziwie dorosły człowiek w tym domu", jak to ujął Papaw, była też pierwszą linią mojej obrony, wysuniętą nawet przed Mamaw. Jeśli musiała, szykowała nam kolację, robiła pranie, gdy nikomu innemu nie było po drodze, no i wydostała mnie z tamtego radiowozu. Polegałem na Lindsay tak absolutnie, że nie wiedziałem, kim naprawdę była: młodą dziewczyną, której nawet nie wolno jeszcze było siąść za kółkiem, a która musiała nauczyć się troszczyć o siebie i równocześnie o młodszego brata.

Zaczęło się to zmieniać w dniu, w którym moja rodzina postanowiła dać Lindsay szansę ziszczenia marzeń. Zawsze była z niej śliczna dziewczyna. Kiedy z kumplami robiliśmy rankingi najpiękniejszych dziewczyn świata, wymieniałem Lindsay na pierwszym miejscu, tuż przed Demi Moore i Pamelą Anderson. Lindsay dowiedziała się, że w jakimś hotelu w Dayton robią casting na modelki, więc wraz z mamą i Mamaw zapakowaliśmy się do buicka babci i pojechaliśmy na północ. Lindsay aż roznosiło z podniecenia, i mnie też. To miał być jej wielki sukces, a przez to wielki sukces całej naszej rodziny.

Gdy dotarliśmy do hotelu, jakaś pani poleciła nam iść za znakami do dużej sali balowej i ustawić się w kolejce. Sala stanowiła kwintesencję ohydy lat siedemdziesiątych: brzydka wykładzina, wielkie żyrandole, dające tylko tyle światła, żeby ludzie nie zabijali się o własne nogi. Nie bardzo rozumiałem, jak łowca talentów miałby w takich warunkach docenić urodę mojej siostry. Przecież było za ciemno, do licha.

Wreszcie dotarliśmy na czoło kolejki – przedstawicielka agencji wydawała się optymistycznie nastawiona do szans mojej siostry. Wspomniała coś o jej urodzie i poleciła zaczekać w innym pomieszczeniu. O dziwo, dodała też, że i ja mam zadatki na modela, i pytała, czy chciałbym pójść za siostrą i dowiedzieć się, na czym polegałby następny krok. Entuzjastycznie przytaknąłem.

Po niedługim czasie spędzonym w poczekalni dowiedzieliśmy się z Lindsay i resztą tam zgromadzonych, że zakwalifikowaliśmy się do kolejnej rundy, ale czekały nas kolejne eliminacje, w Nowym Jorku. Pracownicy agencji dali nam broszurki informacyjne i powiadomili, że musimy potwierdzić nasz udział w ciągu najbliższych paru tygodni.

Ruszając do domu, Lindsay i ja byliśmy przeszczęśliwi. Kierunek Nowy Jork i sława gwiazd wybiegu!

Opłata za wyjazd do Nowego Jorku była jednak słona – gdyby rzeczywiście ktoś widział w nas perspektywicznych modeli, zapewne pokryłby koszty udziału w castingu. Kiedy teraz o tym myślę, pobieżne traktowanie wszystkich kandydatów (każda „rozmowa kwalifikacyjna" sprowadzała się do wymiany paru zdań) wskazywałoby, że cała ta impreza była raczej szukaniem jeleni, a nie talentów. Aczkolwiek co ja tam wiem: nigdy nie specjalizowałem się w procedurach naboru modelek.

Wiem natomiast, że nasza radość nie przetrwała jazdy do domu. Mama zaczęła na głos deliberować nad kosztami wyprawy do Nowego Jorku, przez co ja i Lindsay pokłóciliśmy się o to, które z nas powinno pojechać (niewątpliwie byłem przy tym samolubnym szczylem). Mama była coraz bardziej rozeźlona, aż wreszcie puściły jej nerwy. Dalszy przebieg wydarzeń nikogo nie zaskoczył: było mnóstwo wrzasków, nieco kierowania i bicia, a skończyło się samochodem zaparkowanym na poboczu i dwójką rozbeczanych dzieciaków. Mamaw wkroczyła do akcji, zanim sprawy zupełnie wymknęły się spod kontroli, ale i tak tylko cudem nikt nas nie rozjechał: mama jednocześnie kierowała i tłukła dłonią po naszych głowach, babcia z siedzenia pasażera okładała mamę i wrzeszczała na nią. To dlatego się zatrzymaliśmy – mama potrafiła radzić sobie z wieloma rzeczami naraz, to ją jednak przerosło. Do domu dojechaliśmy w milczeniu po tym, jak babcia wyłożyła mamie: jeśli ta znów wyjdzie z siebie, Mamaw strzeli jej między oczy. Tę noc spędziliśmy u babci.

Nigdy nie zapomnę wyrazu twarzy Lindsay maszerującej na piętro do sypialni. Malował się na niej ból klęski, znany tylko tym, którzy doświadczyli najwyższego triumfu i najdotkliwszej porażki w odstępie zaledwie minut. Lindsay była o krok od spełnienia marzenia z czasów dzieciństwa, a teraz stała się ot, kolejną nastolatką ze złamanym sercem. Mamaw obróciła się na pięcie, by zalec na kanapie, gdzie oglądała *Prawo i porządek* i czytała Biblię, a potem zasypiała. Ja stałem w wąskim korytarzyku oddzielającym pokój dzienny od jadalni i zadałem babci pytanie, które dręczyło mnie, od kiedy wydała mamie rozkaz, by bezpiecznie dowiozła nas do domu. Wiedziałem, co usłyszę, ale chyba po prostu potrzebowałem pociechy.

– Mamaw, czy Bóg nas kocha?

Zwiesiła głowę, przytuliła mnie i zaczęła łkać.

To pytanie zabolało Mamaw, bo wiara chrześcijańska była sednem naszego życia, a już szczególnie w jej przypadku. Nie chodziliśmy do kościoła, chyba że podczas wizyt w Kentucky czy kiedy mamie przychodziło do głowy, że to właśnie religii potrzeba nam w życiu. Mamaw jednak wierzyła głęboko i szczerze (acz niekonwencjonalnie). Jeśli wspominała o „zorganizowanych religiach", to tylko ze wzgardą. W kościołach widziała wylęgarnie zboczeńców i zmieniających pieniądze. A już tych, których nazywała „dętymi i przejętymi" – ludzi, którzy obnosili się z dewocją, zawsze gotowych przechwalać się, jacy to są pobożni – po prostu nienawidziła. A jednak znaczną część dochodów, których nie potrzebowała na utrzymanie, przesyłała kościołom w Jackson w Kentucky, szczególnie tym podporządkowanym wielebnemu Donaldowi Isonowi, starszawemu kaznodziei, zaskakująco podobnemu do księdza z *Egzorcysty*.

Zdaniem Mamaw Bóg nieustannie był u naszego boku. Radował się wraz z nami, kiedy było dobrze, pocieszał, jeśli nie było. Podczas jednego z rozlicznych wyjazdów do Kentucky Mamaw, po krótkim przystanku na tankowanie, próbowała włączyć się do ruchu na drodze międzystanowej. Nie patrzyła na znaki, więc skończyło się szarżą pod prąd na jednokierunkowym zjeździe z ekspresówki, pośród ustępujących nam z drogi, rozjuszonych kierowców. Z przerażenia darłem się wniebogłosy, ale babcia, wyjechawszy na trójpasmówkę, zawróciła o sto osiemdziesiąt stopni i pojechała dalej, kwitując cały incydent krótko:

– Nic się nam nie stało, do diabła ciężkiego. Przecież chyba wiecie, że ze mną w samochodzie jedzie Jezus?

Jej nauki teologiczne nie należały do wyszukanych, ale zawarty w nich przekaz był właśnie tym, którego potrzebowałem. Prześlizgując się przez życie, zmarnotrawiłbym dane mi od Boga talenty, a zatem musiałem ostro wziąć się do roboty. Musiałem opiekować się swoją rodziną, bo takie są obowiązki chrześcijanina. Musiałem wybaczać, nie tylko dla dobra mamy, ale też własnego. Nigdy nie powinienem poddawać się rozpaczy, albowiem Bóg ma swój plan.

Mamaw często opowiadała pewną przypowieść: otóż był sobie młody człowiek, który siedział w domu, gdy rozpętała się okropna ulewa. Po paru godzinach i jego dom zaczęło podmywać, ale wtedy do drzwi młodzieńca ktoś zapukał i zaproponował, że podwiezie go na wyżej położone tereny. Młody człowiek odmówił: „Bóg będzie mnie miał w swej opiece" – powiedział. Kilka godzin później, kiedy już cały parter jego domu znalazł się pod wodą, podpłynęła łódka i jej szyper zaoferował, że zabierze powodzianina w bezpieczne miejsce. Ten odmówił: „Bóg będzie mnie miał w swej opiece" – stwierdził. Minęło jeszcze kilka godzin, młodzieniec siedział już na dachu, bo reszta domu była zalana, i nadleciał helikopter, którego pilot zaproponował transport na suchy ląd. Młody człowiek odmówił raz jeszcze, powtarzając, że Bóg się o niego zatroszczy. Niedługo potem porwał go nurt, a gdy stanął w niebie przed obliczem Boga, zaprotestował przeciwko losowi, który go spotkał.

– Obiecałeś, że mi dopomożesz, jeśli będę Ci wierny – mówił.

Bóg odparł:

– Posłałem po ciebie samochód, łódź i helikopter. Zginąłeś z własnej winy.

Strzeżonego Pan Bóg strzeże – oto była mądrość Ewangelii według Mamaw.

Świat upadku, jaki przedstawia religia chrześcijańska, pasował do tego, co widziałem wokół siebie: do świata, w którym radosna przejażdżka samochodem mogła zaraz obrócić się w udrękę; świata, w którym niewłaściwe zachowania jednej osoby rozchodziły się falą po życiu rodziny i całej społeczności. Kiedy pytałem Mamaw, czy Bóg nas kocha, chciałem otrzymać od niej zapewnienie, że nasza wiara wciąż mogła sprawić, by świat, w którym żyliśmy, miał sens. Potrzebowałem pocieszenia, jakiejś głębszej sprawiedliwości, rytmu, taktu, skrytych pod udręką i chaosem.

Niedługo po tym, jak dziecięce marzenia Lindsay o karierze modelki poszły z dymem, wybrałem się do Jackson z Mamaw i kuzynką Gail. Był drugi sierpnia, moje jedenaste urodziny. Późnym popołudniem Mamaw poradziła mi, żebym zadzwonił do Boba – wciąż jeszcze prawnie mojego ojca – bo jeszcze nie złożył mi życzeń. Rozwiódł się z mamą po naszym powrocie do Middletown, więc nic dziwnego, że rzadko się z nami kontaktował. Jednak moje urodziny były oczywiście szczególną okazją, dziwiłem się więc, czemu nie dzwonił. Wybrałem zatem jego numer, ale odebrała automatyczna sekretarka. Po paru godzinach spróbowałem ponownie, z tym samym rezultatem, i instynktownie zrozumiałem, że już nigdy więcej nie zobaczę Boba.

Może Gail mi współczuła, może po prostu wiedziała, że kocham psy, w każdym razie zaprowadziła mnie do miejscowego sklepu zoologicznego, gdzie na wystawie był świeżutki miot owczarków niemieckich. Maniakalnie pragnąłem mieć takiego szczeniaczka, a na urodziny dostałem akurat dość pieniędzy, żeby sobie go kupić. Gail przypominała mi, że z psami jest mnóstwo zachodu, a moja rodzina (czytaj: mama) miała paskudne zaszłości z kupowaniem, a potem oddawaniem psów. Kiedy jej nauki padły na jałowy grunt („Pewnie masz rację, Gail, ale one są taaaakie słodkie!") – włączył się rodzinny autorytet: „Kochanie, przykro mi, ale nie pozwolę, żebyś sobie kupił tego psa". Nim wróciliśmy do domu Mamaw Blanton, bardziej dręczyłem się niedoszłym zakupem szczenięcia niż utratą ojca numer dwa.

Fakt, że Bob nas porzucił, martwił mnie mniej niż turbulencje, które niechybnie musiało wywołać jego odejście. On był po prostu aktualnie ostatnim z długiej listy nieudanych kandydatów na rodzica. Wcześniej trafił się na przykład Steve, o miękkim głosie i podobnie delikatnych manierach.

Modliłem się wówczas, żeby mama za niego wyszła, bo Steve był miły i miał niezłą posadę. Cóż, rozstali się jednak, mama znalazła sobie Chipa, miejscowego policjanta. Chip miał w sobie sporo z bidoka: kochał tanie piwo, muzykę country oraz łowienie sumów, więc układało się nam całkiem nieźle, ale i on odszedł.

Szczerze mówiąc, jednym z najgorszych aspektów odejścia Boba było wprowadzenie dodatkowych splątań w zawikłanej sieci nazwisk naszej rodziny. Lindsay miała na nazwisko Lewis, po swoim tacie, mama przyjmowała kolejne nazwiska mężów, Mamaw i Papaw byli Vance'ami, a wszyscy bracia Mamaw – Blantonami. Moje nazwisko nie łączyło mnie z nikim, kogo bym naprawdę cenił (już wówczas boleśnie to odczuwałem), a skoro Bob odszedł, tłumaczenie, czemu nazywam się J.D. Hamel, wymagałoby paru dodatkowych niezręcznych chwil. „Mhm, Hamel to nazwisko mojego prawnego ojca. Nie, nie poznała go pani, bo się z nim nie widuję. Nie, nie wiem, dlaczego mnie nie odwiedza".

Spośród wielu rzeczy, których w dzieciństwie serdecznie nie cierpiałem, nic nie mogło się równać z karuzelą tatusiów. Należy przyznać, że mama nie wiązała się z partnerami skłonnymi do przemocy czy niewykazywania troski o dzieci, nigdy nie czułem się źle traktowany przez któregokolwiek z mężczyzn sprowadzanych przez nią do domu. Jednak nie mogłem znieść tej niestałości. Nie cierpiałem też tego, że często owi panowie znikali z naszego życia akurat wtedy, gdy już trochę ich polubiłem. Lindsay, dzięki starszeństwu i mądrości, do wszystkich tych facetów podchodziła sceptycznie. Wiedziała, że żaden z nich nie utrzyma się na dłuższą metę. Po odejściu Boba ja również przyswoiłem sobie tę lekcję.

Mama wprowadzała tych mężczyzn w nasze życie, kierując się słusznymi przesłankami. Często rozważała na głos, czy taki Chip, Bob czy Steve to „dobry model ojca". „Zabiera cię na ryby, a to naprawdę dobra rzecz" – mawiała, albo: „Dobrze, że możesz się uczyć o byciu mężczyzną od kogoś, kto jest ci bliższy wiekiem". Kiedy słyszałem, jak się wydziera na któregoś z nich, łka na podłodze po szczególnie intensywnej kłótni albo wreszcie grzęźnie w desperacji po zerwaniu z facetem, miałem poczucie winy, bo przechodziła przez to wszystko dla mojego dobra. Uważałem przecież, że Papaw na model ojca nadawał się całkiem niezgorzej. Po każdym zerwaniu obiecywałem mamie, że nic nam nie będzie albo że przetrzymamy to razem czy wreszcie (za Mamaw) że niepotrzebni nam, psiakrew, żadni faceci. Wiem, że mama nie znajdowała mężczyzn wyłącznie z powodów altruistycznych – jak każdego z nas, tak i ją do działania pchało pragnienie miłości i bliskości drugiego człowieka. Jednak myślała także o nas.

Tyle że piekło jest wybrukowane dobrymi chęciami. Odbijając się od kolejnych kandydatów na ojca, ani ja, ani Lindsay nie nauczyliśmy się nigdy, jak mężczyzna powinien traktować kobietę. Może Chip wpoił mi technikę wiązania haczyka na żyłce, ale nie wiedziałem o wymogach bycia mężczyzną nic poza tym, że należy pić piwo i drzeć się na kobietę, jeśli ona krzyczy na ciebie. W ostatecznym rozrachunku płynęła z tego tylko jedna nauka: na ludziach nie można polegać.

– Nauczyłam się, że faceci znikają z byle powodu – wspomniała kiedyś Lindsay. – Nie dbają o swoje dzieci, nie łożą na nie, po prostu znikają, i wcale nie jest trudno ich pogonić.

Mama, zdaje się, wyczuła, że Bob pożałował już swojej decyzji o wzięciu na utrzymanie kolejnego dziecka, bo pewnego dnia przywołała mnie do dużego pokoju, żebym porozmawiał przez telefon z Donem Bowmanem, moim biologicznym ojcem. Była to rozmowa krótka, ale pamiętna. Don zapytał, czy pamiętam jeszcze, że marzyła mi się farma z końmi, krowami i kurami, na co odparłem, że i owszem. Spytał też, czy pamiętam moje siostry, Cory i Chelsea, a że coś kojarzyłem, odpowiedziałem: „Jakby trochę". Wtedy zapytał, czy chciałbym znów się z nim spotkać.

Niewiele wiedziałem o swoim biologicznym ojcu, praktycznie nie pamiętałem niczego z okresu, zanim przysposobił mnie Bob. Wiedziałem, że Don mnie porzucił, bo nie chciał płacić alimentów (w każdym razie tak twierdziła mama), że jego żona ma na imię Cheryl, że jest wysoki i że ludzie mówili, że go przypominam. Wiedziałem też, że był, posługując się terminologią Mamaw, „nawiedzony". Tym słowem określała członków chrześcijańskich ruchów charyzmatycznych, tych, którzy według niej „w kościele macali węże, wrzeszczeli i wyli". To wystarczyło, by rozniecić we mnie ciekawość – formalnej edukacji religijnej miałem bardzo niewiele, a okropnie pragnąłem kontaktu z prawdziwym Kościołem. Zapytałem mamę, czy mógłbym spotkać się z ojcem, a ona się zgodziła, i oto tego samego lata, kiedy z mojego życia zniknął prawny ojciec, wrócił do niego ojciec biologiczny. Mama zatoczyła kółko: usiłując znaleźć dla mnie tatę, próbowała szczęścia z różnymi facetami, ale w końcu stanęło na pierwotnym kandydacie.

Don Bowman miał znacznie więcej wspólnego z moją rodziną od strony mamy, niż przedtem przypuszczałem.

Jego ojciec, a mój dziadek, Don C. Bowman, również wyjechał ze wschodniego Kentucky do południowo-zachodniego Ohio za pracą. Ożenił się, założył rodzinę, ale niespodziewanie zmarł, zostawiając młodą żonę z dwójką małych dzieci. Babcia wyszła ponownie za mąż, a tata sporą część dzieciństwa spędził we wschodnim Kentucky, u dziadków.

Tata rozumiał, czym jest dla mnie Kentucky, lepiej niż ktokolwiek inny, bo sam czuł dokładnie to samo. Jego mama szybko znalazła drugiego męża, ale choć był z niego zacny chłop, to jednak bardzo stanowczy i obcy – nawet do najlepszego ojczyma czy macochy nie da się przyzwyczaić tak od razu. W Kentucky, wśród swojaków i na rozległych przestrzeniach, tata mógł być sobą. To samo czułem i ja. Ludzi dzieliłem na dwie kategorie: tych, przy których zachowywałem się grzecznie, bo chciałem zrobić na nich dobre wrażenie, i tych, przy których grzeczność wynikała z obawy, że się ośmieszę. Ci drudzy to byli nieznajomi, a w Kentucky takich nie było.

Pod wieloma względami pomysł taty na życie polegał na odtworzeniu dawnych czasów z Kentucky. Gdy przybyłem do taty po raz pierwszy, miał on skromny dom na pięknej parceli – w sumie jakieś pięć i pół hektara. Był tam zarybiony stawik średniej wielkości, parę łąk dla krów i koni, obora, kurnik. Każdego ranka dzieci gnały do kurnika i wygarniały poranną porcję jaj, z reguły siedem czy osiem, w sam raz dla pięcioosobowej rodziny. Za dnia brykaliśmy po całej posesji z nieodstępnym psem, łapaliśmy żaby, uganialiśmy się za królikami. Dokładnie tak wyglądało dzieciństwo taty, tak samo też wyglądały moje wizyty z Mamaw w Kentucky.

Pamiętam, jak pędziłem przez łąkę z owczarkiem collie taty – ten piękny, wiecznie utytłany pies był tak łagodny, że kiedyś złapał króliczątko i nie zadając mu najmniejszego nawet uszczerbku, przyniósł w pysku któremuś z ludzi, by je obejrzał. Nie mam pojęcia, po co biegłem, ale w końcu zmęczenie ścięło nas z nóg i padliśmy w trawę. Dannie złożył łeb na mojej piersi, a ja wpatrywałem się w błękit nieba. Nie wiem, czy kiedykolwiek czułem podobną satysfakcję, taki totalny brak zmartwień o życie i związane z nim stresy.

Tata stworzył sobie niemal wstrząsająco spokojne życie. Zdarzało mu się pokłócić z żoną, ale rzadko podnosili na siebie głos, a już nigdy nie sięgali po brutalne wyzwiska, tak pospolite w domu mamy. Żaden z ich przyjaciół nie pił, nawet choćby dla towarzystwa. Choć wierzyli w skuteczność kar cielesnych, to nigdy nie wymierzali ich bez opamiętania czy przy akompaniamencie obelg: klapsy spadały na delikwenta metodycznie, bez gniewu. Widać było, że mojemu młodszemu bratu i siostrze takie życie bardzo się podoba, nawet jeśli nie mieli dostępu do filmów dla dorosłych czy muzyki popularnej.

O charakterze taty z czasów jego małżeństwa z mamą wiedziałem niewiele, a i to głównie z drugiej ręki. Mamaw, ciocia Łii, Lindsay i mama wszystkie mówiły to samo, choć w różnym natężeniu: tata miał być wredny. Dużo wrzeszczał, zdarzało mu się mamę uderzyć. Lindsay opowiadała mi, że jako malec miałem wyjątkowo dużą i niekształtną głowę – uważała, że było to skutkiem zajścia, które widziała, gdy tata agresywnie popchnął mamę.

Tata zaprzecza, jakoby kiedykolwiek rozmyślnie użył przemocy wobec kogokolwiek, w tym również mamy. Podejrzewam, że używali siły wobec siebie nawzajem dokładnie tak, jak to wyglądało w przypadku większości facetów mamy: trochę przepychanek, rzucanie talerzami, ale nic ponad to. Wiem jednak, że w okresie pomiędzy rozwodem z mamą a zawarciem małżeństwa z Cheryl – doszło do niego, kiedy miałem cztery lata – ojciec zmienił się na lepsze. Zdaniem taty to dzięki temu, że poważniej zaczął traktować sprawy religijne. W tym względzie tato jest uosobieniem zjawiska zauważanego przez socjologów już od lat: otóż ludzie pobożni żyją znacznie szczęśliwiej. Osoby regularnie uczęszczające do kościoła popełniają mniej przestępstw, są zdrowsze, żyją dłużej, lepiej zarabiają, rzadziej porzucają naukę w liceum i kończą studia częściej niż ci, którzy w ogóle się w kościele nie zjawiają*. Jonathan Gruber, ekonomista z MIT, odkrył nawet, że istnieje tu związek p r z y c z y n o w o - s k u t k o w y: rzecz nie tylko w tym, że ludzie, którym się w życiu powodzi, akurat chodzą także do kościoła, ale też same religie najwyraźniej forują dobre obyczaje.

Jeśli idzie o zwyczaje dotyczące religii, tata realizował stereotyp konserwatywnego kulturowo protestanta zakorzenionego w południowych stanach, choć to akurat zasadniczo nieprecyzyjny stereotyp. Jakkolwiek ludzie z Appalachów mają reputację mocno przywiązanych do wiary, bardziej przypominali Mamaw niż tatę – byli głęboko pobożni, ale niezwiązani z żadną faktyczną gminą wyznaniową. W rzeczy samej, tata i jego rodzina to jedyni znani mi konserwatywni protestanci, którzy regularnie brali udział

* Linda Gorman, *Is Religion Good for You?*, The National Bureau of Economic Research [Krajowe Biuro Badań Gospodarczych], www.nber.org/digest/oct05/w11377.html, dostęp: 25 sierpnia 2017.

w nabożeństwach*. Pośrodku Pasa Biblijnego rzeczywiste uczestniczenie w nabożeństwach to faktycznie coś nie tak znowu często spotykanego**.

Wbrew swej reputacji, region Appalachów – szczególnie zaś północne części Alabamy i Georgii oraz południowe Ohio – wykazuje znacznie słabszą frekwencję w kościołach niż Środkowy Zachód, część górskich regionów Zachodu, jak też wiele rejonów z połaci pomiędzy Michigan a Montaną. O dziwo, wydaje się nam, że chodzimy do kościoła znacznie częściej, niż to rzeczywiście czynimy. W niedawnym sondażu Instytutu Gallupa mieszkańcy Południa i Środkowego Zachodu deklarowali najwyższe w kraju wskaźniki obecności w kościołach. W r z e c z y w i s t o ś c i jednak frekwencja na Południu przedstawia się znacznie gorzej.

Owa tradycja nieszczerości wiąże się z presją kulturalną. W południowo-zachodnim Ohio, gdzie się urodziłem, obszary metropolitalne Cincinnati i Dayton mają bardzo niskie wskaźniki obecności w kościołach, niemal równe frekwencji w skrajnie liberalnym San Francisco. Żaden z moich znajomych z San Francisco nie wstydziłby się przyznać, że nie chodzi do kościoła (ba, niektórzy mogliby poczuć się zażenowani, gdyby przyszło im wyznać, że tam bywają). W Ohio panuje diametralnie odmienna sytuacja. Już w dzieciństwie

---

* Raj Chetty i in., *Equality of Opportunity Project*, 2014, www.equality-of-opportunity.org, dostęp: 25 sierpnia 2017. Zmienna opisana przez autorów jako „Rel. Tot." wskazuje religijność w danym rejonie. Południowe stany i Pas Biblijny stoją tu znacznie niżej niż wiele innych obszarów USA. [Nie bardzo rozumiem, czemu ten przypis jest akurat tutaj, ale taka wola autora – przyp. tłum.].

** Tamże.

kłamałem, kiedy pytano mnie, czy chodzę regularnie do kościoła. Jeśli wierzyć sondażowi Gallupa, nie ja jeden odczuwałem tę presję.

To uderzający kontrast: instytucje religijne wciąż mają pozytywny wpływ na życie ludzi, ale w tym rejonie kraju, na który zwaliły się wygaszana produkcja przemysłowa, bezrobocie, nałogi i porozbijane rodziny, zmniejszyła się także frekwencja w kościołach. Kościół taty dawał coś, czego rozpaczliwie potrzebowali ludzie tacy jak ja. Alkoholikom udostępniał wspierającą ich wspólnotę i poczucie, że nie są osamotnieni w walce z nałogiem. Matkom spodziewającym się dziecka – darmowy dach nad głową, przyuczanie do zawodu i zajęcia z opieki nad niemowlęciem. Jeśli ktoś potrzebował pracy, przyjaciele z kościoła mogli mu jakąś zaoferować albo przynajmniej polecić go znajomemu. Kiedy tata miał kłopoty finansowe, ludzie w kościele skrzyknęli się i kupili dla rodziny używany samochód. W potrzaskanym świecie, który widziałem wszędzie dokoła – oraz ludziom borykającym się z tym światem – religia dawała namacalną pomoc, ułatwiającą wiernym kroczenie słuszną ścieżką.

Wiara taty wabiła mnie, choć całkiem wcześnie dowiedziałem się, że to właśnie ona odegrała istotną rolę w jego decyzji o oddaniu mnie do adopcji, co spowodowało naszą długą rozłąkę. Choć naprawdę podobał mi się czas, który spędziliśmy razem, wciąż tkwił we mnie ból tamtego odrzucenia, więc często rozmawialiśmy o tym, jak i dlaczego w ogóle podjął tamtą decyzję. Po raz pierwszy usłyszałem jego wersję tej sprawy: oddanie mnie do adopcji zupełnie nie wynikało z chęci wywinięcia się od alimentów, co więcej, wbrew słowom mamy i babci bynajmniej wcale mnie nie

„oddał", lecz najpierw wynajął niejednego adwokata i robił, co tylko mógł, żeby mnie zatrzymać.

Bał się jednak, że ta wojna o prawo do opieki mnie zniszczy. Kiedy widywaliśmy się podczas jego odwiedzin, nim oddał mnie do adopcji, przez pierwszych kilka godzin chowałem się pod łóżkiem w obawie, że tata mnie porwie i już nigdy nie zobaczę Mamaw. Widząc tak przerażone dziecko, tata przemyślał swoje podejście do tej sprawy. Mamaw nienawidziła go, wiedziałem o tym z pierwszej ręki. Ojciec twierdził jednak, że ta nienawiść została jej z początków jego małżeństwa z mamą, kiedy daleko mu jeszcze było do idealnego męża. Czasami, kiedy po mnie przyjeżdżał, Mamaw wychodziła na werandę i bez zmrużenia oka wodziła za nim wzrokiem, z palcem na cynglu ukrytego pistoletu. Podczas rozmowy z psychologiem sądowym tata dowiedział się, że zacząłem źle się zachowywać w przedszkolu i zdradzałem objawy problemów emocjonalnych. Wiem, że tak było. Po paru tygodniach w przedszkolu zostałem relegowany do naboru na następny rok. Dwadzieścia lat później natknąłem się na nauczycielkę, która musiała zdzierżyć mój pierwszy kontakt z placówką edukacyjną. Powiedziała mi, że zachowywałem się tak okropnie, że omal nie zmieniła zawodu – ledwie trzy tygodnie po rozpoczęciu pracy. Skoro wciąż to pamiętała po dwóch dekadach, można sobie wyobrazić skalę moich ówczesnych wyczynów.

Tata dodał, że w końcu poprosił Boga o trzy znaki, żeby mieć pewność, że adopcja to dla mnie najlepsze wyjście. Najwyraźniej otrzymał je, więc zostałem oficjalnie przysposobiony przez Boba, którego znałem wówczas ledwie od roku. Nie podaję tej opowieści w wątpliwość, choć jednak współczuję ojcu trudnej decyzji, którą musiał podjąć, nigdy nie czułem się zbyt komfortowo z myślą, że można uzależnić los dziecka od znaków od Boga.

Cóż, patrząc na to z szerszej perspektywy, to w sumie był drobiazg. Sama świadomość, że ojcu na mnie zależało, wystarczyła, by wymazać wiele cierpień z czasu dzieciństwa. W sumie pokochałem i tatę, i jego Kościół. Nie wiem, czy spodobała mi się struktura tej wiary, czy po prostu chciałem również uczestniczyć w czymś, co było dla taty ważne – zapewne i jedno, i drugie – ale stałem się gorliwym konwertytą. Pochłaniałem książki o kreacjonizmie i młodym wieku Ziemi, zapisywałem się na fora internetowe, by podważać autorytet naukowców obstających przy teorii ewolucji. Dowiedziałem się o proroctwach millenarystów i wmówiłem sobie, że w roku 2007 dojdzie do końca świata. Wyrzuciłem nawet swoje płyty CD z nagraniami Black Sabbath. Kościół taty popierał wszelkie takie działania, bo nie ufał ani w mądrość świeckiej nauki, ani w moralność świeckiej muzyki.

Mimo że prawnie nie byliśmy rodziną, zacząłem spędzać u taty dużo czasu. Odwiedzałem go niemal na każde święta, co drugi weekend byłem w jego domu. Choć uwielbiałem spotykać się z ciotkami, wujkami i kuzynostwem, którzy od lat nie byli obecni w moim życiu, wciąż jednak dzieliło się ono na dwie wyraźne części. Lindsay i Mamaw aprobowały rolę, którą obecnie odgrywał w moim życiu tata, ale wciąż mu nie ufały. Dla Mamaw ojciec był tylko „dawcą spermy", który porzucił mnie w krytycznej chwili. Choć ja również miałem do niego uraz za tamte czasy, zawziętość babci niczego nie ułatwiała.

Mimo wszystko, mój związek z ojcem zacieśniał się, podobnie jak z jego Kościołem. Jego nauka miała pewien minus – narzucała niejaką izolację od świata zewnętrznego. U taty w domu nie wolno mi było słuchać Erica Claptona, nie ze względu na teksty, lecz dlatego, że Eric Clapton znajdował się pod wpływem demonicznych sił. Słyszałem dowcipnisiów, twierdzących, że jeśli puścić Stairway to Heaven Led Zeppelin od tyłu, słychać jakieś złowrogie inkantacje, ale jeden z wiernych z Kościoła taty powtarzał te bajki o Zeppelinach, jakby to była najszczersza prawda.

Takie właśnie mieli odchyły, które z początku postrzegałem właściwie tylko jako surowe reguły, którym mogłem się podporządkować albo je jakoś omijać. Byłem jednak dociekliwym dzieciakiem i im głębiej wciągała mnie teologia ewangeliczna, tym silniejszą odczuwałem skłonność, by nieufnie traktować liczne grupy społeczne. Ewolucja i Wielki Wybuch stały się ideologiami, którym należało dawać odpór, a nie teoriami wartymi zrozumienia. Wiele spośród kazań, których wysłuchałem, dotyczyło przede wszystkim krytykowania innych chrześcijan. Strony teologicznej bitwy ustawiły się już w ordynku, przy czym ci w przeciwnym obozie mało, że mylnie interpretowali Biblię – oni w jakimś sensie byli wprost niechrześcijańscy. Wujka Dana uwielbiałem najbardziej ze wszystkich mężczyzn na świecie, ale kiedy wspomniał o tym, że jako katolik akceptuje teorię ewolucji, w mój podziw wkradła się nutka podejrzliwości. Nowa wiara sprawiła, że wszędzie węszyłem za heretykami. Dobrzy koledzy, którzy inaczej rozumieli ten czy ów ustęp z Biblii, byli źródłami złych wpływów. Nawet Mamaw nie była już absolutną wyrocznią, bo jej poglądy religijne nie kolidowały z upodobaniem dla Billa Clintona.

Jako młody nastolatek, po raz pierwszy zastanawiający się nad tym, w co i dlaczego wierzy, miałem dojmujące poczucie murów zacieśniających się wokół „prawdziwych" chrześcijan. Mówiło się o „wojnie z Bożym Narodzeniem" – o ile wiedziałem, sprowadzała się ona głównie do tego, że aktywiści z Amerykańskiej Ligi Swobód Obywatelskich wnosili pozwy przeciwko władzom miasteczek za świąteczne szopki. Przeczytałem książkę Davida Limbaugha *Prześladowanie*, przedstawiającą różne oblicza dyskryminacji chrześcijan. W internecie huczało od opowieści o wystawach artystycznych w Nowym Jorku, na których prezentowano wymazane kałem wizerunki Jezusa czy Maryi Dziewicy. Po raz pierwszy w życiu czułem się jak członek uciemiężonej mniejszości.

Przez całe to gadanie o niedostatecznie chrześcijańskich chrześcijanach, o świeckiej indoktrynacji amerykańskiej młodzieży, o wystawach artystycznych urągających naszej wierze, o prześladowaniu przez elity świat stawał się miejscem przerażającym i obcym. Weźmy kwestię praw gejów, temat szczególnie gorący wśród konserwatywnych protestantów. Nigdy nie zapomnę chwili, kiedy sam sobie wmówiłem, że jestem gejem. Miałem osiem czy dziewięć lat, a może nawet i nie tyle, i przypadkiem złapałem w radiu audycję jakiegoś płomiennego kaznodziei. Mówił on o złu, jakie wyrządzają homoseksualiści, jak to infiltrowali oni nasze społeczeństwo, i że wszyscy trafią do piekła, jeśli za życia nie odpokutują porządnie za swoje grzechy. W owym czasie o gejach wiedziałem właściwie tylko tyle, że wolą mężczyzn od kobiet. Idealnie spełniałem to kryterium: nie lubiłem dziewczyn, a moim najlepszym kumplem na całym świecie był taki chłopak, Bill. „O nie, pójdę do piekła!"

Napomknąłem o tym Mamaw, wyznając jej, że jestem gejem i że boję się, że będę się smażył w piekle.

– Kurwa, nie bredź jak debil – odparła. – Skąd miałbyś wiedzieć, że jesteś gejem?

Wyłożyłem jej tok moich przemyśleń. Mamaw parsknęła śmiechem, po czym, zdaje się, myślała przez chwilę, jak wytłumaczyć to zagadnienie chłopakowi w moim wieku. W końcu zapytała:

– J.D., ciągnie cię do ssania pały?

Wytrzeszczyłem oczy. Kto mógłby mieć ochotę na coś takiego? Babcia powtórzyła pytanie.

– No pewnie, że nie! – odparłem.

– No to nie jesteś gejem. A nawet jakbyś miał ochotę komuś possać, to i tak nic złego. Bóg wciąż będzie cię kochał.

I to zamknęło temat. Najwyraźniej nie musiałem się już martwić, czy jestem gejem, czy jednak nie. Z wiekiem doceniłem głębię słów Mamaw: geje, choć ich nie znała, w żadnym sensie nie zagrażali bytowi babci. Chrześcijanie mieli znacznie poważniejsze zmartwienia.

Tymczasem w moim nowym kościele mogłem się nasłuchać o gejowskim lobby i o wojnie z Bożym Narodzeniem więcej niż o tym, do jakich dokładnie cnót powinien dążyć chrześcijanin. Tamtą rozmowę z Mamaw wspominałem bardziej jako przykład zeświecczonego myślenia niż akt chrześcijańskiej miłości bliźniego. Moralność definiowano poprzez odmowę uczestnictwa w tym czy innym złu toczącym społeczeństwo, czy to poparciu dla praw gejów, czy ewolucjonizmie, liberalizmie spod znaku Clintonów, czy wreszcie seksie pozamałżeńskim. Z nauk wyniesionych z kościoła pamiętam tylko dwa przesłania afirmacyjne: że nie powinienem zdradzać żony ani obawiać się głosić Ewangelii innym. Planowałem więc żywot w monogamii i usiłowałem nawracać innych, nawet nauczycielkę przyrody w siódmej klasie, która była muzułmanką.

Świat staczał się w moralną zgniliznę – nurzał się w plugastwie. Sądziliśmy, że nadchodzi czas Porwania Kościoła. Cotygodniowe kazania i książki z serii Powieść o Czasach Ostatecznych (jednego z najlepiej sprzedających się cykli powieściowych wszech czasów; zaczytywałem się nią) były pełne apokaliptycznych wizji. Ludzie rozprawiali o tym, czy Antychryst już żyje, a jeśli tak, to który ze światowych przywódców mógłby nim być. Ktoś powiedział mi, że na pewno ożenię się z prześliczną dziewczyną, jeśli Pan nie zstąpi na ziemię, nim osiągnę wiek uprawniający do małżeństwa. Czasy ostateczne były naturalnym kresem cywilizacji, która tak szybko osuwała się w otchłań.

Inni autorzy zauważyli fatalne wskaźniki długoterminowego przywiązania wiernych w Kościołach ewangelicznych i winią za to właśnie tego typu teologię*. W dzieciństwie w ogóle tego nie dostrzegałem. Nie zdawałem też sobie sprawy z faktu, że poglądy religijne, które wykształciłem w sobie za młodu u boku taty, były ziarnem późniejszego całkowitego odrzucenia chrześcijaństwa. Wiedziałem za to, że mimo wszelkich jego niedostatków kochałem i swój nowy

---

* Carol Howard Merritt, *Why Evangelicalism Is Failing a New Generation*, „The Huffington Post", dział religijny, maj 2010, www.huffingtonpost.com/carol-howard-merritt/why-evangelicalism-is-fai_b_503971.html, dostęp: 25 sierpnia 2017.

Kościół, i człowieka, który mnie do niego przywiódł. Jak się miało okazać, nie mogło do tego dojść w lepszym momencie: nie upłynął rok, a okazało się, że rozpaczliwie potrzebuję ojca tak w niebie, jak i na ziemi.

7

Tego roku, kiedy skończyłem trzynaście lat, jesienią, mama zaczęła chodzić z Mattem, młodszym facetem, który pracował jako strażak. Uwielbiałem go od samego początku – lubiłem go najbardziej ze wszystkich facetów mamy, wciąż zresztą mam z nim kontakt. Któregoś wieczora siedziałem w domu przed telewizorem i czekałem, aż mama wróci z pracy z kubełkiem kurczaka z KFC na kolację. Tego wieczora byłem odpowiedzialny za dwie sprawy: po pierwsze namierzyć Lindsay na wypadek, gdyby była głodna, po drugie zaraz po przyjściu mamy kopnąć się z jedzeniem do Mamaw. Niedługo przed spodziewanym nadejściem mamy zadzwoniła babcia.

– Gdzie jest twoja mama?

– Nie wiem. Coś się stało, Mamaw?

Jej odpowiedź wyryła się w mojej pamięci silniej niż jakiekolwiek inne wydarzenie. Mamaw była zaniepokojona – wręcz przerażona. Jej słowa były aż gęste od bidokowych naleciałości, które z reguły starannie ukrywała.

– Nikt nie widział Papaw ani nie miał od niego wiadomości.

Obiecałem jej, że zadzwonię, jak tylko mama przyjdzie, czego oczekiwałem lada moment.

Pomyślałem, że Mamaw za bardzo się przejmuje. Potem jednak uświadomiłem sobie, jak bardzo przewidywalny był dziadkowy rozkład dnia. Papaw dzień w dzień budził się o szóstej, bez budzika, po czym o siódmej jechał do McDonalda na kawę ze starymi kumplami z Armco. Po paru godzinach pogawędek spacerkiem podchodził do domu Mamaw i do południa oglądał telewizję albo grał w karty. Jeśli w ogóle wychodził od niej przed obiadem, to zaglądał jeszcze na chwilę do sklepu żelaznego swojego kolegi Paula. Bez wyjątku jednak czekał u Mamaw, kiedy wracałem ze szkoły. A jeśli ze szkoły nie szedłem do babci, jeśli kierowałem się do domu mamy, jak to robiłem, gdy wszystko dobrze się układało, to z reguły wpadał do nas i mówił mi dobranoc, po czym dopiero szedł do siebie. Skoro Papaw nie zaliczył żadnego z tych punktów, to oznaczało, że zdarzyło się coś bardzo złego.

Mama weszła do domu kilka minut po telefonie babci, ale ja już zdążyłem się rozpłakać.

– Papaw... Papaw chyba nie żyje.

Całą resztę pamiętam jak przez mgłę: przekazałem chyba wiadomość od babci, bo zabraliśmy ją z domu i pojechaliśmy raz-dwa do domu dziadka, co zajęło raptem parę minut. Zacząłem gwałtownie dobijać się do frontowych drzwi, mama obiegła dom od tyłu, rozkrzyczała się i wróciła do nas pędem, mówiąc Mamaw, że dziadek siedzi pochylony w fotelu. Zaraz złapała kamień, wybiła okno i weszła do środka, otworzyła nam drzwi i zaczęła krzątać się wokół Papaw. On jednak nie żył już od prawie doby.

Mama i babcia łkały spazmatycznie, kiedy czekaliśmy na przyjazd karetki. Próbowałem przytulić się do Mamaw, ale była tak wytrącona z równowagi, że nawet ja nie potrafiłem tego przezwyciężyć. Gdy już przestała płakać, przygarnęła mnie mocno do piersi i powiedziała, żebym pobiegł pożegnać się z dziadkiem, zanim zabiorą ciało. Próbowałem, ale ratowniczka medyczna klęcząca przy zwłokach zmierzyła mnie takim spojrzeniem, jakbym był jakimś makabrycznym dziwakiem, żądnym widoku trupa. Nie wyjawiłem jej prawdziwego powodu mojej obecności przy przygarbionym ciele dziadka.

Kiedy ambulans z ciałem dziadka odjechał, natychmiast udaliśmy się do domu cioci Łii. Chyba mama zdążyła do niej zadzwonić, bo ciocia zeszła do nas z werandy ze łzami w oczach. Uściskaliśmy ją wszyscy, po czym włoczyliśmy się do samochodu i wróciliśmy do Mamaw. Dorośli powierzyli mi zadanie nie do pozazdroszczenia: miałem odnaleźć Lindsay i przekazać jej złe wieści. Nie nadeszła jeszcze era telefonów komórkowych, a Lindsay, siedemnastolatka, nie była łatwo uchwytna. Nie odbierała telefonu w domu, żadna z jej przyjaciółek nie podnosiła słuchawki, gdy do nich wydzwaniałem. Dom Mamaw był dosłownie piąty, licząc od naszego – my mieszkaliśmy przy McKinley 303, babcia przy 313, słuchałem więc, jak dorośli układają plany, a sam wypatrywałem przez okno, kiedy wreszcie pojawi się siostra. Dorośli rozmawiali o urządzeniu pogrzebu, o tym, gdzie Papaw chciałby być pochowany („No przecież w Jackson, do cholery" – nieustępliwie oznajmiła babcia) i kto ma zadzwonić do wui Jimmy'ego z wiadomością, że musi przybyć do domu.

Lindsay dotarła do domu przed samą północą. Potruchtałem tam ulicą i otworzyłem drzwi. Lindsay zeszła do mnie z piętra, ale zatrzymała się jak wryta na widok mojej twarzy, poczerwieniałej i zapuchniętej po całym wieczorze łkania.

– Papaw – wykrztusiłem. – On nie żyje.

Lindsay siadła bezwładnie na schodach. Podbiegłem tam i przytuliłem ją. Siedzieliśmy tak przez parę minut, szlochając, jak to dwoje dzieci, które właśnie dowiedziały się, że umarł najważniejszy człowiek w ich życiu. Lindsay powiedziała wówczas coś – nie pamiętam dokładnie, jak to ujęła, ale kojarzę, że Papaw właśnie skończył jakieś naprawy przy jej samochodzie, a ona teraz mamrotała przez łzy, że go wykorzystała.

W chwili śmierci dziadka Lindsay była nastolatką, w samym apogeum owej dziwnej kombinacji pewności, że pozjadało się wszystkie rozumy, i nadmiernej wrażliwości na to, co sądzą o tobie inni. O dziadku wiele dałoby się powiedzieć, ale nigdy nie był *cool*. Dzień w dzień nosił tę samą koszulkę z krótkim rękawem, z kieszonką na piersi w sam raz na paczkę papierosów. Wiecznie zalatywało od niego pleśnią, bo ubrania prał, ale stosował „naturalne" suszenie, czyli bez wyjmowania z bębna pralki. Lata palenia obdarzyły go niewyczerpanymi zapasami flegmy, którymi chętnie się dzielił, niezależnie od towarzystwa i okazji. W kółko słuchał Johnny'ego Casha, a jeśli dokądś jechał, to starym el camino – półciężarówką. Innymi słowy, niewymarzony towarzysz dla pięknej siedemnastolatki o bogatym życiu towarzyskim. Zatem, jeśli go wykorzystywała, to tak, jak każda młoda dziewczyna wykorzystuje ojca: kochała go i podziwiała, prosiła go o różne rzeczy, a on czasami spełniał te życzenia, ale nie zwracała na niego większej uwagi, kiedy była w towarzystwie przyjaciół.

Nawet dziś to, że ma się kogoś, kogo można w ten sposób „wykorzystać", jest w moim umyśle tożsame z posiadaniem rodzica. Ja i Lindsay wiecznie żyliśmy w obawie przed nadużyciem czyjejś uprzejmości, czuliśmy to nawet w smaku spożywanych posiłków. Instynktownie dostrzegaliśmy, że wśród ludzi, na których polegaliśmy, było wielu takich, którzy nie powinni odgrywać w naszym życiu aż tak ważnej roli – do tego stopnia, że to właśnie o tym najpierw pomyślała Lindsay, kiedy dowiedziała się o śmierci dziadka. Wytresowano nas, byśmy czuli, że tak naprawdę nie wolno nam liczyć na innych: już od dziecka mieliśmy rozumieć, że poproszenie kogoś o posiłek czy o pomoc w razie awarii samochodu to luksus, coś, co należało traktować oszczędnie, by nie wyczerpać zasobów dobrej woli, która była w naszym życiu czymś w rodzaju spadochronu. Mamaw i Papaw robili, co mogli, by przezwyciężyć w nas ten odruch. Kiedy od wielkiego dzwonu zdarzało się nam odwiedzić dobrą restaurację, tak długo wypytywali mnie, na co miałbym ochotę, aż w końcu przyznawałem, że owszem, chętnie zjadłbym stek. A wtedy zamawiali mi go, choćbym zawzięcie protestował. Nikt, nawet największy autorytet, nie był w stanie przezwyciężyć w nas tego uczucia. Papaw był tego najbliższy, ale ewidentnie nie odniósł całkowitego sukcesu, a teraz go zabrakło.

Dziadek zmarł we wtorek, a zapamiętałem to, bo kiedy ówczesny chłopak mamy, Matt, następnego ranka zawiózł mnie do miejscowego baru po jedzenie na wynos dla całej rodziny, z radia leciała piosenka *Tuesday's Gone* grupy Lynyrd Skynyrd. „Jakoś jednak muszę naprzód iść / wtorek przeminął jak jesienny liść". To wtedy naprawdę dotarło do mnie, że Papaw już do nas nie wróci. Dorośli zajmowali się tym, co się robi, kiedy umrze ukochana osoba: planowali pogrzeb, wyliczali, na co wystarczy pieniędzy, wszystko z nadzieją, że oddadzą zmarłemu choć jakąś sprawiedliwość. W czwartek urządziliśmy wystawienie zwłok w Middletown, żeby wszyscy tutejsi mogli się pożegnać ze zmarłym, a w piątek drugie, w Jackson, przed sobotnim pogrzebem. Nawet po śmierci Papaw tkwił jedną nogą w Ohio, a drugą w dulinie.

Na pogrzeb w Jackson przybyli wszyscy, których pragnąłem tam ujrzeć – wuja Jimmy z dziećmi, cała rozgałęziona rodzina i znajomi, wszyscy Blantonowie, którzy jeszcze nie wąchali kwiatków od spodu. Kiedy patrzyłem na tych tytanów naszej familii, uświadomiłem sobie, że przez pierwszych jedenaście lat życia, czy coś koło tego, widywałem ich w radosnych okolicznościach – na zjazdach rodzinnych, na święta, w leniwe wakacje, długie weekendy – ale przez dwa ostatnie lata wyłącznie na pogrzebach.

Jak na wszystkich pochówkach bidoków, na których byłem, tak i podczas pogrzebu dziadka kapłan zachęcił każdego z obecnych, by wstali i powiedzieli o zmarłym kilka słów. Siedząc w ławce obok wui Jimmy'ego, przepłakałem całe godzinne nabożeństwo – pod koniec oczy miałem już tak zapuchnięte, że prawie nic nie widziałem. Wiedziałem jednak, że to ostatnia szansa, że jeśli nie wstanę i nie powiem czegoś od siebie, do końca życia będę miał wyrzuty sumienia.

Pomyślałem o zajściu sprzed niemal dekady, którego sam nie pamiętałem, ale słyszałem o nim. Miałem wtedy cztery czy pięć lat i siedziałem w kaplicznej ławce podczas pogrzebu prawui, w tym samym domu pogrzebowym Deatona w Jackson. Przybyliśmy tam prosto z Middletown, po długiej jeździe, więc kiedy pastor poprosił, byśmy skłonili głowy w modlitwie, ja pochyliłem się i zemdlałem. Starszy brat babci, wuja Pet, ułożył mnie na boku z Biblią pod głową i zapomniał o sprawie. Przespałem więc to, co się działo potem, ale w różnych wersjach słuchałem tej opowieści chyba ze sto razy. Nawet dziś, kiedy spotykam kogoś z obecnych na tamtym pogrzebie, opowiadają mi, jakie to z mojej babci i dziadka były zawzięte bidoki.

Kiedy nie wyszedłem z kaplicy wśród tłumu żałobników, Mamaw i Papaw zaczęli coś węszyć. Mówili mi, że nawet w Jackson zdarzają się zboki, które chciałyby wtykać dzieciom patyki w tyłek i „wąchać im siurka" zupełnie jak zboczeńcy z Ohio, Indiany czy Kalifornii. Papaw uknuł plan: z domu pogrzebowego były tylko dwa wyjścia, a nikt nie odjechał jeszcze z parkingu. Popędził więc do samochodu i złapał rewolwer kalibru .44 Magnum dla siebie, a dla babci coś mniejszego, .38 special. Obstawili wyjścia z domu pogrzebowego i sprawdzali każdy samochód. Jeśli spotykali starego przyjaciela, wyjaśniali mu sytuację i werbowali do pomocy. Nieznajomym trzepali auta jak agenci federalni walczący z przemytem narkotyków.

Pojawił się wuja Pet, zirytowany, bo dziadek i babcia opóźniali rozejście się gości. Kiedy wyjaśnili mu, co robią, rechotał jak hiena:

– Przecież on śpi na ławce w kaplicy, chodźcie, pokażę wam.

Kiedy już mnie znaleźli, pozwolili żałobnikom opuścić dom pogrzebowy bez dalszych przeszkód.

Przypomniałem sobie, jak Papaw kupił mi wiatrówkę z celownikiem optycznym. Osadził ją w imadle na stole w swoim warsztacie i zaczął strzelać do tarczy. Po każdym strzale korygował celownik, tak by nitki lunety przecinały się w miejscu, w które uderzyła śrucina. A potem nauczył mnie, jak strzelać: że trzeba skupić wzrok na przyrządach celowniczych, a nie na samym celu, i jak wypuszczać powietrze przed strzałem. Po latach instruktorzy strzeleccy na unitarce w Korpusie Piechoty Morskiej mówili nam, że ci, co już „umieją" strzelać, wypadają najgorzej, bo źle nauczono ich podstaw. Tak też było, poza jednym wyjątkiem: mną. Dziadek doskonale wpoił mi podstawy strzelania, więc z M16 zostałem sklasyfikowany w najwyższej kategorii, jako ekspert, a wyniki strzelania miałem jedne z najlepszych w całym plutonie.

Papaw był szorstki wręcz do granic absurdu. Każdą propozycję, każde zachowanie, które nie przypadło mu do gustu, kwitował krótkim: „Pierdolenie". Na ten sygnał wszyscy wiedzieli, że czas się przymknąć. Jego konikiem były samochody – uwielbiał je kupować, wymieniać, naprawiać. Któregoś dnia, jakoś niedługo po tym, jak dziadek rzucił picie, wuja Jimmy przyjechał do niego i zastał ojca przy naprawie jakiegoś rzęcha na ulicy.

– Klął, aż uszy więdły. „Te cholerne japońskie wozy, co za gówniana tandeta. Jakbym dorwał tego głupiego kutafona, co tak zrobił ten wihajster". Po prostu stałem tam i go słuchałem, a on nawet nie wiedział, że ma towarzystwo. Wciąż tylko się ciskał i narzekał. Myślałem, że naprawdę się z tym męczy.

Wuja Jimmy niedługo przedtem dostał robotę i aż się palił, żeby wydać parę groszy na pomoc ojca. Zaoferował więc, że odstawi ten samochód do warsztatu, niech się nim zajmie mechanik. Ta propozycja zupełnie zbiła dziadka z tropu.

– Że co? Że jak? – pytał z głupia frant. – Przecież ja uwielbiam naprawiać auta.

Papaw miał brzuszek od piwa, pyzatą twarz, ale chude ręce i nogi. Przeprosin nigdy nie ujmował w słowa. Kiedy pomagał cioci Łii przeprowadzać się na drugi koniec kraju, wytknęła mu lata alkoholizmu i zapytała, czemu tak rzadko zdarzało im się porozmawiać.

– No to teraz gadaj – odparł. – Będziemy w aucie cały, kurwa, dzień.

Przepraszał za to czynem: rzadkie okazje, kiedy puszczały mu przeze mnie nerwy, zawsze pociągały za sobą nową zabawkę czy wyjście do lodziarni.

Papaw był bidokiem potworem, nie na te czasy, nie na ten kraj. Podczas owej wyprawy przez Stany z ciocią Łii zatrzymali się wczesnym rankiem w zajeździe przy międzystanówce. Ciocia Łii postanowiła rozczesać sobie włosy i umyć zęby, przez co jej wizyta w toalecie przeciągnęła się ponad czas, który zdaniem dziadka byłby do przyjęcia. Papaw wyłamał kopniakiem drzwi toalety, ściskając w garści nabity rewolwer, niczym postać z filmu z Liamem Neesonem. Jak tłumaczył, był pewien, że ciocię właśnie gwałci jakiś zboczeniec. Po latach, kiedy pies cioci Łii warknął na jej maleńkie dziecko, Papaw ostrzegł jej męża Dana, że jeśli się kundla nie pozbędą, to dziadek nakarmi go bitką marynowaną w rozmrażaczu do szyb. Nie żartował: trzydzieści lat wcześniej taką samą obietnicę złożył sąsiadowi, którego pies omal nie ugryzł mojej mamy. Tydzień później zwierzak już nie żył. W domu pogrzebowym wspominałem także i tego typu zdarzenia.

Najwięcej wspomnień dotyczyło jednak chwil, które Papaw spędzał ze mną. Przypomniałem sobie, jak godzinami rozgryzaliśmy coraz bardziej złożone zadania matematyczne. Dziadek nauczył mnie, że niedostatki wiedzy i niedostatki inteligencji to nie to samo. Tym pierwszym dało się zaradzić, wystarczyła odrobina cierpliwości i dużo ciężkiej pracy. Te drugie? „No, chłopie, to byś był w szambie po uszy".

Pamiętałem, jak Papaw kładł się na ziemi ze mną i maleńkimi córeczkami cioci Łii i bawił się z nami, sam jak małe dziecko. Na przekór swej szorstkości i „pierdoleniom", chętnie witał każdego buziaka, każde przytulenie. Kupił Lindsay jakiegoś rzęcha i wyremontował go, a kiedy się tym wozem rozbiła, zafundował jej kolejnego i jego też podszykował tylko po to, żeby nie miała poczucia, że „jej nie wywianowali". Pamiętałem, jak zdarzało mi się wściec na mamę, Lindsay czy na Mamaw – to głównie te sytuacje doprowadzały do nieczęstych okazji, kiedy dziadek pokazywał mi swoje paskudniejsze oblicze, bowiem, jak mi kiedyś wyłożył, „miarą mężczyzny jest to, jak traktuje kobiety ze swojej rodziny". Swą mądrość czerpał z życiowego doświadczenia, z własnych wcześniejszych porażek na froncie godnego traktowania pań w rodzinie.

Wstałem więc w domu pogrzebowym z postanowieniem wytłumaczenia wszystkim obecnym, jak ogromnie ważny był dla mnie dziadek.

– Nigdy nie miałem taty – stwierdziłem. – Ale zawsze mogłem liczyć na pomoc Papaw i to on nauczył mnie wszystkiego tego, co powinien wiedzieć każdy mężczyzna. – A potem podsumowałem jeszcze zwięźle jego rolę w moim życiu:

– Lepszego taty nikt nie mógłby sobie wymarzyć.

Po zakończeniu ceremonii od niejednego z uczestników usłyszałem wyrazy uznania dla mojej odwagi i szczerości.

Zaskoczyło mnie jednak, że nie dołączyła do nich moja mama. Kiedy odnalazłem ją wśród żałobników, wydawało się, że tkwiła w jakimś transie: niemal się nie odzywała, nawet do tych, którzy sami do niej podchodzili. Poruszała się powoli, garbiła się.

Także Mamaw sprawiała wrażenie rozkojarzonej. Kentucky było z reguły tym miejscem, gdzie czuła się zupełnie swojsko. W Middletown nigdy nie mogła do końca wyjść z roli. W barze Perkins, naszym ulubionym lokalu na śniadania na mieście, za swój niewyparzony język bywała czasem upominana przez kierownika, który żądał, by uważała na słownictwo albo przynajmniej mówiła ciszej. „O skurwesyn" – pomrukiwała wtedy pod nosem, spotulniała, ale niezadowolona. Jednak w jedynej restauracji w Jackson, do której w ogóle warto było chodzić, Bill's Family Diner, darła się na personel kuchni, „żeby się, cholera, ruszyli", a oni śmiali się i odkrzykiwali: „Się robi, Bonnie!". Wtedy spoglądała na mnie i mówiła:

– Ale rozumiesz, że ja tak tylko przycinam z nimi w chuja, nie? Przecież wiedzą, że nie jest ze mnie taka wredna stara suka.

W Jackson, wśród starych znajomych i autentycznych bidoków, nie potrzebowała filtrów. Podczas pogrzebu jej brata, kilka lat wcześniej, Mamaw i jej bratanica Denise wmówiły sobie, że jeden z grabarzy to zbok, więc włamały się do jego kanciapy w domu pogrzebowym i przetrzepały mu szafki i szuflady. Znalazły pokaźną kolekcję czasopism, w tym parę numerów periodyku „Beaver Hunt" [Łowy na Bobry] (zaręczam wam, że nie znajdziecie tam żadnej fotki gryzoni ziemnowodnych). Babcię ta nazwa bawiła do łez.

– Ja pierdolę, „Łowy na Bobry"! – wyła. – Kurwa, kto im to wymyśla?

Uknuły z Denise chytry plan – miały wynieść te pisemka ze sobą i przesłać je żonie grabarza. Po krótkim namyśle Mamaw zmieniła jednak zdanie.

– Ja to mam takie szczęście – tłumaczyła mi później – że po drodze do Ohio mielibyśmy pewnie wypadek i policja znalazłaby to cholerstwo u mnie w bagażniku. Jeszcze by brakowało, cholera, żeby po mojej śmierci wszyscy myśleli, że jestem lesba... i to zboczona!

Koniec końców po prostu wyrzuciły gazetki do śmieci, „żeby dać zboczeńcowi nauczkę", i skończyły się rozmowy na ten temat. Mamaw rzadko okazywała ten aspekt swojego charakteru poza Jackson.

Dom pogrzebowy Dantona w Jackson – tam, skąd skradła te „Łowy na Bobry" – rozkładem wnętrza przypominał kościół. W centrum budynku znajdowała się kaplica, a wzdłuż niej po obu stronach duże sale z kanapami i stołami. Przy krótszych ścianach kaplicy biegły korytarze, z których przechodziło się do paru mniejszych pomieszczeń: pokoi dla personelu, maleńkiej kuchni, toalet. Sporo czasu spędziłem w tym niedużym domu pogrzebowym, żegnając ciotki, wujów, kuzynów, pradziadków. A Mamaw, czy szła do Deatona, by pochować starego przyjaciela, brata czy ukochaną matkę, witała się z każdym żałobnikiem, śmiała w głos, klęła bez skrępowania.

Byłem więc zaskoczony, kiedy podczas wystawienia ciała dziadka, poszukując pociechy, znalazłem Mamaw siedzącą samotnie gdzieś w kącie domu pogrzebowego – podładowywała akumulatory, których nigdy dotąd nie podejrzewałem o to, że mogą się rozładować. Patrzyła tępo w podłogę, ogień w jej oczach zastąpiło coś nieznajomego. Klęknąłem przed nią i bez słowa złożyłem głowę na jej kolanach. W owej chwili pojąłem, że babcia także nie jest niepokonana.

Z perspektywy czasu widzę, że zachowanie mamy i babci brało się nie tylko ze smutku po śmierci Papaw. Lindsay, Matt i Mamaw robili, co tylko mogli, żeby ukryć przede mną prawdę. Mamaw nie pozwalała mi nocować u mamy – rzekomo potrzebowała mnie, by lepiej radzić sobie z żałością. Może chcieli dać mi trochę czasu, bym i ja mógł opłakać dziadka. Tego nie wiem.

Z początku nie zauważyłem, że coś się rozjechało. Papaw zmarł, i każde z nas przepracowywało to na swój sposób. Lindsay spędzała mnóstwo czasu z przyjaciółkami, nie mogła usiedzieć w miejscu. Ja spędzałem z Mamaw tyle czasu, ile tylko się dało, i wciąż czytałem Biblię. Mama dużo spała – doszedłem do wniosku, że taki właśnie miała sposób na radzenie sobie z sytuacją. W domu jednak nerwy puszczały jej przy byle okazji, zupełnie się nie hamowała. Jeśli Lindsay zrobiła coś nie tak przy myciu naczyń albo zapomniała wyjść z psem na spacer, mama bryzgała furią:

– Tylko tata naprawdę mnie rozumiał! – darła się. – Straciłam ojca, a przez was wcale nie jest mi lżej!

Cóż, mama zawsze miała charakterek, więc nawet takie sceny traktowałem jako normę.

Sprawiała takie wrażenie, jakby irytowało ją, że ktokolwiek poza nią jest w żałobie. Smutek cioci Łii był nieuzasadniony, bo mamę łączyła z dziadkiem szczególna więź. Podobnie z Mamaw, która przecież nawet nie lubiła Papaw i nie chciała mieszkać z nim pod jednym dachem. Lindsay i ja powinniśmy po prostu wziąć się w garść, bo to nie nasz tata zmarł, ale ojciec mamy. Pierwszą oznakę zmian, jakie miały nadejść w naszym życiu, dostrzegłem pewnego ranka, kiedy po przebudzeniu przeszedłem się do domu mamy – wiedziałem, że i ona, i Lindsay tam nocują. Najpierw zajrzałem do pokoju siostry, ale znalazłem ją dopiero w moim łóżku. Przyklęknąłem przy niej, obudziłem ją, a Lindsay uścisnęła mnie mocno. Po chwili szepnęła z przekonaniem:

– Przetrzymamy to, J. – tak mnie nazywała – obiecuję.

Nawet dziś nie wiem, czemu tamtej nocy spała w moim pokoju, ale wkrótce miałem się dowiedzieć, czego przetrzymanie mi obiecywała.

Kilka dni po pogrzebie wyszedłem na werandę domu babci, spojrzałem na ulicę i zobaczyłem niewiarygodne zamieszanie. Mama stała na trawniku przed domem, ubrana w szlafrok, i darła się na jedynych ludzi, którzy naprawdę ją kochali. Na Matta:

– Jesteś zerem, kurwa, frajerem.

Na Lindsay:

– Ależ z ciebie samolubna suka, to był mój tata, nie twój, więc przestań smęcić, jakbyś straciła ojca.

Na Tammy, swoją niewyobrażalnie łagodną przyjaciółkę, kryptolesbijkę:

– Udajesz moją koleżankę tylko dlatego, że chcesz mnie ruchnąć.

Pobiegłem tam, błagałem mamę, żeby się uspokoiła, ale zdążył już nadjechać radiowóz. Dopadłem do werandy, kiedy policjant złapał mamę za ramiona i powalił ją na ziemię, choć wyrywała się i wierzgała. Potem schwycił ją mocno i zaniósł do radiowozu – walczyła o każdy krok. Na werandzie była krew, ktoś powiedział, że mama próbowała podciąć sobie żyły. Nie wydaje mi się, żeby policjant oficjalnie ją aresztował, choć nie wiem, co dokładnie się stało. Na miejsce przybyła Mamaw i zabrała Lindsay i mnie do siebie. Pamiętam, że pomyślałem: „Gdyby Papaw tu był, wiedziałby, co zrobić".

Śmierć dziadka wyciągnęła na światło dzienne coś, co dotąd kryło się w cieniu, choć pewnie tylko dziecko mogłoby przegapić te ewidentne oznaki. Rok wcześniej mama straciła pracę w szpitalu w Middletown po tym, jak przejechała na rolkach przez Szpitalny Oddział Ratunkowy. Wówczas traktowałem jej dziwaczne zachowanie jako wynik rozwodu z Bobem. Kiedy zaś babcia napomykała czasem, że mama „dała sobie w palnik", mogłem podobnie przyjmować, że to losowe docinki kobiety znanej z tego, że mówiła, co jej ślina na język przyniosła, a nie diagnoza pogarszającego się stanu rzeczy. Podczas mojego wyjazdu do Kalifornii mama zadzwoniła do mnie tylko raz, a wyjechałem niedługo po tym, jak straciła pracę. Nie miałem pojęcia, że za kulisami toczyły się rozmowy dorosłych – czyli z jednej strony Mamaw, a z drugiej wui Jimmy'ego i jego żony, cioci Donny – czy nie powinienem czasem przeprowadzić się do Kalifornii na stałe.

Wrzaski i szamotanina na ulicy były zwieńczeniem tego wszystkiego, czego dotąd nie zauważałem. Mama zaczęła brać silne leki na receptę niedługo po tym, jak przeprowadziliśmy się do hrabstwa Preble. Wydaje mi się, że z początku pozyskiwała je legalnie, ale wkrótce zaczęła podbierać prochy pacjentom i ćpała tak ostro, że zrobienie sobie na SOR-ze toru rolkowego wydawało się jej świetnym pomysłem. Śmierć dziadka sprawiła, że z jakoś jeszcze funkcjonującego nałogowca mama przeobraziła się w kobietę niezdolną w minimalnym choćby stopniu zachowywać się jak dorosła.

Tak oto śmierć dziadka na stałe zmieniła kurs naszej rodziny. Nim umarł, oswoiłem się już z chaotyczną, ale wesołą rutyną dzielenia swojego czasu między mamę a babcię. Faceci pojawiali się i znikali, mama miała lepsze i gorsze dni, ale zawsze miałem drogę ewakuacyjną. Kiedy zabrakło dziadka, a mama wylądowała na odwyku w Centrum Leczenia Uzależnień w Cincinnati – mówiliśmy na nie „placówka CeLU" – zacząłem czuć się jak kamień u szyi babci. Mamaw nigdy nie powiedziała czegoś, przez co mógłbym się poczuć niepożądany, ale przez całe życie miała pod górkę: od nędzy w dulinie do poniewierki z dziadkiem, od wczesnego zamążpójścia cioci Łii do kartoteki policyjnej mamy, babci przez siedemdziesiąt lat życia niemal stale przychodziło zażegnywać jakieś kryzysy. A teraz, gdy ludzie w jej wieku najczęściej mogli się już cieszyć zasłużoną emeryturą, przyszło jej wychowywać dwoje nastoletnich wnucząt. Bez pomocy Papaw brzemię to zdawało się ciążyć w dwójnasób. Od śmierci dziadka upływały kolejne miesiące, a ja wciąż czasem wspominałem stan, w jakim zastałem babcię w odludnym kącie domu pogrzebowego Deatona, i nie umiałem otrząsnąć się z przeświadczenia, że choć Mamaw roztaczała wokół siebie aurę niezniszczalnej siły, gdzieś wewnątrz niej kryła się ta inna kobieta.

Tak więc zamiast uciekać do domu babci czy dzwonić do niej za każdym razem, kiedy zaczynały się kłopoty z mamą, polegałem na Lindsay i na sobie samym. Lindsay dopiero co ukończyła liceum, ja właśnie zacząłem siódmą klasę, ale dawaliśmy sobie radę. Czasem Matt czy Tammy przynosili nam coś do jedzenia, najczęściej jednak radziliśmy sobie sami: makaron z mięsem i sosem, gotowe dania mrożone, ciastka z mikrofali i płatki śniadaniowe. Nie jestem pewien, kto opłacał rachunki za dom (pewnie Mamaw). Nasze życie nie było zanadto poukładane – kiedyś Lindsay, wracając z pracy do domu, zastała mnie w towarzystwie paru jej przyjaciółek, i wszyscy byliśmy wstawieni – ale pod pewnym względami takie poukładanie wcale nie było nam niezbędne. Kiedy Lindsay dowiedziała się, że to jedna z jej psiapsiół dała mi piwo, ani nie dostała wścieku, ani nie zbyła tego śmiechem, tylko pogoniła gości, a mi zrobiła wykład o niebezpieczeństwach nałogów.

Często odwiedzaliśmy babcię, a ona nieustannie dopytywała, co u nas. Oboje jednak cieszyliśmy się naszą niezależnością, jak też, jak sądzę, uczuciem, że nie ciążyliśmy nikomu, może poza sobą nawzajem. Lindsay i ja nabraliśmy już takiej wprawy w radzeniu sobie z kryzysami, takiego stoicyzmu w emocjach, nawet kiedy wydawało się, że całej planecie odbiło, że zajmowanie się tylko naszymi sprawami jakby wcale nie stanowiło problemu. Nieważne, jak bardzo kochaliśmy mamę, żyło się nam łatwiej, kiedy musieliśmy się troszczyć o jedną osobę mniej.

Czy było nam trudno? Oczywiście. Raz dostaliśmy list z okręgowego wydziału oświaty z zawiadomieniem, że z powodu znacznej liczby nieusprawiedliwionych nieobecności mogą wezwać moich rodziców do szkoły, a miasto może nawet wymierzyć im karę. Rozśmieszyło to nas okrutnie: nasza rodzicielka już w pewnym sensie była poddawana karze, nie za bardzo mogła nawet opuścić centrum odwykowe, a ojciec do tego stopnia odciął się od cywilizacji, że „wezwanie" go musiałoby być poprzedzone solidną robotą detektywistyczną. Zarazem jednak wystraszył nas ten list: nie mając opiekuna prawnego, który mógłby pokwitować zapoznanie się z jego treścią, nie bardzo wiedzieliśmy, co począć. Cóż, przyszło improwizować, jak przy innych wyzwaniach rzucanych przez los. Lindsay podrobiła podpis mamy i skończyły się listy z wydziału oświaty.

W wyznaczone dni powszednie i weekendy odwiedzaliśmy mamę w placówce CeLU. Miałem już doświadczenia z gór Kentucky, widziałem babcię z bronią, ataki furii mamy, wydawało mi się, że nic mnie nie zaskoczy. Jednak ówczesne problemy mamy ukazały mi półświatek amerykańskich nałogowców. W środy zawsze odbywały się zajęcia grupowe – swego rodzaju treningi dla rodzin. Wszyscy uzależnieni i ich krewni zbierali się w wielkiej sali, każda rodzina przy osobnym stoliku, i zaczynała się dyskusja, która miała nauczyć nas, czym jest nałóg i co może go wywołać. Podczas jednej z sesji mama wyjaśniła, że brała prochy, by nie stresować się już opłatami za dom i stępić cierpienie po śmierci Papaw. Na innej usłyszeliśmy z Lindsay, że normalne kłótnie między rodzeństwem sprawiły, że mamie trudniej było oprzeć się pokusie.

W czasie tych sesji rzadko udawało się uzyskać coś więcej niż tylko kłótnie i nieskrywane emocje, ale takie chyba przyjęto założenie. Podczas wieczorów, które spędzaliśmy w tej wielkiej sali wśród innych rodzin – albo czarnych, albo białych z akcentami z Południa, jak my – nasłuchaliśmy się wrzasków i awantur, dzieci oświadczających rodzicom, że ich nienawidzą, rozszlochanych rodziców w jednej chwili błagających o wybaczenie, by zaraz potem całą winę zrzucać na krewniaków. To tam właśnie po raz pierwszy usłyszałem, jak Lindsay wyrzucała mamie, że musiała po śmierci dziadka wejść w rolę opiekunki, zamiast móc go spokojnie opłakać, i że nie mogła już patrzeć na to, jak przywiązuję się do jej kolejnych facetów tylko po to, żeby patrzeć, jak od niej odchodzą. Może była to kwestia scenografii, może fakt, że Lindsay miała już niemal osiemnaście lat, ale kiedy moja siostra stawiała czoła matce, to w niej zacząłem dostrzegać prawdziwą dorosłość. Nasza sytuacja domowa tylko umacniała ten status.

Terapia mamy posuwała się żwawo, wydawało się, że jej stan stopniowo ulegał poprawie. Niedziele wyznaczono na wolne zajęcia rodzinne: nie wolno nam było zabrać mamy z centrum odwykowego, ale mogliśmy jeść posiłki, oglądać telewizję, normalnie rozmawiać. Z reguły niedziele upływały nam miło, choć podczas jednej wizyty mama skarciła nas gniewnie, że zanadto zżyliśmy się z Mamaw.

– To ja jestem waszą matką, nie ona – mówiła.

Uświadomiłem sobie, że mama zaczęła żałować ziaren, które zasiała we mnie i Lindsay.

Gdy po paru miesiącach mama wróciła do domu, przywiozła ze sobą nowe słownictwo. Regularnie odmawiała modlitwę o pokój ducha, standardowy tekst grup wychodzenia z nałogu, w którym wierni proszą Boga o łaskę „pogody ducha, abym godził się z tym, czego nie mogę zmienić". Uzależnienie od narkotyków to choroba, więc skoro nie obwiniam chorego na raka o jego nowotwór, podobnie nie powinienem winić uzależnionej od narkotyków za jej zachowanie. Jako trzynastolatek uznałem tę linię rozumowania za absurd i często zdarzało mi się kłócić z mamą o to, czy ta jej nowo nabyta wiedza to naukowy fakt, czy raczej wymówka dla ludzi, którzy swoimi decyzjami doprowadzili do rozpadu rodziny. O dziwo, prawdopodobnie i jedno, i drugie jest prawdą: badania naukowe wskazują, że podatność na uzależnienia jest uwarunkowana również genetycznie, ale też ci, którzy wierzą, że nałóg to choroba, mniej się mu opierają. Mama mówiła więc sobie prawdę, ale ta prawda bynajmniej jej nie wyzwalała.

Nie wierzyłem w żadne slogany i tanie sentymenty, ale byłem przekonany, że mama się starała. Wydawało się, że dzięki terapii odwykowej zyskała poczucie celu w życiu, a my – coś, co mogło nas połączyć. Czytałem wszystko, co mi wpadło w ręce, na temat jej „choroby", zacząłem nawet w miarę regularnie chodzić na jej spotkania anonimowych narkomanów, choć te przebiegały dokładnie tak, jak można się domyślić: przygnębiająca salka konferencyjna, parępaście krzeseł, usadowiona w kręgu gromadka nieznajomych, przedstawiających się kolejno: „Cześć, jestem Bob i jestem uzależniony". Sądziłem, że jeśli będę mamie towarzyszył, naprawdę może się jej poprawić.

Na jednym ze spotkań kilka minut po rozpoczęciu pojawił się facet, cuchnący jak kontener ze śmieciami. Pozlepiane włosy i brudne ciuchy wskazywały na bezdomnego, co okazało się prawdą, ledwie otworzył usta:

– Własne dzieci się do mnie nie odzywają, nikt nie chce ze mną gadać – zaczął. – Wszystkie pieniądze, co tylko zdołam uskładać, idą na herę. Dziś nie udało mi się znaleźć ani kasy, ani towaru, więc zajrzałem tutaj, bo wyglądało, że przynajmniej jest tu ogrzewanie.

Prowadzący spotkanie zapytał go, czy zechciałby spróbować odstawić narkotyki na więcej niż jedną noc, na co tamten odparł z chwalebną szczerością:

— Mógłbym powiedzieć, że tak, ale prawdę mówiąc, pewnie nie. Pewnie jutro wieczorem znów dam w kanał.

Nigdy więcej go nie zobaczyłem. Zanim jednak wyszedł, ktoś zapytał go, skąd jest.

— No, przez większość życia mieszkałem tutaj, w Hamilton. Ale urodziłem się we wschodnim Kentucky, w hrabstwie Owsley.

Za mało wiedziałem wtedy o geografii Kentucky, by uświadomić sobie, że ów mężczyzna urodził się góra trzydzieści kilometrów od rodzinnych okolic moich dziadków.

8

Gdy kończyłem ósmą klasę, mama już co najmniej od roku nie brała, a od dwóch czy trzech lat chodziła z Mattem. W szkole szło mi dobrze, a Mamaw parę razy wybrała się na wycieczkę: do wui Jimmy'ego w Kalifornii, kiedy indziej z przyjaciółką imieniem Kathy do Las Vegas. Lindsay wkrótce po śmierci dziadka wyszła za mąż. Uwielbiałem jej męża Kevina i wciąż go uwielbiam z jednego prostego powodu: nigdy jej nie poniewierał. Niczego więcej nie wymagałem od małżonka swojej siostry. Niespełna rok po ślubie Lindsay urodziła synka, Kamerona. Została mamą, i to fantastyczną. Byłem z niej dumny, a za siostrzeńcem przepadałem. Ciocia Łii miała dwójkę małych dzieci, więc mogłem darzyć czułością trójkę maluchów. We wszystkim tym widziałem oznaki odbudowy naszej rodziny. Tak więc lato przed rozpoczęciem nauki w liceum było dla mnie pełne nadziei.

Jednak tego samego lata mama oznajmiła, że mam się przenieść do domu Matta w Dayton. Lubiłem go, mama mieszkała tam z nim już od jakiegoś czasu, ale z Dayton do Mamaw było czterdzieści pięć minut samochodem, a mama postawiła sprawę jasno: chciała, żebym chodził do liceum w Dayton. Podobało mi się w Middletown – chciałem chodzić do tamtejszego liceum, miałem super kolegów i choć nie było to może standardowe życie rodzinne, lubiłem w dni powszednie dzielić czas między dom mamy i babci, a w weekendy wyjeżdżać do taty. Co najważniejsze, w razie potrzeby zawsze miałem schronienie u Mamaw, a to robiło ogromną różnicę. Pamiętałem, jak się żyło w czasach, kiedy nie miałem takiego azylu, i nie chciałem do tego wracać. Co więcej, jeśli miałbym się przeprowadzić, straciłbym kontakt z Lindsay i Kameronem. Kiedy więc mama oznajmiła, że wprowadzam się do Matta, palnąłem: „W żadnym razie", i wypadłem z pokoju.

Mama wywnioskowała z tej rozmowy, że mam problemy z agresją, i umówiła mnie na spotkanie ze swoją terapeutką. Nie wiedziałem nawet, że miała terapeutkę ani jakim cudem było ją na to stać, ale zgodziłem się odbyć tę sesję. Pierwszy raz spotkaliśmy się w następnym tygodniu, w zatęchłym gabinecie nieopodal Dayton w Ohio. Zupełnie niezapadająca w pamięć pani w średnim wieku, mama i ja próbowaliśmy pojąć, skąd we mnie tyle gniewu. Byłem już świadom tego, że istoty ludzkie mają problemy z oceną własnego zachowania: może jednak myliłem się, sądząc, że nie wściekam się bardziej (a wręcz przeciwnie, znacząco mniej) niż inne osoby w moim otoczeniu. Może mama miała rację i faktycznie miałem jakieś problemy z agresją. Starałem się niczego nie wykluczać. Może przynajmniej dzięki tej kobiecie będziemy mieli z mamą okazję, żeby wygarnąć sobie wszystko.

Tyle że ta pierwsza sesja była jak atak z zasadzki. Terapeutka z miejsca zaczęła pytać, czemu krzyczę na mamę i trzaskam drzwiami, czemu nie uwzględniam faktu, że to moja matka i że zgodnie z prawem muszę z nią mieszkać.

Wyliczała „incydenty", których miałem się rzekomo dopuścić, czasem tak stare, że nawet ich nie pamiętałem: awanturę, którą urządziłem w supermarkecie jako pięciolatek, bójkę z innym chłopakiem w szkole (chodziło o tamtego osiłka, którego wcale nie chciałem bić, ale Mamaw mnie do tego nakłoniła), wszystkie te sytuacje, kiedy uciekałem z domu do dziadków, by uchronić się przed maminą „dyscypliną". Ewidentnie terapeutka wyrobiła już sobie zdanie na mój temat, opierając się wyłącznie na tym, co usłyszała od mamy. Może przedtem nie miałem problemów z agresją, ale teraz już owszem.

– Czy pani w ogóle wie, o czym pani mówi? – zacząłem. Już jako czternastolatek orientowałem się nieco w kwestiach etyki zawodowej. – Nie powinna pani czasem zapytać mnie, co sądzę o tym czy owym, zamiast wyłącznie mnie krytykować?

I zaserwowałem jej godzinne podsumowanie swojego dotychczasowego życia. Pewne fragmenty pomijałem, wiedziałem bowiem, że muszę uważać na słowa: kiedy mama miała sprawę o przemoc domową parę lat wcześniej, wraz z Lindsay byliśmy nieco zbyt otwarci w opisach maminych zachowań rodzicielskich, a ponieważ kwalifikowało się to jako nowe dowody znęcania się, terapeutka rodzinna musiała zgłosić ten fakt do pomocy społecznej. Wyraźnie więc dostrzegałem ironię losu: okłamywałem teraz terapeutkę (by chronić mamę), żeby nie spowodować kolejnej interwencji instytucji opiekuńczych hrabstwa. Udało mi się jednak całkiem nieźle przedstawić sytuację; po godzinie terapeutka powiedziała krótko:

– Chyba powinniśmy się spotkać tylko we dwoje.

Widziałem w niej przeszkodę do pokonania, kłodę rzuconą pod nogi przez mamę, a nie kogoś, kto mógłby mi pomóc. Opisałem jej swoje odczucia tylko w połowie: to, że nie było w moim interesie stworzenie czterdziestopięciominutowej przegrody między mną a wszystkimi ludźmi, na których kiedykolwiek mogłem polegać, żeby przeflancować się do domu mężczyzny, którego matka i tak kiedyś spławi. Terapeutka ewidentnie zrozumiała, o co mi chodzi. Nie wyjawiłem jej jednak, że po raz pierwszy w życiu czułem się jak w potrzasku. Zabrakło dziadka, a Mamaw – wieloletnia palaczka, która w ten sposób zapracowała na przewlekłą obturacyjną chorobę płuc – wydawała się zbyt wątła i znużona, by opiekować się czternastolatkiem. Ciocia i wujek mieli dwoje małych dzieci. Lindsay, od niedawna zamężna, doczekała się własnego malca. Nie miałem gdzie się podziać. Widziałem już zamęt, awantury, przemoc, narkotyki i bardzo mało ustatkowania. Nigdy dotąd jednak nie czułem, że zabrakło mi wyjścia. Kiedy terapeutka zapytała, co zamierzam zrobić, odparłem, że zapewne zamieszkam z tatą. Stwierdziła, że to chyba dobry pomysł. Wychodząc z jej gabinetu, podziękowałem za poświęcony mi czas, wiedziałem jednak, że już nigdy się z nią nie spotkam.

W kwestii postrzegania świata mama miała potężną belkę w oku. Chciała, żebym przeprowadził się z nią do Dayton? Chyba autentycznie zaskoczył ją mój sprzeciw? Tak jednostronnie nastawiła terapeutkę przeciwko mnie? To wszystko dowodziło, że mama nie do końca rozumiała, co mają w głowach jej dzieci.

– Mama po prostu tego nie łapie – powiedziała mi kiedyś Lindsay.

Z początku sprzeciwiłem się tej ocenie:

– Ależ oczywiście, że to łapie, po prostu taka już jest i tego nie zmieni.

Po sesji u terapeutki zrozumiałem, że Lindsay miała rację. Mamaw nie ucieszyła się, kiedy powiedziałem jej, że zamierzam zamieszkać z tatą, podobnie zresztą jak wszyscy w rodzinie. Nikt tak naprawdę nie rozumiał tej decyzji, a ja czułem, że nie mogę wdawać się w zbyt rozbudowane wyjaśnienia. Wiedziałem, że gdybym wyjawił całą prawdę, znalazłoby się paru ludzi gotowych zaoferować mi miejsce w pokoju gościnnym, po czym wszyscy i tak skapitulowaliby przed żądaniem Mamaw, żebym na stałe wprowadził się do niej. Wiedziałem też, że zamieszkanie u babci wiązałoby się z okropnym poczuciem winy, z ciągłymi pytaniami, czemu nie mieszkam z mamą czy tatą, a byłoby też niemało takich, którzy co raz podszeptywaliby Mamaw, że powinna wreszcie odpocząć i cieszyć się jesienią życia. Nie uroiłem sobie tego poczucia, że jestem brzemieniem dla babci: zrodziło się ono z dziesiątków drobnych poszlak, z jej pomruków pod nosem, ze znużenia, które opadło na nią jak ciemna narzutka. Nie tego chciałem, więc wybrałem wyjście, które wydawało mi się najmniejszym złem.

Pod pewnymi względami mieszkać z tatą było fantastycznie. Jego życie było n o r m a l n e dokładnie tak, jak tego od zawsze pragnąłem we własnym życiu. Moja macocha pracowała na część etatu, przeważnie jednak była w domu. Tata codziennie wracał z pracy mniej więcej o tej samej porze. Jedno z rodziców (najczęściej macocha, ale czasem tata) przygotowywało co wieczór kolację, którą spożywaliśmy całą rodziną. Przed każdym posiłkiem odmawialiśmy modlitwę (zawsze podobał mi się ten zwyczaj, ale robiliśmy tak tylko podczas wizyt w Kentucky). Wieczorami w dni powszednie oglądaliśmy razem jakąś komedię familijną. No i tata i Cheryl nigdy na siebie nie wrzeszczeli. Raz, podczas kłótni o pieniądze, usłyszałem, że podnieśli na siebie głos, ale od podniesionych głosów do wrzasku jest bardzo daleka droga.

Podczas pierwszego weekendu w domu taty – to jest pierwszego, który u niego spędziłem ze świadomością, że w poniedziałek nie będę musiał wyjechać – mój młodszy brat zaprosił na nocleg kolegę. Łowiliśmy w stawku taty, karmiliśmy konie, na kolację były steki z grilla. Potem oglądaliśmy filmy o Indianie Jonesie niemal do białego rana. Nie było kłótni, dorośli nie obrzucali się wyzwiskami, ciskane w gniewie szkło i porcelana nie roztrzaskiwały się o ściany czy podłogi. Nudna noc. Idealne upostaciowienie tego, co przyciągało mnie do domu taty.

Nigdy jednak nie otrząsnąłem się z poczucia, że muszę być czujny. Kiedy wprowadziłem się do ojca, znałem go od dwóch lat. Wiedziałem, że to dobry, raczej cichy człowiek, pobożny chrześcijanin wywodzący się z bardzo ortodoksyjnej tradycji. Gdy zaczęliśmy odnawiać naszą więź, dał mi wyraźnie do zrozumienia, że nie podoba mu się mój gust muzyczny: klasyczny rock, szczególnie Led Zeppelin. Nie był przy tym nieprzyjemny – to by nie było w jego stylu – i nie zakazał mi słuchania ulubionych zespołów. Ograniczył się do sugestii, bym zamiast tego słuchał rocka chrześcijańskiego. Nigdy nie zdołałbym przyznać mu się, że grałem w kolekcjonerską kariankę dla nerdów, *Magic: The Gathering*, bo bałem się, że uzna talie za obiekty satanistyczne –

w końcu dzieciaki z kościelnej grupy młodzieżowej często rozprawiały o tej grze i o złym wpływie, jaki wywierała na młodych chrześcijan. Jak większość nastolatków, miałem też mnóstwo pytań dotyczących swojej wiary: czy da się ją pogodzić z nowoczesną nauką, na przykład, albo czy ten, czy też jednak inny odłam miał rację w kwestii rozstrzygnięcia któregoś ze sporów doktrynalnych.

Tata pewnie nie zdenerwowałby się, gdybym zwrócił się do niego z którymś z tych pytań, nigdy jednak tego nie zrobiłem, bo nie byłem pewien, jak zareaguje. Skąd miałem wiedzieć, czy nie nazwie mnie szatańskim pomiotem i nie pogoni mnie z domu. Nie wiedziałem, do jakiego stopnia nasza nowa więź opierała się na jego poczuciu, że porządny ze mnie chłopak. Nie wiedziałem, co by zrobił, gdybym słuchał tych płyt Zeppelinów u niego w domu, w obecności młodszego rodzeństwa. Gryzłem się z tą niewiedzą tak długo, aż wreszcie nie mogłem jej już znieść.

Mamaw rozumiała chyba, co kotłowało mi się w głowie, choć nigdy nie wyłożyłem jej tego wprost. Często dzwoniliśmy do siebie i pewnego wieczora powiedziała mi, że muszę pamiętać, że ona kocha mnie bardziej niż kogokolwiek na całym świecie i chce, żebym do niej wrócił, kiedy tylko będę na to gotowy.

– To twój dom, J.D., to zawsze będzie twój dom.

Następnego dnia zadzwoniłem do Lindsay i poprosiłem ją, żeby po mnie przyjechała. Siostra miała pracę, dom, męża i małego synka. A jednak powiedziała:

– Będę u ciebie za czterdzieści pięć minut.

Przeprosiłem tatę, bo był załamany moim postanowieniem. Rozumiał jednak, skąd się wzięło:

– Nie możesz wytrzymać bez tej swojej stukniętej babci. Wiem, że ona jest dla ciebie dobra.

Szokujące wyznanie z ust człowieka, o którym Mamaw nigdy nie powiedziała dobrego słowa. To wtedy po raz pierwszy dało się poznać, że tata rozumiał te złożone i wzajemnie sprzeczne uczucia, które we mnie narosły. Było to dla mnie ogromnie istotne. Gdy Lindsay przyjechała po mnie z mężem i małym, wsiadłem do samochodu, westchnąłem i powiedziałem:

– Dzięki, że zabierasz mnie do domu.

Pocałowałem w czoło swojego maleńkiego siostrzeńca i nie odezwałem się ani słowem, póki nie przybyliśmy do babci.

To u niej spędziłem niemal całą resztę wakacji. Tych parę tygodni z ojcem nie przyniosło mi objawień: wciąż czułem się rozdarty między pokusą mieszkania z Mamaw a obawą, że moja obecność odbiera jej możliwość cieszenia się emeryturą. Zanim więc rozpocząłem naukę w pierwszej klasie liceum, powiedziałem mamie, że mogę mieszkać z nią, o ile nadal będę chodził do szkoły w Middletown i mógł odwiedzać babcię, kiedy tylko zechcę. Odparła coś w stylu, że po pierwszej klasie będę musiał przenieść się do liceum w Dayton, uznałem jednak, że na pokonywanie tej przeszkody przyjdzie czas za rok, kiedy już faktycznie nie zdołam tego uniknąć.

Zamieszkanie u mamy i Matta było jak bilet w pierwszym rzędzie na apokalipsę. Awantury mieściły się w granicach normy, w każdym razie mojej (i maminej), ale nie wątpię, że Matt, biedaczysko, łamał sobie głowę, jak i kiedy to się stało, że urządzono pod jego dachem dom wariatów.

Mieszkaliśmy tam tylko we troje i każde widziało wyraźnie, że ten związek nie ma szans. Pozostawało tylko czekać na finisz. Matt był miłym facetem – jak żartowaliśmy sobie z Lindsay, mili goście nie mieli szans w zwarciu z naszą rodzinką.

Zważywszy na stan związku mamy i Matta, zdziwiłem się, wracając pewnego dnia z liceum (byłem już w drugiej klasie), gdy mama obwieściła, że wychodzi za mąż. Może jednak sprawy nie miały się aż tak źle, jak przypuszczałem?

– Szczerze mówiąc, myślałem, że rozejdziecie się z Mattem – stwierdziłem. – Kłócicie się dzień w dzień.

– Cóż – odparła – to nie za niego wychodzę.

Nawet ja nie potrafiłem uwierzyć w tę historię. Mama pracowała jako pielęgniarka w miejscowym ośrodku dializ, raptem od paru miesięcy. Jej szef, facet starszy o dobrych dziesięć lat, zaprosił ją pewnego wieczora na kolację. Zgodziła się, a że z uczucia do Matta zostały już tylko strzępy, tydzień później przyjęła oświadczyny szefa. Powiedziała mi o tym w czwartek. W sobotę przeprowadziliśmy się już do domu Kena. Czwartego, w którym zamieszkałem w ciągu dwóch lat.

Ken urodził się w Korei, ale wychowali go amerykański weteran wojenny i jego żona. Podczas pierwszego tygodnia pobytu w jego domu postanowiłem zajrzeć do szklarenki, którą sobie urządził, i natknąłem się tam na krzew marihuany, niemal dojrzały do zbioru. Wspomniałem o tym mamie, ona – Kenowi, i jeszcze tego samego dnia na tym miejscu był już krzew pomidora. Gdy wytknąłem to Kenowi, ten przez chwilę się jąkał, ale w końcu powiedział:

– Nie martw się, to tylko do celów medycznych.

Trójka dzieci Kena – dziewczynka i dwóch chłopaków mniej więcej w moim wieku – miała z odnalezieniem się w nowym układzie problem, dokładnie tak jak ja. Najstarszy regularnie wojował z mamą, co – dzięki kodeksowi honorowemu z Appalachów – oznaczało, że regularnie wojował ze mną. Raz, tuż przed pójściem spać, zszedłem na parter akurat w chwili, kiedy nazwał ją suką. Żaden honorny bidok nie mógłby czegoś takiego spokojnie zdzierżyć, wyklarowałem mu więc dobitnie, że zamierzam go tłuc i patrzeć, czy równo puchnie. Owej nocy mój apetyt na przemoc był do tego stopnia nienasycony, że mama i Ken uznali za niezbędne odizolowanie mnie od przyszywanego brata. A nawet nie byłem jakoś specjalnie wściekły. Ta żądza walki rodziła się raczej z poczucia, że to mój obowiązek. Było to jednak poczucie na tyle silne, że mama i ja poszliśmy na noc do babci.

Pamiętam, że oglądałem kiedyś odcinek serialu *Prezydencki poker* na temat oświaty w Stanach, słusznie uważanej przez większość mieszkańców kraju za klucz do szans na lepsze życie. W odcinku tym serialowy prezydent rozważał podjęcie decyzji: czy poprzeć talony edukacyjne (łożyć środki z finansów państwowych na uczniów, by mogli porzucić konający system oświaty publicznej), czy przeciwnie, skupić się wyłącznie na ratowaniu tych właśnie publicznych szkół. Oczywiście jest to istotny temat – już od dawna znaczna część mojego rejonu szkolnego była w takim stanie, że kwalifikowała się na talony – ale uderzył mnie fakt, że w całej tej dyskusji wokół przyczyn kiepskich wyników w szkole osiąganych przez dzieci z biednych rodzin podkreślano wyłącznie rolę instytucji publicznych. Jak powiedział mi niedawno jeden z nauczycieli z mojego dawnego liceum:

– Chcieliby, żebyśmy byli dla tych dzieci pasterzami. Nikt jednak nawet nie wspomni o tym, że wiele z nich zostało wychowane przez wilki.

Nie pamiętam, co się stało dzień po tym, jak z mamą uciekliśmy z domu Kena, by spędzić noc u babci. Może klasówka, do której nie miałem kiedy się przygotować. Może miałem do oddania pracę domową, której nie było kiedy odrobić. Wiem tylko, że byłem w drugiej klasie liceum i czułem się potwornie. Wieczne przeprowadzki i awantury, niekończący się korowód nowych ludzi, których miałem poznawać, nauczyć się kochać, a potem o nich zapominać – oto, co przeszkadzało mi w osiągnięciu sukcesów, a nie szkoła, nawet jeśli finansowana poniżej przeciętnej.

Choć nie zdawałem sobie z tego sprawy, stałem na skraju przepaści. Niemal oblałem pierwszą klasę liceum, jechałem na trójach. Nie odrabiałem prac domowych, nie uczyłem się, a liczbę nieobecności miałem koszmarną. Czasami udawałem, że jestem chory, a kiedy indziej po prostu odmawiałem pójścia do szkoły. Jeśli już szedłem, to tylko po to, żeby nie powtarzały się takie listy jak ten sprzed paru lat – z zapowiedzią, że jeśli nie będę uczęszczał na zajęcia, władze szkolne będą musiały powiadomić o tym pracowników socjalnych hrabstwa.

Do fatalnych wyników w nauce należałoby jeszcze dodać eksperymenty ze środkami odurzającymi – nic wielkiego, tylko każdy alkohol, jaki zdołałem dorwać, i skitrane zioło, które namierzyliśmy z synem Kena. Chyba nie trzeba więcej dowodów, byście uwierzyli, że umiem odróżnić krzak pomidora od konopi indyjskich.

Pierwszy raz w życiu poczułem, że rośnie dystans między mną a Lindsay. Siostra już od ponad roku była mężatką, miała małe dziecko. W jej małżeństwie było coś z bohaterstwa – po tym wszystkim, co w życiu widziała, znalazła sobie faceta, który dobrze ją traktował i miał niezłą posadę. Lindsay wyglądała na rzeczywiście zadowoloną z życia. Była dobrą mamą, kochała swojego synka. Miała nieduży dom niedaleko Mamaw, wszystko wskazywało na to, że radzi sobie z dorosłym życiem.

Choć cieszyły mnie sukcesy siostry, jej nowe życie pogłębiało we mnie poczucie odosobnienia. Od urodzenia mieszkałem z nią pod jednym dachem, a teraz ona miała dom w Middletown, a ja u Kena, jakieś trzydzieści kilometrów stamtąd. Lindsay poukładała sobie życie niemalże w zaprzeczeniu tego, z czego wyszła – miała być dobrą matką, mieć dobrego (i tylko jednego) męża – a ja widziałem, że grzęznę w tym wszystkim, czego oboje nienawidziliśmy. Lindsay i jej mąż jeździli sobie na wycieczki na Florydę czy do Kalifornii, a ja tkwiłem w domu obcego faceta w Miamisburgu, stan Ohio.

9

Mamaw prawie zupełnie nie wiedziała, jaki wpływ wywierała na mnie ta sytuacja, i po części rozmyślnie utrzy-
mywałem ją w tej niewiedzy. Podczas długich ferii bożona-
rodzeniowych, raptem kilka miesięcy po tym, jak wprowadziłem się do nowego ojczyma, zadzwoniłem do niej, żeby
się poskarżyć. Kiedy jednak podniosła słuchawkę, w tle
usłyszałem głosy rodziny – zdawało mi się, że rozpoznawa-
łem ciocię, kuzynkę Gail, może jeszcze kilka innych osób.
Dźwięki, które do mnie dobiegały, sugerowały wesołe świę-
towanie, więc nie mogłem zdobyć się na powiedzenie babci
tego, po co do niej dzwoniłem: że nie cierpiałem mieszkać
z tymi obcymi ludźmi, że wszystko, dzięki czemu moje
dotychczasowe życie dało się znieść – schronienie w jej
domu, bliskość siostry – najwyraźniej przepadło. Poprosiłem ją więc, żeby przekazała wszystkim gościom, których
u niej słyszałem, że ich kocham, po czym rozłączyłem się
i poszedłem na piętro oglądać telewizję. W życiu nie czułem się równie samotnie. Na szczęście wciąż chodziłem
do szkoły w Middletown, dzięki czemu nie urwał mi się
kontakt z kolegami i miałem wymówkę, by na parę godzin
wpadać do Mamaw. Kiedy liczba zajęć rosła, widywałem

się z nią kilka razy w tygodniu, a ona przy każdej okazji przypominała mi, jak istotne są dobre wyniki w nauce. Często powtarzała, że jeśli ktoś z naszej rodziny „wyjdzie na ludzi", to właśnie ja. Brakowało mi odwagi, by wyznać jej, jak naprawdę miały się sprawy. Przecież miałem być prawnikiem, lekarzem czy biznesmenem, a nie kołkiem z niepełnym średnim. A tymczasem to właśnie skreślenie z listy uczniów wyglądało na najbardziej prawdopodobny wariant przyszłości.

Babcia poznała prawdę, kiedy pewnego ranka przyszła do mnie mama i zażądała słoiczka czystego moczu. Minioną noc spędziłem u Mamaw, właśnie szykowałem się do szkoły, kiedy wpadła mama, rozgorączkowana, zdyszana. Żeby rada pielęgniarska nie odebrała jej uprawnień, mama musiała poddawać się losowym testom moczu i właśnie dziś zadzwonili do niej z żądaniem dostarczenia próbki do końca dnia. W sikach babci znalazłoby się z pół tuzina leków, które miała przepisane, więc jedynym źródłem zostałem ja.

W żądaniu mamy pobrzmiewała wyraźna nuta poczucia, że to się jej należy. Żadnych wyrzutów sumienia, żadnej świadomości, że prosi mnie o coś niewłaściwego. Jak też żadnego poczucia winy wobec faktu, że po raz kolejny złamała obietnicę nieprzyjmowania narkotyków.

Więc odmówiłem. Wyczuwając mój opór, mama zmieniła taktykę. Zaczęły się przeprosiny, rozpaczliwe błagania. Prosiła mnie, zalewając się łzami. „Obiecuję, że będzie lepiej. Obiecuję". Nasłuchałem się już tego wiele razy, więc ani trochę jej nie wierzyłem. Lindsay powiedziała mi kiedyś, że mama przede wszystkim jest mistrzynią przetrwania. Przetrwała dzieciństwo, przetrwała rotację facetów. Przetrwała każdą kolejną kolizję z prawem. A teraz robiła, co mogła, żeby przetrwać kontrolę rady pielęgniarskiej.

Puściły mi nerwy. Wygarnąłem mamie, że jeśli potrzebuje czystych sików, to powinna przestać przepierdalać życie, wtedy wystarczyłby jej własny pęcherz. Babci powiedziałem, że robienie rzeczy za mamę tylko pogarsza sprawę, że gdyby Mamaw postawiła się jej trzydzieści lat wcześniej, może córka nie błagałaby teraz jej wnuka o siki bez prochów. Mamie powiedziałem, że była chujową matką, babci dokładnie to samo. Mamaw zbladła jak ściana i nie chciała nawet spojrzeć mi w oczy. Najwyraźniej poruszyłem czułą strunę.

Choć wszystko to mówiłem jak najbardziej serio, miałem też świadomość, że mój mocz wcale nie musiał być czysty. Mama padła na kanapę, łkając z cicha, ale babcia, choć zabolała ją moja krytyka, nie zamierzała tak łatwo skapitulować. Zaciągnąłem ją do łazienki i szeptem wyznałem, że w ciągu ostatnich paru tygodni dwa razy zapaliłem trawkę z zapasów Kena.

– Nie mogę dać jej swoich sików. Jeśli da je do analizy, jeszcze oboje będziemy mieć problemy.

Mamaw zaczęła od wygaszania moich lęków. Parę buchów zioła w ciągu trzech tygodni, jak twierdziła, nie wyjdzie na żadnym teście.

– Zresztą przecież ty nawet chyba nie wiesz, jak się pali, psiakrew. Może i spróbowałeś, ale na pewno się nie sztachałeś. – Potem przeszła do kwestii moralności. – Wiem, słonko, że to nie w porządku. Ale to twoja matka i moja córka. No i może, jeśli dziś jej pomożemy, wreszcie coś do niej dotrze.

Ech, ta wiekuista nadzieja, coś, czemu nie umiałem się przeciwstawić. To ta nadzieja sprawiała, że z własnej woli uczestniczyłem w tylu zebraniach anonimowych nałogowców, zaczytywałem się książkami o uzależnieniach, przykładałem się do terapii mamy, jak tylko mogłem. To przez nią jako dwunastolatek wsiadłem z nią do auta mimo świadomości, że w tym stanie emocjonalnym może posunąć się do czynów, których później by żałowała. Mamaw nigdy nie traciła tej nadziei, choć przeżyła tyle rozczarowań i udręk, że nawet nie potrafię tego objąć umysłem. Jej życie było niczym zaawansowany kurs tracenia wiary w ludzi, ale Mamaw zawsze znajdowała jakiś sposób, żeby wciąż ufać tym, których kochała. Nie żałuję więc, że jej uległem. Poratowanie mamy tymi sikami było posunięciem złym, ale nigdy nie będę żałował tego, że dałem się przekonać babci. Gdyby nie miała tej nadziei, nie przebaczyłaby dziadkowi niedobrych lat ich małżeństwa. Nie przyjęłaby mnie pod swój dach, kiedy najbardziej tego potrzebowałem.

Choć wziąłem przykład z Mamaw, tamtego ranka coś we mnie pękło. Poszedłem do szkoły zapuchnięty od płaczu, pełen żalu, że jednak pomogłem mamie. Parę tygodni wcześniej siedziałem z nią w restauracji chińskiej, kiedy bezskutecznie próbowała jeść. Na to wspomnienie wciąż burzy się we mnie krew: mama niezdolna otworzyć oczu ani zamknąć ust, szuflująca łyżką ryż, który spadał z powrotem na talerz. Ludzie gapili się na nas, Kenowi odebrało mowę, a mama nic. Tak załatwiła ją piguła na receptę (może i niejedna). Nienawidziłem jej za to i poprzysiągłem sobie, że jeśli jeszcze choć raz coś weźmie, wyprowadzę się od niej.

Także dla Mamaw zajście z moczem było kroplą, która przelała czarę. Gdy wróciłem ze szkoły, babcia oznajmiła mi, że chciała, bym zamieszkał u niej na stałe. Koniec z wędrówkami tam i z powrotem. Wydawało się, że mamie było to obojętne – jak stwierdziła, potrzebowała „odpoczynku", zapewne od bycia matką. Jej związek z Kenem nie potrwał długo. Nim ukończyłem drugą klasę, wyprowadziła się już od niego, a ja byłem stałym lokatorem u Mamaw i nigdy więcej nie tułałem się z mamą po domach jej facetów. Dobrze chociaż, że kontroli sików nie zawaliła.

Obeszło się nawet bez pakowania, bo kiedy tak wędrowałem z miejsca na miejsce, większość mojego dobytku i tak była już u Mamaw. Babci nie podobało się, gdy zabierałem do Kena jakieś większe bagaże, była bowiem przeświadczona, że on lub jego dzieci mogą podkradać moje koszulki i skarpety (ani Ken, ani jego dzieci nigdy mi niczego nie ukradli). Choć uwielbiałem być u niej, nowe miejsce zamieszkania pod wieloma względami było dla mnie próbą cierpliwości. Wciąż nie miałem pewności, czy nie stanowię nadmiernego ciężaru dla Mamaw. Co ważniejsze, nie było łatwo żyć z nią pod jednym dachem, była bowiem bystra i pyskata. Jeśli nie wyniosłem śmieci, upominała mnie, żebym „przestał być leniwym zasrańcem". Gdy zapominałem odrobić pracę domową, słyszałem, że mam „nasrane w głowie", po czym przypominała mi, że do niczego w życiu nie dojdę, jeśli nie będę się uczył. Domagała się, żebym grał z nią w karty – najczęściej w remika – a nigdy nie przegrywała.

– No najgorszy, kurwa, karciarz, z jakim w życiu grałam – napawała się sukcesem (a ja wcale nie czułem się tym urażony, bo to samo powtarzała każdemu, z którym wygrała, a w remika nie przegrywała z nikim).

Po latach wszyscy moi krewni, co do jednego – i ciocia Łii, i wuja Jimmy, nawet Lindsay – powtarzali na różne sposoby: „Mamaw była dla ciebie ostra. Aż za ostra". W jej domu obowiązywały trzy zasady: brać się do nauki, brać się do szukania pracy i „brać się, kurwa, do galopu i pomagać babci". Nie było wyznaczonej listy domowych obowiązków, po prostu musiałem pomagać przy każdej pracy, do której akurat wzięła się Mamaw. Nigdy nie mówiła mi, że mam coś zrobić – wystarczało, że wrzeszczała na mnie, kiedy się do czegoś brała, a ja nie zjawiałem się z pomocą.

Ale zabawy mieliśmy mnóstwo. Mamaw mogła straszyć, ale nie przechodziła do czynów, przynajmniej nie ze mną. Raz kazała mi siąść i oglądać z nią w piątkowy wieczór serial telewizyjny, jakiś ponury kryminał, bo takie rzeczy lubiła najbardziej. W kulminacyjnym momencie odcinka, obliczonym na zaskoczenie widza, nagle zgasiła światło i wrzasnęła mi prosto w ucho. Już kiedyś oglądała ten odcinek i wiedziała, co się kroi. Kazała mi siedzieć przed tym telewizorem przez trzy kwadranse tylko po to, żeby we właściwym momencie móc mnie nastraszyć.

Najlepsze w mieszkaniu z babcią było to, że zacząłem wreszcie rozumieć, jak ona kombinuje. Do tego czasu bolało mnie, że po śmierci Mamaw Blanton zaczęliśmy rzadziej odwiedzać Kentucky. Z początku nie dostrzegałem tej zmniejszonej częstotliwości wizyt, ale kiedy zacząłem naukę w liceum, do Jackson wyjeżdżaliśmy już tylko kilka razy w roku, na parę dni. Gdy zamieszkałem z babcią, dowiedziałem się, że po śmierci Mamaw Blanton poprztykała się ona ze swoją siostrą Rose – niepospolicie łagodną kobietą. Mamaw miała nadzieję, że dom prababci stanie się czymś w rodzaju rodzinnej daczy, ale Rose wolała, żeby przepisano go na jej syna z rodziną. Miała tu sporo racji: nikt z mieszkającego w Ohio czy Indianie rodzeństwa nie spędzał tam aż tak wiele czasu, więc sensownie było przekazać dom komuś, kto by zeń faktycznie korzystał. Mamaw bała się jednak, że bez miejsca noclegowego jej dzieci i wnuki podczas wizyt w Jackson nie będą miały gdzie się zatrzymać. To też była istotna kwestia.

Zaczęło do mnie docierać, że dla Mamaw powroty do Jackson były obowiązkiem, który trzeba było znieść, a nie źródłem radości. Dla mnie Jackson oznaczało wujków, uganianie się za żółwiami i spokój, w odróżnieniu od chaotycznej egzystencji w Ohio. W Jackson zawsze byłem w jednym domu z Mamaw, odbywaliśmy trzygodzinną podróż, podczas której opowiadało się i wysłuchiwało przeróżnych historii, a na miejscu wszyscy wiedzieli, że jestem wnukiem sławetnych Jima i Bonnie Vance'ów. Dla niej Jackson to było coś zupełnie innego. Miasteczko, w którym jako dziecko często chodziła głodna, z którego jako nastolatka w ciąży uciekła w aurze skandalu, gdzie tylu jej przyjaciół straciło życie w kopalniach. Ja chciałem uciekać do Jackson, ona stamtąd właśnie się wyrwała.

W podeszłym wieku, gdy nie mogła już zanadto się ruszać, babcia uwielbiała oglądać telewizję. Gustowała w rubasznym humorze i epickich dramatach, więc wybór miała spory. Najbardziej jednak lubiła gangsterski serial HBO, *Rodzinę Soprano*. Z perspektywy czasu wcale mnie nie dziwi, że tak przypadł jej do gustu serial o zawzięcie lojalnych, czasem posługujących się przemocą outsiderach. Wystarczyłoby zmienić daty i nazwiska, a włoska mafia bardzo upodobniłaby się do appalaskiej wróżdy między Hatfieldami a McCoyami. Główny bohater serialu, Tony Soprano, to morderca, człowiek gwałtowny, według każdych właściwie standardów postać obiektywnie okropna. Mamaw jednak szanowała go za lojalność i za to, że był gotów zrobić wszystko, by strzec honoru rodziny. Choć wymordował bez liku wrogów i zbyt dużo pił, babcia krytykowała go tylko za jedno: niewierność.

– Wiecznie się szlaja z babami. To mi się nie podoba.

Po raz pierwszy widziałem też, jak Mamaw kochała dzieci, sam już nie będąc obiektem tego uczucia, a tylko obserwatorem. Często opiekowała się maluchami Lindsay czy cioci Łii. Pewnego dnia obie córeczki cioci Łii były u niej na dzień, ciocia zostawiła też na podwórku za domem swojego psa. Gdy ten zaczął szczekać, babcia wrzasnęła:

– Stul pysk, sukinsynu!

Moja kuzynka Bonnie Rose podbiegła do tylnych drzwi i zaczęła krzyczeć raz za razem:

– Sukinsyn! Sukinsyn!

Mamaw podkuśtykała do małej i wzięła ją w ramiona.

– Sza, nie możesz tak mówić, bo babci się oberwie.

Tyle że ledwie mogła wykrztusić z siebie te słowa, tak się śmiała. Parę tygodni później wróciłem ze szkoły i zapytałem Mamaw, jak minął jej dzień. Odparła, że było fantastycznie, bo opiekowała się Kameronem, synem Lindsay.

– Spytał mnie, czy on też może mówić „kurwa" tak jak ja. Powiedziałam, że może, ale tylko u mnie w domu.

I zachichotała cicho pod nosem. Bez względu na to, jak się czuła, czy przez rozedmę miała problemy z oddychaniem, czy biodro rwało tak, że ledwie mogła chodzić, nigdy nie odpuściła żadnej okazji, żeby „pobyć z tymi maluchami", jak to ujmowała. Kochała je, a ja zacząłem rozumieć, czemu zawsze marzyła o zostaniu prawniczką zajmującą się dziećmi – ofiarami znęcania czy zaniedbań.

Jakoś w tym czasie babcia przeszła poważną operację kręgosłupa, by ulżyć tym bólom, które utrudniały jej chodzenie. Na kilkumiesięczną rekonwalescencję trafiła do domu opieki, przez co byłem zmuszony żyć samotnie, ale na szczęście nie trwało to długo. Noc w noc Mamaw dzwoniła do Lindsay, cioci Łii czy do mnie, zawsze z tą samą prośbą:

– Cholera, jakie tu paskudne żarcie. Dałbyś radę skoczyć do Taco Bell i przywieźć mi fasolowe burrito?

Zresztą w domu opieki nic się babci nie podobało, raz zażądała nawet, bym jej obiecał, że jeśli miałaby tam zostać na zawsze, to wziąłbym jej rewolwer kalibru .44 Magnum i wpakował jej kulę w łeb.

– Mamaw, nie możesz prosić mnie o takie rzeczy. Dostałbym dożywocie.

– No... – zastanawiała się przez chwilę. – To zorganizuj trochę arszeniku. Wtedy nikt się niczego nie domyśli.

Jak się okazało, operacja kręgosłupa była zupełnie zbędna. Mamaw miała złamane biodro i kiedy chirurg je poskładał, zaraz stanęła z powrotem na nogi, choć od tej pory pomagała sobie laską lub chodzikiem. Teraz, jako prawnik, zachodzę w głowę, jak to się stało, że też nigdy nie pozwaliśmy tego, który operował jej grzbiet, o błąd lekarski. Tyle że Mamaw by nam nie pozwoliła – jej zdaniem do prawa trzeba się było uciekać wyłącznie wtedy, kiedy nie było już innego wyjścia.

Czasami widywałem się z mamą co parę dni, kiedy indziej mijało kilka tygodni, a ona nawet nie dzwoniła. Po zerwaniu z jednym facetem przez parę miesięcy waletowała na kanapie u babci i oboje cieszyliśmy się z jej towarzystwa. Mama na swój sposób się starała: kiedy miała pracę, po każdej wypłacie dawała mi pieniądze, niemal na pewno więcej, niż było ją tak naprawdę stać. Z powodów, których nigdy do końca nie pojąłem, pieniądze były dla niej tożsame z uczuciem. Może sądziła, że nie docenię miłości, którą mnie darzyła, jeśli nie dołoży do niej pliku banknotów. Ja jednak nie dbałem o forsę, chciałem tylko, żeby mama była zdrowa.

Nawet moi najbliżsi przyjaciele nie wiedzieli, że mieszkam u babci. Byłem świadom tego, że nawet jeśli wielu moich rówieśników nie wychowywało się w tradycyjnych amerykańskich rodzinach, moja rodzina była wyjątkowo mało tradycyjna. Do tego byliśmy biedni, przy czym Mamaw obnosiła się z tym jak z odznaką honorową, ale ja właściwie nie musiałem się z tym statusem borykać. Nie nosiłem markowych ciuchów od Abercrombie & Fitch czy American Eagle, chyba że ktoś sprezentował mi takie na święta. Kiedy Mamaw odbierała mnie ze szkoły, prosiłem ją, żeby nie wysiadała z samochodu, bo wtedy moi kumple zobaczyliby jej codzienny strój – workowate dżinsy i męską koszulkę – i potężnego mentolowego peta przyklejonego do wargi. Jeśli ktoś pytał, kłamałem i odpowiadałem, że mieszkam z mamą, że wraz z nią opiekuję się niedomagającą babcią. Do dziś żałuję, że zdecydowanie zbyt wielu przyjaciół i znajomych z liceum nigdy nie dowiedziało się, że Mamaw była najwspanialszą osobą, jaką w życiu spotkałem.

W trzeciej klasie dzięki dobrym wynikom z testów dostałem się na zajęcia dla zdolnych uczniów z poszerzonej matematyki – w programie było wszystko, trygonometria, zaawansowana algebra, zbiory, funkcje, logarytmy, matryce. Zajęcia prowadził Ron Selby, który wśród uczniów miał status legendy zarówno ze względu na swój geniusz, jak i wymagania, jakie stawiał. W ciągu dwudziestu lat pracy nie opuścił ani jednego dnia. Według legend krążących po liceum w Middletown, podczas jednej z klasówek u Selby'ego któryś uczeń zgłosił alarm bombowy – ładunek miał ukryć w swojej szafce na podręczniki. Kiedy wszystkich obecnych w szkole ewakuowano z budynku, Selby wkroczył tam z powrotem, wyciągnął całą zawartość szafki winowajcy i wyrzucił ją do kubła na śmieci.

– Miałem tego dzieciaka na zajęciach. Nie jest na tyle bystry, żeby skonstruować działającą bombę – oznajmił Selby policjantom, którzy zjechali się pod szkołę. – Proszę pozwolić moim uczniom na powrót do klasy, muszą skończyć sprawdzian.

Mamaw uwielbiała takie opowieści i choć sama nigdy nie spotkała Selby'ego, podziwiała go i namawiała mnie, bym szedł w jego ślady. Selby zachęcał swoich uczniów, by zaopatrzyli się w rozbudowane kalkulatory z wyświetlaczem zdolnym pokazywać wykresy funkcji (nie był to jednak wymóg) – w owym czasie najnowszym i najlepszym modelem był TI-89 firmy Texas Instruments. Nie mieliśmy telefonów komórkowych ani fajnych ciuchów, ale Mamaw dołożyła wszelkich starań, żebym miał taki kalkulator. Dzięki temu wiele zrozumiałem o wartościach, którym hołdowała babcia, a przy okazji skłoniło mnie to do poważniejszego niż dotąd poświęcenia się nauce. Skoro Mamaw była gotowa wyłożyć sto osiemdziesiąt dolarów na kalkulator – stanowczo oznajmiła, że ja się do tego nie dokładam – znaczyło to, że powinienem naprawdę przysiąść fałdów. Byłem jej to winien, a ona wiecznie mi o tym przypominała.

– Skończyłeś to, co miałeś dla tego Selby'ego?

– Nie, babciu, jeszcze nie.

– No to zabieraj się do roboty, psiakrew. Nie po to wydałam ostatni grosz na ten tam komputerek, żebyś się cały dzień opierdalał.

Te trzy lata z Mamaw – bez przerw i intruzów – były moim zbawieniem. Nie dostrzegałem przyczyny zachodzących zmian, tego, że zamieszkanie u niej pchnęło moje życie na nowe tory. Nie zauważyłem, że jak tylko się do niej wprowadziłem, zacząłem zdobywać lepsze oceny. Nie miałem też pojęcia, że znajduję sobie przyjaciół na całe życie.

W tamtym czasie zaczęliśmy z Mamaw rozmawiać o problemach naszej społeczności. Mamaw zachęcała mnie, żebym podjął pracę – mówiła, że to mi się przyda, że nauczę się cenić każdego dolara. Skoro zachęty nie przynosiły skutku, zażądała, żebym znalazł robotę, więc znalazłem. Zostałem kasjerem w miejscowym sklepie spożywczym Dillman's.

Praca na kasie uczyniła ze mnie socjologa amatora. Iluż naszych klientów było napędzanych gorączkowym stresem. Jedna z naszych sąsiadek podczas każdej wizyty wrzeszczała na mnie za byle niedociągnięcie – bo się do niej nie uśmiechnąłem, bo kiedyś zapakowałem w każdą torbę zbyt wiele rzeczy, a kiedy indziej za mało. Czasem ludzie wpadali do sklepu w pośpiechu, gnali pomiędzy półkami, rozpaczliwie szukając potrzebnego produktu. Inni zaś kroczyli alejkami z rozwagą, starannie wykreślając kolejne pozycje z listy. Jedni kupowali dużo jedzenia w puszkach i mrożonek, a inni regularnie podjeżdżali pod kasę wózkami wyładowanymi świeżą żywnością. Im bardziej zagoniony był klient, im więcej kupował dań gotowych czy mrożonek, tym większe prawdopodobieństwo, że był biedny. Wiedziałem, że to ludzie ubodzy, bo widać to było po ich ubraniach, mogli też płacić za zakupy bonami z opieki społecznej. Po paru miesiącach, wracając z pracy, zapytałem Mamaw, czemu tylko biedni kupują mleko w proszku dla niemowląt. „Bogaci też przecież mają dzieci, nie?" Babcia nie potrafiła mi na to odpowiedzieć i dopiero po wielu latach dowiedziałem się, że ludzie zamożni zdecydowanie częściej karmią dzieci piersią.

Moja praca, poza dodatkową lekcją w temacie amerykańskich podziałów klasowych, spowodowała też, że zacząłem żywić pewną urazę wymierzoną nie tylko w bogaczy, ale też w ludzi takich jak ja. Właściciele sieci Dillman's byli staromodni, pozwalali więc, by zamożne rodziny robiły zakupy na kredyt – czasami skredytowana żywność była warta ponad tysiąc dolarów. Byłem świadom, że gdyby ktoś z moich krewnych nabił rachunek na ponad tysiąc dolarów, zażądano by od niego natychmiastowej zapłaty. Szlag mnie trafiał na myśl, że mój pracodawca uważa moich bliskich za osoby mniej wiarygodne od tych, którzy zakupy wożą do domu cadillakiem. Z czasem jednak przeszedł mi ten gniew: powiedziałem sobie, że kiedyś ja również będę mógł kupować na kredyt.

Dowiedziałem się też, jak ludzie ogrywali opiekę społeczną. Kupowali za bony zgrzewki napojów gazowanych i odsprzedawali je za gotówkę. Kazali nabijać zakupy na kasę w dwóch częściach: za żywność płacili bonami, a za piwo, wino i papierosy – gotówką. Regularnie rozmawiali przez telefony komórkowe, stojąc w kolejce do kasy. Za nic nie mogłem pojąć, czemu nasze życie było takie ciężkie, kiedy ci korzystający ze szczodrości rządu cieszyli się gadżetami, o których mogłem tylko pomarzyć.

Mamaw uważnie słuchała moich opowieści o spostrzeżeniach ze sklepu. Zaczęliśmy nieufnie spoglądać na znaczną część pokrewnych nam przedstawicieli klasy robotniczej. Większość z nas miała kłopoty z dociągnięciem do pierwszego, ale radziliśmy sobie, ciężko pracowaliśmy i mieliśmy nadzieję na lepszy los. Istniała jednak liczna mniejszość tych, których zadowalało życie z zasiłków. Co dwa tygodnie dostawałem skromną wypłatę i na pasku z rozliczeniem widziałem potrącane zaliczki na podatek stanowy i federalny. Przynajmniej równie często nasz sąsiad narkoman fundował sobie steki T-bone – ja byłem zbyt biedny, żeby kupić sobie taki, ale Wuj Sam zmuszał mnie do sponsorowania takich zakupów innym. Tak o tym myślałem jako siedemnastolatek i choć dziś jest we mnie znacznie mniej gniewu niż w tamtych latach, to wtedy po raz pierwszy dostrzegłem, że polityka prowadzona przez demokratów, zwanych przez Mamaw „partią ludzi pracy", nie do końca ich właśnie dobro ma na celu.

Politolodzy zmarnowali miliony słów na próby wyjaśnień, czemu w ciągu życia niespełna jednego pokolenia rejon Appalachów i Południe z twierdzy demokratów stały się matecznikiem republikanów. Niektórzy winą obarczają konflikty rasowe i poparcie Partii Demokratycznej dla ruchu obrony praw obywatelskich. Inni przywołują kwestie religijne i zakorzeniony wśród tamtejszych chrześcijan konserwatyzm obyczajowy. Jednak w znacznej części za objaśnienie wystarczyłoby to, że wielu białych przedstawicieli klasy robotniczej dostrzegło dokładnie to samo, co ja, stojąc za kasą w Dillman's. Już w latach siedemdziesiątych biała klasa robotnicza zaczęła przechodzić do obozu Richarda Nixona, ponieważ – jak to ujął jeden z jej przedstawicieli – mieli poczucie, że rząd „płaci ludziom, co tera są na zasiłku i nic nie robią! Się śmieją z naszego społeczeństwa! A my wszyscy ciężko harujemy, a oni się z nas śmieją, że robimy dzień w dzień!"*.

Mniej więcej w tym samym czasie nasz sąsiad – jeden z najstarszych przyjaciół, jakich Mamaw i Papaw mieli w Middletown – zarejestrował swój dom obok naszego w rządowym programie zwanym Section 8. Program ten polega na dopłatach do czynszu dla najemców o niskich dochodach. Przyjaciel Mamaw nie miał dotąd powodzenia w wynajmowaniu swojej posesji, ale gdy udostępnił dom ludziom z dopłatami z Section 8, właściwie zagwarantował sobie, że znajdą się lokatorzy. Babcia widziała w tym zdradę, gwarancję, że do dzielnicy sprowadzą się „źli" ludzie i ceny nieruchomości pójdą w dół.

Choć staraliśmy się wyznaczać wyraźne linie między biedotą pracującą a niepracującą, Mamaw i ja zdawaliśmy sobie sprawę, że wiele łączyło nas z tymi, którzy – jak uważaliśmy – przynosili takim jak my złą sławę. Beneficjenci dopłat z Section 8 niezbyt różnili się od nas wyglądem. Nestorka pierwszej rodziny, która sprowadziła się do domu sąsiada, urodziła się w Kentucky, ale za młodu przeniosła się na północ, kiedy jej rodzice ruszyli na poszukiwania

---

* Rick Perlstein, *Nixonland: The Rise of a President and the Fracturing of America*, New York 2008.

lepszego życia. Kręciła z paroma facetami, każdy zostawił jej dziecko i zero alimentów. Była miła, jej dzieci też. Jednak narkotyki i awantury późną nocą zdradzały istnienie kłopotów, nazbyt dobrze znanych nazbyt wielu przesiedlonym bidokom. W obliczu takiego odzwierciedlenia kłopotów własnej rodziny w Mamaw narastały frustracja i gniew.

Z tego gniewu zaś zrodziła się Bonnie Vance, ekspertka w dziedzinie socjologii:

„Leniwa z niej kurew, ale skończyłoby się, jakby musiała znaleźć sobie robotę".

Albo:

„Nienawidzę tych chujów, co dali tym ludziom forsę, żeby mogli się sprowadzić do naszej dzielnicy".

Ciskała się na tych, których widywała w spożywczym:

„Nie rozumiem, jak to jest, że ludzie, co przepracowali całe życie, muszą liczyć każdy grosz, a te dziady fundują sobie z naszych podatków wódę i minuty na komórki".

Zadziwiające poglądy jak na moją babcię samarytankę. Zresztą kiedy jednego dnia obsobaczała rząd za nadmierną szczodrość, następnego ganiła go za skąpstwo. W końcu rząd pomagał tylko ubogim znaleźć dach nad głową, a babcia uwielbiała ideę pomagania biednym. Dopłaty z programu Section 8 nie kolidowały z jej ideologią. Czasem więc wyłaziła z niej stronniczka demokratów. Wściekała się na kurczący się rynek pracy, głośno dumała, czy to właśnie dlatego jej sąsiadka nie może sobie znaleźć porządnego faceta. W chwilach wzmożonego współczucia Mamaw pytała, jaki to ma sens, że nasz kraj stać na lotniskowce, ale nie na kliniki odwykowe – takie jak ta, do której trafiła mama – dla wszystkich potrzebujących. Czasami krytykowała anonimowych bogaczy, którzy jej zdaniem zdecydowanie za mało chętnie brali na siebie należną część ciężarów dźwiganych przez społeczeństwo. Każdą referendalną porażkę prób wprowadzenia lokalnego podatku na dofinansowanie szkół (a było ich wiele) postrzegała jako oskarżenie naszego społeczeństwa, które nie potrafiło zapewnić porządnego wykształcenia dzieciom takim jak ja.

Poglądy Mamaw były w politycznym układzie współrzędnych rozrzucone od ściany do ściany. Zależnie od nastroju, babcia mogła być skrajną konserwatystką albo socjaldemokratką w europejskim stylu. Z tego względu uważałem ją z początku za niereformowalną prostaczkę, sądziłem, że ledwie otworzy usta w kwestiach wielkiej polityki czy małych politycznych zagrywek, najlepiej po prostu zatkać uszy. Szybko uświadomiłem sobie jednak, że w tych babcinych sprzecznościach kryła się wielka mądrość. Przez tyle lat po prostu żyłem na tym świecie, ale teraz, kiedy miałem okazję przyjrzeć mu się uważniej, zacząłem postrzegać go tak, jak Mamaw. Byłem przerażony, zdezorientowany, wściekły i zrozpaczony. Oskarżałem wielkie firmy o to, że zwijały działalność w Stanach i wynosiły się na inne kontynenty, a potem zastanawiałem się, czy sam nie postąpiłbym tak samo. Kląłem na rząd za niedostateczną pomoc społeczną, a potem dumałem, czy próby pomagania ludziom nie pogarszały czasem ich sytuacji.

Mamaw potrafiła pluć jadem jak instruktor musztry w Korpusie Piechoty Morskiej, ale to, co obserwowała w naszej społeczności, nie tylko doprowadzało ją do wścieku, lecz także łamało jej serce. Za narkotykami, za maratonami awantur, za walką o związanie końca z końcem kryli się ludzie z poważnymi problemami, cierpiący ludzie. W życiu naszych sąsiadów dominował swego rodzaju rozpaczliwy smutek. Można go było dostrzec w tym, że matka szczerzyła zęby, ale tak naprawdę nigdy się nie uśmiechała, czy w żartobliwych tekstach nastoletniej córki o tym, że „matka spuszcza jej wjeby". Wiedziałem, co ma kryć tego typu niezręczny humor, bo był czas, że sam się nim posługiwałem. Jak mówią w naszych okolicach, szeroki uśmiech i do przodu. Kto jak kto, ale Mamaw rozumiała to doskonale.

Problemy naszej społeczności nie odstawały od tych dotykających naszą rodzinę. Życiowe boje babci nie były niczym wyjątkowym. To samo przerabiali, odtwarzali i przeżywali liczni inni ludzie, którzy jak my przeprowadzili się o setki kilometrów w poszukiwaniu czegoś lepszego. Nie zanosiło się na to, żeby ten stan rzeczy miał się zmienić. Babci wydawało się, że wyrwała się z górskiej biedy, ale ubóstwo – emocjonalne, jeśli nie finansowe – podążało w ślad za nią. Coś sprawiło, że późne lata jej życia stały się dziwnie podobne do tych najwcześniejszych. Co takiego się działo? Jakie perspektywy miała przed sobą nastoletnia córka naszej sąsiadki? Bez wątpienia statystycznie nie wyglądały one dobrze, nie przy takiej sytuacji w domu. A to kazało zadać sobie pytanie: Co stanie się ze mną?

Nie potrafiłem znaleźć na to odpowiedzi, która w jakimś stopniu nie wskazywałaby na coś skrytego głęboko pod powierzchnią miejsca, które nazywałem domem. Wiedziałem tylko, że inni ludzie żyją nie tak jak my. Kiedy odwiedzałem wuję Jimmy'ego, nie budziły mnie wrzaski sąsiadów. W dzielnicy, w której mieszkali ciocia Łii i Dan, stały piękne domy, trawniki były starannie przystrzyżone, przejeżdżający policjanci uśmiechali się i machali, a nie ładowali czyjąś mamę albo tatę na tylne siedzenie radiowozu.

Zastanawiałem się więc, pod jakim względem byliśmy odmienni – nie tylko ja i moja rodzina, ale też cała dzielnica, miasto, wszyscy od Jackson do Middletown i jeszcze dalej. Kiedy policjanci aresztowali mamę parę lat wcześniej, na ganki i chodniki w okolicy wyroili się gapie: zażenowania towarzyszącego witaniu się z sąsiadami zaraz po tym, jak gliny zawiną człowiekowi matkę, nie da się z niczym porównać. Wyskoki mamy bez wątpienia należały do ekstremalnych, ale wszyscy napatrzyliśmy się już na takie widowiska w innych domach. Tego rodzaju sytuacje miały własny rytm. Umiarkowany maraton wrzasków mógł skłonić paru sąsiadów do rozchylenia żaluzji czy wyjrzenia zza rolety. Jeśli dochodziło do eskalacji, zapalały się światła w sypialniach, bo sąsiedzi budzili się i chcieli ustalić przyczynę zamieszania. A gdy sprawy wymykały się spod kontroli, pojawiała się policja i odstawiała do ratusza czyjegoś pijanego tatę czy niepoczytalną mamę. W budynku ratusza siedzibę miał poborca podatków, wodociągi i kanalizacja Middletown, a nawet małe muzeum, ale w mojej dzielnicy wszystkie dzieciaki wiedziały, że jest tam także miejska izba zatrzymań.

Zaczytywałem się książkami o polityce socjalnej i o pracującej biedocie. Szczególnie uderzyła mnie praca wybitnego socjologa Williama Juliusa Wilsona *The Truly Disadvantaged* [Rzeczywiście wykluczeni]. Gdy czytałem ją po raz pierwszy, miałem szesnaście lat, nie wszystko rozumiałem, ale zdołałem uchwycić główną tezę. Kiedy na północ kraju, do pracy w fabrykach, migrowały miliony ludzi, powstające wokół tych zakładów społeczności były pełne wigoru, ale kruche:

gdy bowiem fabryki zamknięto, ich byli pracownicy utknęli w miastach i miasteczkach, które nie mogły już zaoferować tak licznym populacjom pracy godnej wykwalifikowanego personelu. Kto mógł – głównie ci dobrze wykształceni, zamożni czy z koneksjami – wyjechał, pozostały więc skupiska ludzi ubogich. To oni byli tymi „rzeczywiście wykluczonymi", ludźmi w naprawdę niekorzystnym położeniu, bo sami nie potrafili znaleźć sobie dobrej pracy, a otaczające ich społeczności nie miały zbyt wiele do zaoferowania, jeśli idzie o kontakty czy wsparcie społeczne.

Książka Wilsona trafiła do mnie. Chciałem napisać list do autora, powiedzieć mu, że perfekcyjnie opisał moje rodzinne okolice. Jednak to, że aż tak bardzo się nią przejąłem, jest zaskakujące, bo Wilson nie pisał o bidokach przeprowadzających się z Appalachów – zajmował się czarnymi mieszkańcami przemysłowych metropolii. To samo dotyczyło fundamentalnej pracy Charlesa Murraya, *Bez korzeni*, kolejnej pozycji dotyczącej czarnych, która równie dobrze mogłaby opisywać problemy bidoków, bo autor prezentował wkład rządu w rozpad społeczeństwa poprzez działalność państwa opiekuńczego.

Choć były to wnikliwe książki, żadna nie odpowiedziała w pełni na dręczące mnie pytania: Czemu nasza sąsiadka nie odeszła od tego brutalnego typa? Czemu wydawała pieniądze na narkotyki? Dlaczego nie dostrzegała, że własnym zachowaniem niszczy psychikę córki? Czemu to wszystko działo się nie tylko z naszą sąsiadką, ale też z moją mamą? Minęły lata, nim dowiedziałem się, że problemów bidoków w nowoczesnych Stanach Zjednoczonych nie jest w stanie w pełni wyjaśnić jedna książka, jeden ekspert ani nawet jedna dyscyplina naukowa. Nasza elegia ma podłoże socjologiczne, to prawda, ale dotyczy także kwestii psychologii, społeczności, kultury, wiary.

Kiedy byłem w trzeciej klasie liceum, nasza sąsiadka Pattie zadzwoniła do właściciela domu z wiadomością, że cieknie jej z dachu. Ten przyjechał więc i znalazł nieprzytomną, zaćpaną i gołą do pasa Pattie na kanapie w pokoju dziennym. Na piętrze z wanny lała się woda – stąd przeciek. Pattie najwyraźniej napuściła sobie wody na kąpiel, wzięła parę tabletek przeciwbólowych na receptę i ją ścięło. Woda zniszczyła piętro domu, a także i znaczną część dobytku jej rodziny. Tak właśnie wygląda rzeczywistość w naszej społeczności. Goła ćpunka niszcząca tych parę rzeczy w swoim życiu, które mają jeszcze jakąś wartość. Dzieci tracące zabawki i ubranka przez nałóg matki.

Inna sąsiadka mieszkała samotnie w dużym, różowym domu. Była odludkiem, zagadką dla całej dzielnicy. Na dwór wychodziła tylko na papierosa. Z nikim się nie witała, nigdy nie zapalała światła. Rozwiodła się z mężem, dzieci wylądowały w więzieniu. Była potwornie otyła – w dzieciństwie zastanawiałem się, czy jej niechęć do wychodzenia na dwór nie wynikała z tego, że ciężko było jej się ruszyć.

Albo sąsiedzi kawałek dalej przy naszej ulicy: młoda kobieta z małym chłopczykiem i jej facet w średnim wieku. On pracował, a ona całe dnie spędzała na oglądaniu telenoweli *Żar młodości*. Jej synek był przesłodki, uwielbiał Mamaw. O każdej porze dnia (raz nawet po północy) pukał do jej drzwi i dopraszał się o jakąś przekąskę. Jego matka miała mnóstwo czasu na wszystko, a jednak nie potrafiła dopilnować, żeby syn nie wędrował po domach obcych ludzi.

Czasem trzeba mu nawet było zmienić pieluchę. Raz Mamaw zgłosiła jego matkę do służb socjalnych z nadzieją, że może jakoś maluchowi pomogą. Nie ruszyli palcem. Więc dalej przewijała go w pieluchy z zapasu mojego siostrzeńca i czujnie obserwowała okolicę, czy czasem nie zauważy swojego wędrującego „minikumpla".

Koleżanka mojej siostry mieszkała z matką (ta to dopiero była królową socjalu) w małym bliźniaku. Miała siódemkę rodzeństwa, w większości od jednego ojca – a to niestety rzadkość. Jej matka w życiu nie skalała się pracą, wydawało się, że „interesował ją tylko rozród", jak to ujmowała Mamaw. Dzieci tej kobiety miały w życiu zero szans. Jedną z córek zagarnął brutalny chłopak i dorobili się dziecka, zanim młoda matka zyskała prawo do samodzielnego kupowania papierosów. Najstarszy syn przedawkował i trafił do aresztu niedługo po ukończeniu liceum.

Tak właśnie wyglądał mój świat: świat naprawdę irracjonalnych posunięć. Wydatkami potrafimy wpędzić się w bankructwo. Fundujemy sobie wielkie telewizory i iPady. Nasze dzieci noszą fajne ciuchy dzięki kartom kredytowym na wysoki procent i chwilówkom. Kupujemy zbyt duże domy, zaciągamy kolejne kredyty pod ich zastaw, żeby mieć na bieżące wydatki, po czym ogłaszamy niewypłacalność i wynosimy się gdzieś indziej, często zostawiając zadłużony dom pełen śmieci. Oszczędność jest sprzeczna z naszą naturą. Wydajemy pieniądze, bo chcemy udawać klasę wyższą. A kiedy już sprawa się rypnie – gdy trzeba ogłosić bankructwo albo ktoś z rodziny płaci za naszą głupotę – zostajemy z niczym. Nie ma z czego opłacić studiów dzieciom, nie ma pomnażających majątek inwestycji, nie ma poduszki finansowej na wypadek utraty pracy. Wiemy, że nie powinniśmy tak szastać pieniędzmi. Czasem sami to sobie wypominamy, ale i tak to robimy.

Nasze domy rodzinne to piekielny chaos. Wrzeszczymy, wydzieramy się na siebie niczym kibice na meczu. Co najmniej jeden członek rodziny używa narkotyków: czasem ojciec, czasem matka, bywa, że oboje. W skrajnie stresujących chwilach bijemy się i kopiemy, oczywiście na oczach pozostałych członków rodziny, w tym małych dzieci – w większości przypadków sąsiedzi też słyszą, co się dzieje. Zły dzień jest wtedy, gdy sąsiedzi wezwą policję na interwencję w naszym dramacie. Nasze dzieci trafiają do rodziców zastępczych, ale nigdy na długo. Prosimy dzieci o przebaczenie. One wierzą, że to szczere prośby, bo też takie są. Ale mija parę dni i znów zachowujemy się dokładnie tak samo wrednie.

Nie uczymy się w dzieciństwie, a jako rodzice nie nakazujemy dzieciom, by przykładały się do nauki. W szkole nasze dzieci radzą sobie słabo. Możemy się na nie wściekać, ale nie dajemy im środków – takich jak cisza i spokój w domu – by odniosły sukces. Nawet te najzdolniejsze i najbystrzejsze, jeśli przetrwają w domowym teatrze działań wojennych, najprawdopodobniej pójdą na studia gdzieś w pobliżu.

– Co mi z tego, że się dostaniesz do Notre Dame – mówimy. – Tu na zaocznych też się wykształcisz, dobrze i tanio.

Ironia tkwi w tym, że dla ludzi tak ubogich jak my studia na Notre Dame są i lepsze, i tańsze.

Kiedy powinniśmy rozglądać się za pracą, wybieramy nicnierobienie. Czasem znajdziemy jakąś robotę, ale nie na długo. Wywalą nas za wieczne spóźnianie się, za kradzieże towaru i sprzedawanie go na eBayu czy dlatego, że klient poskarży się, że zieje nam z ust alkoholem, albo za to, że w ciągu jednej zmiany robimy sobie pięć półgodzinnych sesji w toalecie. Gadamy o tym, jak ważna jest ciężka praca, ale wmawiamy sobie, że sami nie pracujemy tylko dlatego, że akurat przeciwko nam wszystko się sprzysięgło: a to Obama pozamykał kopalnie węgla, a to wszystkie zakłady produkcyjne wyniosły się do Chin. Tak właśnie sami siebie okłamujemy, żeby obejść dysonans poznawczy – zerwane więzi między światem, który widzimy dokoła, a wartościami, które głośno wyznajemy.

Mówimy dzieciom, że mają być odpowiedzialne, ale sami nie dajemy im przykładu. Jest tak: przez lata marzyłem o tym, żeby mieć szczeniaka owczarka niemieckiego. Mama skądś mi takiego wytrzasnęła. To był jednak nasz czwarty pies, a ja nie miałem pojęcia, jak go wytresować. Minęło parę lat, i wszystkie psy znikły – oddane policji miejskiej albo znajomym rodziny. Kiedy żegnasz się z czwartym psem, masz już twardsze serce. Uczysz się, żeby do niczego zanadto się nie przywiązywać.

Nasze obyczaje żywieniowe i niechęć do czynnego wypoczynku zdają się wręcz rozmyślnym programem wysyłania nas do grobu przed czasem – i to programem, który działa: w niektórych regionach Kentucky przeciętne dalsze trwanie życia to sześćdziesiąt siedem lat, całe półtorej dekady mniej niż po sąsiedzku w Wirginii. Przeprowadzone niedawno badania wykazały, że biała klasa robotnicza to jedyna grupa etniczna w Stanach, której przewidywana długość życia spada. Na śniadanie jemy rozmrażane bułeczki cynamonowe marki Pillsbury, na lunch idziemy do Taco Bell, kolację mamy z McDonalda. Rzadko gotujemy, nieważne, że to tańsze i zdrowsze dla ciała i ducha. Sporty kończą się na zabawach w dzieciństwie. Biegaczy na ulicach widujemy tylko pod warunkiem, że wyprowadzimy się z domu – do wojska czy na uniwersytet gdzieś daleko.

Nie wszyscy w białej klasie robotniczej walczą o przetrwanie. Już od dziecka wiedziałem, że istnieją dwa odrębne kodeksy obyczajowe, dwa warianty presji otoczenia. Moi dziadkowie reprezentowali jeden z nich: staromodni, nieostentacyjnie pobożni, wierzący we własne siły, ciężko pracujący. Moja matka i stopniowo cała dzielnica ucieleśniali ten drugi: skupieni na konsumpcji, odosobnieni, gniewni, nieufni.

Było (i wciąż jest) wielu takich, którzy żyli zgodnie z tym samym kodeksem, co moi dziadkowie. Czasami dostrzegało się to po nader dyskretnych objawach: stara sąsiadka, która pracowicie doglądała swojego ogródka nawet wtedy, gdy ludzie w domach dokoła nie robili nic, kiedy te butwiały im nad głowami; czy młoda kobieta, rówieśniczka mojej mamy, codziennie odwiedzająca naszą dzielnicę, by pomagać swojej matce w żegludze pomiędzy rafami starości. Nie opowiadam o tym po to, by przydawać romantyzmu życiu moich dziadków – jak już to przedstawiłem, problemów było w nim aż nadto – ale by wskazać, że nawet jeśli w naszej społeczności wielu ludziom nie było łatwo, to jednak udało im się te trudności przezwyciężyć. Wiele jest nieporozbijanych rodzin, wiele wspólnie jedzonych obiadów w spokojnych domach, wiele dzieci pilnie się uczy, wierząc, że i one będą mogły sięgnąć po swój kawałek amerykańskiego snu. Wielu moich kolegów stworzyło szczęśliwe rodziny i udane życia w samym Middletown czy w jego okolicach. To nie oni stanowią tu problem, a jeśli wierzyć statystykom, dzieci z takich nierozbitych rodzin mają wszelkie powody, by optymistycznie patrzeć w przyszłość.

Ja zawsze stałem okrakiem między tymi dwoma światami. Dzięki Mamaw nigdy nie musiałem patrzeć tylko na najgorszą część oferty naszej społeczności i wierzę, że to właśnie mnie ocaliło. Jeśli tylko potrzebowałem bezpiecznego schronienia i serdecznego uścisku, miałem je u niej. Dzieciom naszych sąsiadów nie było to dane.

Pewnej niedzieli Mamaw zgodziła się przypilnować dzieci cioci Łii przez kilka godzin. Ciocia odstawiła dziewczynki do babci o dziesiątej. Ja miałem przed sobą upiorną zmianę w spożywczym, od jedenastej do ósmej wieczorem. Bawiłem się z maluchami przez trzy kwadranse, ale w końcu około dziesiątej czterdzieści pięć ruszyłem do roboty. Rozstając się z nimi, byłem bardziej niż zwykle rozdarty, ba, wręcz przygnębiony. Niczego nie pragnąłem tak mocno, jak spędzić resztę dnia z Mamaw i brzdącami. Powiedziałem babci o tym, a ona zamiast warknąć, żebym „przestał smęcić, do cholery", czego się spodziewałem, odparła, że także wolałaby, żebym z nimi został. Rzadki u niej przebłysk empatii.

– Ale jeśli chcesz mieć taką robotę, żeby móc spędzać weekendy z rodziną, musisz pójść na studia, inaczej nie wyjdziesz na ludzi.

I to był geniusz Mamaw w pigułce. Nie ograniczała się tylko do kazań, wyzwisk i żądań. Pokazywała mi, co jest do osiągnięcia – leniwe niedzielne popołudnie z ukochanymi ludźmi – i wbijała mi w głowę, co muszę zrobić, żeby tego dopiąć.

Hałdy publikacji socjologicznych dowodzą dodatnich wpływów domu, w którym panuje miłość i stabilność.

Mógłbym tu przywołać kilkanaście prac badawczych dowodzących, że mieszkanie z Mamaw dało mi nie tylko krótkoterminowe schronienie, ale też nadzieję na lepsze życie. Całe tomy poświęcone są fenomenowi „odpornych dzieci" – tych, które odnoszą życiowy sukces mimo niestabilnej sytuacji rodzinnej, bo miały w społeczeństwie wsparcie w postaci kochającej je osoby dorosłej.

To, że Mamaw pomogła mi w życiu, wiem nie dzięki pracom jakiegoś psychologa z Harvardu, ale dlatego, że sam to czułem. Spójrzcie na to, jak wyglądało moje życie, nim się do niej sprowadziłem. W połowie trzeciej klasy podstawówki wyprowadziliśmy się z Middletown, opuściliśmy dziadków, żeby zamieszkać z Bobem w hrabstwie Preble. Na koniec czwartej klasy wynieśliśmy się z hrabstwa Preble i zamieszkaliśmy w bliźniaku w Middletown, przy drugiej przecznicy ulicy McKinley. Z końcem piątej klasy przenieśliśmy się z drugiej na trzecią przecznicę tejże ulicy, w tym czasie regularnie odwiedzał nas już Chip, choć nigdy u nas nie zamieszkał. Gdy kończyłem szóstą klasę, wciąż mieszkaliśmy w tym samym miejscu, ale zamiast Chipa pojawił się Steve (i często toczyły się debaty, czy nie powinniśmy przenieść się do niego). Z końcem siódmej klasy miejsce Steve'a zajął już Matt, mama szykowała się do przeprowadzki do jego domu i miała nadzieję, że ja również przeniosę się do Dayton. Na koniec ósmej klasy wręcz zażądała, żebym wyprowadził się do Dayton, a ja uległem, po krótkim epizodzie na farmie taty. Po pierwszej klasie liceum wprowadziłem się do Kena – zupełnie obcego mi człowieka, z trójką własnych dzieci. Dodajmy do tego narkotyki, sprawę sądową o przemoc domową, indagacje opiekunów socjalnych, a także śmierć dziadka.

Dziś wystarczy, żebym wrócił do tamtych czasów pamięcią tylko na tak długo, by je streścić, a już czuję przemożny, nieopisany niepokój. Niedawno zauważyłem, że przyjaciółka z Facebooka (znajoma z liceum, o równie mocnych korzeniach rodzinnych wśród bidoków) wiecznie zmienia facetów – zaczyna związki i wkrótce je zrywa, zamieszcza zdjęcia jednego, żeby po trzech tygodniach pojawił się kolejny, wojuje z nimi w mediach społecznościowych, aż wreszcie związek publicznie wali się w gruzy. Jest w moim wieku, ma czwórkę dzieci, a kiedy zapostowała, że wreszcie znalazła faceta, który będzie ją traktował jak należy (ile to razy słyszałem tę śpiewkę), jej trzynastoletnia córka skomentowała: „Weź przestań. Naprawdę chciałabym, żebyś już skończyła, żeby już się skończyło". Gdybym tylko mógł, przytuliłbym tę dziewczynkę, bo dobrze wiem, co czuje. Przez siedem długich lat chciałem, żeby się już skończyło. Nie chodziło mi aż tak bardzo o awantury, o wrzaski, ba, nawet o prochy. Po prostu chciałem mieć dom, mieszkać w jednym domu i żeby mi się tam obcy ludzie nie wpierdalali.

A teraz popatrzmy na bilans mojego życia po zamieszkaniu na dobre z Mamaw. Na koniec drugiej klasy liceum: mieszkam z babcią, w jej domu, tylko ona i ja. Na koniec trzeciej klasy: mieszkam z babcią, w jej domu, tylko ona i ja. Koniec liceum: mieszkam z babcią, w jej domu, tylko ona i ja. Mógłbym powiedzieć, że spokój panujący w domu Mamaw dawał mi bezpieczne miejsce do odrabiania prac domowych. Mógłbym powiedzieć, że brak awantur i destabilizacji pozwolił mi skupić się na nauce i pracy. Mógłbym stwierdzić, że mieszkanie przez cały czas w jednym domu z tą samą osobą ułatwiło mi nawiązywanie trwałych przyjaźni w szkole. Mógłbym powiedzieć, że praca i pewne zaznajomienie się ze światem pomogły mi wyklarować wizję tego, co chciałem osiągnąć we własnym życiu. Z perspektywy czasu takie stwierdzenia mają sens, jestem pewien, że każde z nich zawiera element prawdy.

Gdyby socjolog i psycholog siedli przy jednym stole, na pewno zdołaliby wyjaśnić, czemu przestały mnie nęcić narkotyki, czemu poprawiły się moje oceny, czemu egzaminy końcowe poszły mi jak z płatka oraz dlaczego znalazłem paru nauczycieli, którzy natchnęli mnie, bym pokochał naukę. Przede wszystkim jednak pamiętam, że byłem s z c z ę ś l i w y – nie bałem się już dzwonka na koniec zajęć, bo wiedziałem, gdzie będę mieszkał przez cały najbliższy miesiąc, i niczyje decyzje matrymonialne nie miały wpływu na moje życie. I to z tej szczęśliwości zrodziło się wiele szans, które wykorzystałem przez ostatnie dwanaście lat.

10

W ostatniej klasie liceum podszedłem do testów kwalifikacyjnych do szkolnej drużyny golfowej. Mniej więcej od
roku uczył mnie już gry stary zawodowy golfista. W wakacje
przed czwartą klasą znalazłem sobie nawet pracę na polu
golfowym, żeby móc ćwiczyć za darmo. Mamaw nigdy nie
okazywała zainteresowania sportem, ale zachęcała mnie do
nauki gry w golfa, bo „to na polu bogacze robią interesy".
Choć Mamaw miała swój rozum, o obyczajach bizneso-
wych bogaczy wiedziała jednak niewiele, i tak też jej powiedziałem.

– Morda w kubeł, siurku jebany – odcięła się. – Każdy
wie, że bogaci lubią grać w golfa.

Kiedy jednak ćwiczyłem w domu uderzenia (bez piłeczki,
więc jeśli coś uszkadzałem, to tylko podłogę), babcia zażądała, żebym przestał znęcać się nad jej wykładziną.

– Ależ Mamaw – zaprotestowałem sarkastycznie – jeśli
nie pozwolisz mi ćwiczyć, nigdy nie dobiję żadnego inte-
resu na polu golfowym. Równie dobrze mogę od razu rzucić
szkołę i wziąć robotę na cały etat przy pakowaniu ludziom
zakupów.

– Ty pyskaty gnoju! Jakbym nie była kaleka, zaraz bym
wstała i palnęła cię w łeb tak, żeby ci uszy z dupy wystawały.

Pomagała mi więc opłacać lekcje golfa, poprosiła też młodszego brata (wuję Gary'ego), najmłodszego z Blantonów, żeby załatwił mi jakieś stare kije. Przywiózł niezły zestaw marki MacGregor, lepszy niż cokolwiek, na co nas samych byłoby stać, więc ćwiczyłem, kiedy tylko mogłem. Kiedy przyszedł czas testów kwalifikacyjnych, uderzenie miałem już opanowane na tyle, że nie groziła mi kompromitacja.

Nie dostałem się do drużyny, ale zrobiłem takie postępy, że mogłem bez zażenowania ćwiczyć z kolegami, których przyjęto, a właściwie o nic więcej mi nie chodziło. Przekonałem się, że Mamaw miała rację: golf to gra dla bogaczy. W klubie, w którym pracowałem, niewielu członków pochodziło z robotniczych dzielnic Middletown. Na pierwszą lekcję przyszedłem w lakierkach, bo wydawało mi się, że to właściwe buty do golfa. Kiedy pewien dziarski młody byczek zauważył jeszcze przy pierwszym dołku, że mam na sobie brązowe mokasyny z niskim obcasem, z dyskontu, zaczął bezlitośnie ze mnie drwić i ciągnął tak przez cztery godziny. Oparłem się pokusie, żeby wetknąć mu putter w ucho, bo pamiętałem roztropną radę babci: „Zachowuj się tak, jakbyś był tamtejszy". (Słowo o lojalności bidoków: kiedy ostatnio przypomniałem Lindsay tę sytuację, zaraz zaczęła perorę, jaki to frajer był z tamtego chłopaka. A od całego zajścia minęło trzynaście lat!)

Podświadomie zdawałem sobie sprawę, że nadchodzi czas podjęcia decyzji, co dalej mam robić w życiu. Wszyscy moi przyjaciele planowali iść na studia: to, że miałem tak zmotywowanych kolegów, zawdzięczam wpływowi Mamaw. Kiedy zacząłem chodzić do siódmej klasy, wielu moich kolegów z okolicy popalało już trawkę. Babcia wywęszyła sprawę i zabroniła mi spotykać się z którymkolwiek z nich. Wiem, że większość dzieci ignoruje tego typu zakazy, ale mi zabroniła takich spotkań Bonnie Vance. Obiecała, że jeśli zauważy mnie w towarzystwie kogokolwiek z listy osób niepożądanych, to go rozjedzie.

– I nikt nawet się nie dowie – szepnęła złowieszczo.

Skoro moi koledzy szli na studia, postanowiłem, że też tak zrobię. Na egzaminach końcowych spisałem się na tyle dobrze, że nadrobiłem wcześniejsze kiepskie oceny, wiedziałem też, że zostałbym przyjęty na oba uniwersytety, na które w ogóle miałbym chęć się dostać – stanowy w Ohio albo Uniwersytet Miami. Na kilka miesięcy przed ukończeniem liceum podjąłem decyzję (co prawda po naprawdę skromnym namyśle): wybrałem Ohio State University. Listonosz dostarczył sporą paczkę, pełną informacji o wsparciu finansowym dostępnym na tej uczelni. Pisali o federalnych stypendiach socjalnych, o pożyczkach subsydiowanych i niesubsydiowanych, o stypendiach naukowych, było też coś o „programie pracy dla studentów". Strasznie ekscytujące rzeczy, tyle że ni w ząb nie potrafiliśmy z Mamaw pojąć, o co w tym wszystkim chodziło. Dumaliśmy nad tymi broszurami przez kilka godzin, dochodząc w końcu do wniosku, że kwota, na którą zapożyczyłbym się, idąc na studia, wystarczyłaby na zakup przyzwoitego domu w Middletown. A nie zaczęliśmy jeszcze nawet wypełniać formularzy – to byłby kolejny tytaniczny wysiłek, odłożyliśmy to więc na inny dzień.

Podekscytowanie zaczęło ustępować miejsca obawom, ale miałem w pamięci to, że studia będą inwestycją w moją przyszłość. „To jedyna rzecz, na którą warto teraz wydawać pieniądze" – mówiła Mamaw. I miała rację, ale im mniej nie-pokoiły mnie blankiety wniosków o wsparcie finansowe, tym bardziej zaczynało dręczyć co innego: nie byłem gotowy. Nie wszystkie inwestycje to dobrze zainwestowane pieniądze. Zaciągnąć tak wielki dług, i na co? Żeby chlać na okrągło i zbierać fatalne stopnie? Powodzenie na studiach wyma-gało samozaparcia, a tego zdecydowanie mi nie dostawało.

Moje dokonania licealne bynajmniej nie zwalały z nóg: dziesiątki nieobecności i spóźnień, praktycznie zero udziału w zajęciach pozalekcyjnych czy konkursach. Niewątpliwie szło ku lepszemu, ale nawet pod koniec szkoły zdarzało mi się z łatwych przedmiotów dostawać na świadectwo tróję z plusem, co wskazywało, że nie byłem przygotowany na rygory szkolnictwa wyższego. W domu Mamaw zdrowiałem, ale kiedy kartkowaliśmy te formularze pomocy finansowej, nie potrafiłem otrząsnąć się z poczucia, że jeszcze wiele mi brakuje.

Przerażał mnie każdy aspekt nieuregulowanego studenc-kiego życia – od zdrowego żywienia się na własną rękę po płacenie własnych rachunków. Niczego z tych rzeczy nigdy dotąd nie robiłem. Wiedziałem jednak, że chcę w życiu zajść gdzieś wyżej. Wiedziałem, że chcę być świetnym studentem, znaleźć dobrą posadę i zapewnić swojej rodzinie wszystko to, czego sam nigdy nie miałem. Tyle że jeszcze nie byłem go-tów do startu w tym wyścigu. I wtedy moja kuzynka Rachael – weteranka marines – poradziła mi, żebym pomyślał o wstą-pieniu do korpusu: „Już oni cię, kurwa, naprostują". Rachael była najstarszą córką wui Jimmy'ego, a przez to nestorką naszego pokolenia wnuków. Wszyscy, nawet Lindsay, patrzy-liśmy na nią z podziwem, więc jej rady miały ogromną wagę.

Zamachy z jedenastego września miały miejsce raptem rok wcześniej, kiedy byłem w trzeciej klasie liceum. Jak każdy szanujący się bidok rozważałem opcję wyjazdu na Bliski Wschód i wojowania z terrorystami. Jednak perspektywa służby wojskowej – wrzeszczący kaprale na unitarce, nieustanne ćwiczenie mięśni, brak kontaktu z rodziną – budziła we mnie przerażenie. Wstąpienie do marines wydawało się równie prawdopodobne, co udział w wyprawie na Marsa, póki Rachael nie poradziła mi, żebym porozmawiał z werbownikiem, w podtekście dając do zrozumienia, że jej zdaniem to nie jest ponad moje siły. Teraz, raptem kilka tygodni od terminu, w którym musiałem wpłacić wpisowe na Uniwersytet Stanowy Ohio, myślałem już tylko o Korpusie Piechoty Morskiej.

I tak w pewną sobotę pod koniec marca zawitałem w biurze werbunkowym i zapytałem faceta o możliwość wstąpienia do marines. W żaden sposób mnie nie nęcił. Powiedział otwarcie, że żołd jest marny, a może się okazać, że będę musiał iść na wojnę.

– Nauczą cię jednak, co to znaczy być przywódcą, i zrobią z ciebie zdyscyplinowanego młodego mężczyznę.

To mnie zaintrygowało, ale wizja J.D. jako żołnierza marines wciąż budziła niedowierzanie. Byłem grubszawy i długowłosy. Kiedy nauczyciel wuefu kazał nam biec na milę, przynajmniej połowę trasy szedłem. Nigdy w życiu nie wstałem przed szóstą rano. A tutaj mundurowy obiecywał mi, że będę się regularnie zrywał o piątej i codziennie przebiegał znacznie dłuższe dystanse.

Wróciłem do domu, rozważając wybór, jaki przede mną stał. Pamiętałem, że ojczyzna mnie potrzebuje, wiedziałem, że zawsze żałowałbym, gdyby ominął mnie udział w najnowszej z amerykańskich wojen. Pomyślałem o subsydiach dla weteranów, które pozwoliłyby mi nie zaciągać długu, uniknąć finansowej niewoli. Przede wszystkim wiedziałem, że tak naprawdę nie mam wyboru. Mogłem wybrać studia, nic albo piechotę morską, a pierwsze dwa warianty wcale mi się nie podobały. Mówiłem sobie, że cztery lata w marines pomogą mi stać się takim człowiekiem, jakim chciałbym być. Nie chciałem jednak opuszczać domu. Lindsay dopiero co urodziła drugie dziecko, śliczną córeczkę, była w ciąży z trzecim, a mój siostrzeniec wciąż jeszcze ledwie sam chodził. Także dzieci Lori były jeszcze malutkie. Im dłużej o tym myślałem, tym mniej ciągnęło mnie do wojska. Wiedziałem, że jeśli będę to zanadto odwlekał, sam siebie zniechęcę. I tak po dwóch tygodniach, kiedy kryzys iracki przeobraził się w wojnę w Iraku, podpisałem się na linii kropkowanej i oddałem Korpusowi Piechoty Morskiej pierwsze cztery lata swojej dorosłości.

Z początku rodzina prychała i kręciła nosem. Dawano mi dobitnie do zrozumienia, że piechota morska to nie miejsce dla mnie. Z czasem, wiedząc, że zdania nie zmienię, wszyscy jednak zaczęli mnie wspierać, a co poniektórzy wyglądali nawet na podekscytowanych. To znaczy wszyscy – oprócz Mamaw. Babcia próbowała wyperswadować mi ten pomysł na wszelkie sposoby: „Kurwa, jaki ty jesteś durny, przecież oni tam zeżrą cię na śniadanie, a potem wysrają". „A kto będzie się teraz mną opiekował?" „Jesteś za głupi na służbę w marines". „Jesteś za mądry, żeby służyć w marines". „Tyle dzieje się teraz na świecie, że jak nic zarobisz kulkę w łeb". „Nie chciałbyś zostać tu przy Lindsay i maluchach?" „Boję się o ciebie i nie chcę, żebyś tam szedł". Z czasem pogodziła się z moją decyzją, ale nigdy nie była z niej zadowolona. Wkrótce przed tym, jak miałem wyjechać na unitarkę, werbownik przyszedł z wizytą, by porozmawiać z moją kruchą babcią. Wyszła mu na powitanie na werandę, wyprostowała się, jak tylko mogła, i przeszyła go palącym spojrzeniem.

– Tylko mi, kurwa, stań na schodach, to ci girę odstrzelę – zapowiedziała.

– Podejrzewałem, że nie żartuje – wyznał mi później.

Więc rozmawiał z nią, stojąc na podwórku przed domem.

Kiedy wyjeżdżałem na szkolenie podstawowe, najbardziej bałem się nie tego, że zginę w Iraku czy że odrzucą mnie jako niezdatnego rekruta. Tym właściwie się nie przejmowałem. Kiedy jednak mama, Lindsay i ciocia Łii wiozły mnie na autobus, który miał zabrać mnie na lotnisko, skąd leciałem na obóz szkoleniowy, wyobrażałem sobie swoje życie za cztery lata. I widziałem je jako świat bez babci. Coś wewnątrz mnie w i e d z i a ł o, że Mamaw nie przetrwa mojego kontraktu z marines. Już nigdy nie wrócę do domu, a w każdym razie nie na stałe. Słowo „dom" oznaczało „Middletown i Mamaw". A Mamaw już zabraknie, kiedy ja odsłużę te cztery lata.

Szkolenie unitarne w Korpusie Piechoty Morskiej trwa trzynaście tygodni, w każdym z nich nacisk kładzie się na inne elementy. Kiedy wieczorem przybyłem do Parris Island w Karolinie Południowej, naszą grupę przy opuszczaniu samolotu powitał wściekły instruktor musztry. Kazał nam załadować się do autobusu. Po krótkiej jeździe inny instruktor kazał wysiadać i ustawić się na legendarnych „żółtych śladach butów". Przez kolejne sześć godzin byłem obiektem dziabnięć i ostukiwań personelu medycznego, pobrałem sprzęt i umundurowanie oraz pożegnałem się z włosami. Zezwolono nam na jedną rozmowę telefoniczną, więc oczywiście zadzwoniłem do Mamaw i odczytałem tekst z kartki, którą mi wręczono.

– Przybyłem bezpiecznie do Parris Island. Wkrótce prześlę mój adres. Do usłyszenia.

– Chwila, głąbie zasrany. Nic ci nie jest?

– Przepraszam, Mamaw, nie mogę rozmawiać. Ale tak, wszystko dobrze. Napiszę, gdy tylko będę mógł.

Instruktor musztry, który usłyszał moje nadliczbowe słowa, zapytał sarkastycznie, czy miałem dość czasu, żeby mi babcia „bajeczkę, kurwa, opowiedziała". Taki był pierwszy dzień.

Ze szkolenia się nie dzwoni. Ja otrzymałem zezwolenie tylko raz, na telefon do Lindsay w związku ze śmiercią jej przyrodniego brata. Dzięki listom uświadomiłem sobie, jak bardzo rodzina mnie kocha. Kiedy do większości rekrutów – tak nas nazywano, bo trzeba przetrzymać rygory unitarki, żeby zasłużyć na tytuł „marine" – przychodził jeden list dziennie, albo i co dwa dni, ja, bywało, dostawałem nawet po sześć. Mamaw pisała do mnie każdego dnia, czasem po kilka listów, w jednych dzieląc się rozbudowanymi obserwacjami na temat nieporządków na tym świecie, kiedy indziej zaś serwując kilkuzdaniowe strumienie świadomości. Przede wszystkim chciała wiedzieć, jak upływa mi czas, i podnosić mnie na duchu. Werbownicy powiadamiali rodziny, że większości rekrutów najbardziej przydaje się otucha, więc babcia dostarczała mi jej pod dostatkiem. Kiedy musiałem znosić wrzeszczących sierżantów i program wyrabiania sprawności fizycznej,

który obciążał moje zapuszczone ciało do granic wytrzymało-
ści, codziennie mogłem przeczytać, że Mamaw jest ze mnie
dumna, że mnie kocha i że wie, że się nie poddam. Może
dzięki inteligencji, może przez odziedziczone po niej skłon-
ności do chomikowania udało mi się zachować praktycznie wszystkie listy od rodziny, które wówczas otrzymałem.

Wiele z nich ukazuje w ciekawym świetle dom, który
opuściłem. List od mamy z zapytaniem, czy czegoś potrzebuję, i zapewnieniem, że jest ze mnie dumna. „Opiekowa-
łam się [dziećmi Lindsay] – pisała. – Bawiły się na dworze ze
ślimakami. Jednego ścisnęły i zabiły. Ale ja go wyrzuciłam
i wmówiłam im, że wcale nie, bo Kam się trochę smucił,
kiedy myślał, że go zabił". I to jest mama w najlepszym wydaniu, pełna miłości i humoru, kobieta uwielbiająca swoje
wnuczęta. W tym samym liście wzmiankuje o jakimś Gregu,
pewnie kolejnym facecie, którego tymczasem zdążyłem już
wyprzeć z pamięci. I jeszcze rzut oka na nasze pojęcie o nor-
malności. Mama pisze o swojej koleżance: „Mąż Mandy,
Terry, został aresztowany za naruszenie warunków zwolnie-
nia i wrócił do więzienia. Więc u nich wszystko w porządku".

Także Lindsay często pisała, wkładała po kilka listów do
jednej koperty, każdy na kartce innego koloru, z instruk-
cjami na rewersie: „Ten przeczytaj jako drugi", „Ten jest
ostatni". We wszystkich listach przynajmniej napomykała
o dzieciach. Dowiedziałem się o pomyślnym odpielucho-
waniu najstarszej siostrzenicy, o meczach piłkarskich siostrzeńca, o początkowych uśmiechach i pierwszych próbach
sięgania po przedmioty tej najmłodszej. Przez całe życie
wspólnie przeżywaliśmy nasze triumfy i tragedie, a teraz
oboje uwielbialiśmy jej dzieci ponad wszystko inne. Niemal

w każdym liście, który wysyłałem do domu, polecałem jej: „ucałuj dzieci i powiedz im, że je kocham".

Po raz pierwszy oderwany od domu i rodziny, wiele się nauczyłem o sobie i o kulturze, z której się wywodzę. Wbrew powszechnemu mniemaniu, wojsko to nie przytułek dla młodziaków z biednych rodzin, które nie mają innych opcji. Wśród sześćdziesięciu dziewięciu rekrutów w moim plutonie na unitarce byli czarni, biali i Latynosi, bogaci kolesie z północnej części stanu Nowy Jork i biedni z Wirginii Zachodniej. Katolicy, żydzi, protestanci, a nawet paru ateistów.

Naturalnie ciągnęło mnie do takich jak ja. „Najczęściej rozmawiam z takim jednym z hrabstwa Leslie w Kentucky – pisałem w pierwszym liście do rodziny. – Mówi zupełnie tak, jakby był z Jackson. Tłumaczyłem mu, jaka to ściema, że katolicy dostają tyle wolnego czasu. Mają więcej wolnego, bo tak są porozkładane nabożeństwa. Chłopak bez dwóch zdań jest ze wsi, bo zapytał: «A co to jest, te katoliki?». No to wyjaśniłem mu, że to taki rodzaj chrześcijaństwa, a on mówi: «Może trzeba będzie spróbować»".

Mamaw świetnie rozumiała, skąd się bierze takie podejście. „W tamtym rejonie Kentucky to tylko macanie węży" – odpisała mi półżartem.

Pod moją nieobecność Mamaw zaczęła zdradzać pewną wrażliwą stronę, której nigdy przedtem u niej nie dostrzegałem. Gdy tylko otrzymała list ode mnie, dzwoniła do mojej cioci albo do Lindsay, domagając się, żeby ktoś natychmiast przybył do jej domu i pomógł przy rozczytywaniu moich gryzmołów. „Kocham cię strasznie mocno i bardzo za tobą tęsknię i zapominam że ciebie tu nie ma i myślę że zejdziesz z piętra i będę mogła na ciebie nawrzeszczeć no takie uczucie że tak naprawdę wcale nie wyjechałeś. Dłonie mnie dziś bolą to chyba ten artretyzm czy coś... To ja już kończę potem napiszę więcej kocham cię proszę uważaj na siebie". Listy od Mamaw nigdy nie zawierały odpowiedniej interpunkcji, ale za to dokładała artykuły wycięte z pism, z reguły z „Reader's Digest", żeby mi się nie nudziło.

Wciąż jednak miała też w sobie klasyczną Mamaw, wredną i lojalną do bólu. Mniej więcej po miesiącu szkolenia miałem niemiłe ścięcie z jednym z instruktorów musztry, który zabrał mnie z plutonu i przez pół godziny na zmianę robiłem pajacyki, brzuszki i krótkie sprinty, do kompletnego wyczerpania. Takie rzeczy na obozie szkoleniowym to norma, niemal każdy musi przez to kiedyś przejść. W sumie aż dziw, że na mnie padło tak późno. Kiedy babcia dowiedziała się o tym, napisała: „Najdroższy J.D., muszę przyznać że czekałam aż te chuje jebane się do ciebie dorwą – no i się zaczęło. Jeszcze nie wymyślono takich słów którymi mogłabym opisać jak oni mnie wkurwiają [...] Ty tylko dalej rób wszystko najlepiej jak potrafisz i myśl sobie że temu głupiemu pojebowi co ma IQ równe 2 wydaje się że jest taki kozak zajebisty ale nosi dziewczyńskie majtki. Jak ja ich wszystkich nienawidzę". Kiedy przeczytałem tę salwę, myślałem, że Mamaw upuściła już sobie pary. A jednak następnego dnia dostałem ciąg dalszy: „Hej słoneczko o niczym nie mogę myśleć tylko jak te chuje na ciebie wrzeszczą to moja fucha a nie ich głupie chuje. Nie no żartuję wiem że możesz zostać kim tylko naprawdę chcesz bo jesteś mądry a oni nie i oni o tym wiedzą nienawidzę ich wszystkich serio nienawidzę każdego jednego. Wrzask to część ich gierek... ty tylko rób wszystko jak najlepiej i będzie dobrze". Najwredniejsza stara bidoczka była moją wierną stronniczką i to, że dzieliły nas setki kilometrów, nie robiło żadnej różnicy.

Posiłki na unitarce to mistrzostwo świata w wydajności działań. W stołówce idzie się jeden za drugim i podstawia tacę personelowi kuchennemu. Ci ładują na talerz c a ł ą ofertę dnia – dlatego że człowiek boi się zaprotestować przeciwko tym potrawom, których nie znosi, a zresztą jest tak głodny, że z rozkoszą wrąbałby końską padlinę. Siada się przy stole i nie patrząc na talerz (bo to nieprofesjonalne) ani nie ruszając głową (to także nieprofesjonalne), szufluje się żarcie w usta, póki nie padnie rozkaz, żeby przestać. Cała procedura zajmuje góra osiem minut i nawet jeśli na koniec nie jest się w pełni sytym, to i tak niestrawność ma się jak w banku (uczucie w sumie podobne).

Jedynym elementem tego zabiegu pozostawionym do wyboru żołnierzom jest deser – porcje wyłożone na talerzykach tam, gdzie kończyło się odbieranie reszty posiłku. Przy pierwszym obiedzie na unitarce złapałem podsuniętą porcję ciasta i pomaszerowałem na swoje miejsce, myśląc: „Nawet jeśli nic innego nie będzie mi smakowało, to ciasto na pewno będzie pyszne". Wtedy stanął przede mną mój instruktor, chudy biały typ z dźwięcznym akcentem z Tennessee. Nieduże, świdrujące oczy otaksowały mnie z góry na dół i z powrotem, a on zagadnął:

– Serio nie obejdziesz się bez tego ciasta, co, spaślaku?

Szykowałem się już do odpowiedzi, pytanie jednak najwyraźniej było retoryczne, bo wytrącił mi talerzyk z dłoni i poszedł szukać kolejnej ofiary. Już nigdy więcej nie sięgnąłem po ciasto.

Otrzymałem tu ważną lekcję, nie dotyczyła ona jednak menu, opanowania ani wartości odżywczych. Gdybyście mi powiedzieli, że na taką obelgę zareagowałbym, podnosząc ciasto, otrzepując je i wracając na miejsce, nie uwierzyłbym. Ciężkie doświadczenia z młodości wykształciły we mnie paraliżującą niepewność siebie. Zamiast gratulować sobie pokonania jakiejś przeszkody, martwiłem się, że na pewno polegnę na następnej. Obóz szkoleniowy marines, w którym wielkie i małe przeszkody sypały się jak grad, zaczął wpajać mi świadomość, że sam siebie nie doceniałem.

Unitarka w Korpusie Piechoty Morskiej jest zorganizowana na zasadzie wyzwania odmieniającego całe życie. Od dnia przybycia nikt nie mówi do ciebie po imieniu. Nie wolno mówić „ja", bo uczy się nas niewiary we własną indywidualność. Każde zapytanie zaczynamy od „ten rekrut": Ten rekrut potrzebuje udać się do latryny (toalety); ten rekrut wymaga wizyty u felczera (lekarza). Nieliczni debile, którzy przybywają na obóz z tatuażami insygniów marines, są bezlitośnie poniewierani. Na każdym kroku przypomina się rekrutom, że są bezwartościowi, póki nie ukończą szkolenia i nie zasłużą na tytuł „marine". Na początku było nas w kompanii osiemdziesięciu trzech, ale do końca dotrwało sześćdziesięciu dziewięciu. Ci, którzy odpadli – głównie z powodów medycznych – dodatkowo podkreślali wartość wyzwania.

Za każdym razem, kiedy instruktor darł się na mnie, a ja dumnie stałem na baczność; za każdym razem, kiedy podczas biegu myślałem, że padnę, ale nie odstawałem od grupy; za każdym razem, kiedy nauczyłem się robić coś, co kiedyś uważałem za niewykonalne, jak wspinaczka po linie, byłem coraz bliższy uwierzenia we własne siły. Psychologowie mówią o „wyuczonej bezradności", kiedy ktoś wierzy, tak jak ja za młodu, że podejmowane przezeń decyzje w żaden sposób nie wpływają na jego życie. Od świata skromnych oczekiwań w Middletown po nieustanny chaos w rodzinnym domu, życie nauczyło mnie, że nie mam nad niczym władzy. Mamaw i Papaw ocalili mnie przed całkowitym popadnięciem w ten stan ducha, a piechota morska pokazała, że się da. Może i w domu nauczyłem się bezradności, ale marines wpajali w nas wyuczoną przebojowość.

W dniu ukończenia obozu szkoleniowego czułem się tak dumny, jak nigdy w życiu. Na uroczystość przybyła solidna reprezentacja bidoków – w sumie osiemnaście osób, w tym Mamaw na wózku inwalidzkim, okryta kilkoma kocami, wątlejsza, niż ją pamiętałem. Oprowadziłem ich wszystkich po bazie, a czułem się tak, jakbym wygrał główną nagrodę na loterii. Kiedy następnego dnia zwolniono nas na dziesięciodniowe przepustki, pojechaliśmy całą karawaną do Middletown.

Pierwszego dnia po przybyciu z obozu poszedłem do zakładu fryzjerskiego prowadzonego przez starego przyjaciela dziadka. Marines muszą mieć krótkie włosy, a ja nie zamierzałem odpuszczać tylko dlatego, że nikt nade mną nie stał. Po raz pierwszy ten lokalny fryzjer (zawód na wymarciu, choć wtedy nie zdawałem sobie z tego sprawy) powitał mnie jak dorosłego. Usiadłem w fotelu, zaserwowałem kilka świńskich dowcipów (większość poznałem raptem kilka tygodni wcześniej), podzieliłem się garścią wspomnień z unitarki. Kiedy ten fryzjer był w moim wieku, zmobilizowali go do wojska i walczył w Korei, więc ścięliśmy się trochę, jak to marines z zającami. Po strzyżeniu odmówił przyjęcia zapłaty i życzył mi, żeby wszystko szło gładko. Nie pierwszy raz mnie strzygł, przez osiemnaście lat życia prawie codziennie mijałem jego zakład. A jednak to właśnie wtedy pierwszy raz podał mi dłoń i traktował jak równego sobie.

Zaraz po ukończeniu szkolenia zaliczyłem wiele takich sytuacji. W tych pierwszych dniach jako żołnierz marines – przez cały czas spędzony w Middletown – każde spotkanie z ludźmi było jak objawienie. Zrzuciłem ponad dwadzieścia kilo, więc niejeden znajomy z trudem mnie rozpoznał. Nate, kolega, który potem był drużbą na moim ślubie, zaliczył opad szczęki, kiedy przywitałem się z nim w centrum handlowym. Może także postawę miałem inną. W każdym razie moje rodzinne miasto najwyraźniej tak uważało.

Nie tylko wyglądałem inaczej, ale też patrzyłem na wszystko inaczej. Wiele potraw, które niegdyś jadłem, kłóciło się ze standardami diety marines. U Mamaw wszystko było smażone na oleju: kurczaki, pikle, pomidory. Kanapka z obsmażoną mortadelą na chlebie tostowym posypana kruszonymi chipsami już nie wyglądała zdrowo. Placek jagodowy, niegdyś uważany za zdrową żywność, jak każde połączenie owoców (jagody) i ziaren (mąka), przestał nęcić. Zacząłem pytać o sprawy, które nigdy dotąd mnie nie interesowały: czy to dosładzane? Czy w tym mięsie jest dużo nasyconych kwasów tłuszczowych? A ile soli? Niby tylko jedzenie, a już zdawałem sobie sprawę, że nigdy więcej nie będę patrzył na Middletown tak samo jak przedtem. Wystarczyło parę miesięcy, a Korpus Piechoty Morskiej odmienił mój sposób postrzegania świata.

Wkrótce, przydzielony do jednostki marines, opuściłem Middletown, ale życie w domu dalej biegło swym torem.

Starałem się przyjeżdżać tak często, jak tylko mogłem, i dzięki długim weekendom i szczodremu przyznawaniu przepustek w korpusie z reguły bywałem w Middletown co parę miesięcy. Za każdym razem wydawało się, że dzieciaki podrosły, a niedługo po tym, jak zacząłem obóz szkoleniowy, mama przeprowadziła się do babci, choć nie zamierzała zostać u niej na dłużej. Wydawało się, że poprawie uległ stan zdrowia Mamaw: lepiej chodziła, nawet przybrała nieco na wadze. Lindsay, ciocia Łii i ich rodziny byli zdrowi i szczęśliwi. Przed wyjazdem najbardziej obawiałem się tego, że pod moją nieobecność na Vance'ów spadnie jakaś tragedia, a ja nie będę mógł im pomóc. Na szczęście sprawy ułożyły się inaczej.

W styczniu 2005 dowiedziałem się, że moja jednostka za parę miesięcy zostanie przerzucona do Iraku. Byłem zarazem podekscytowany i spięty. Gdy zadzwoniłem, żeby przekazać tę wiadomość Mamaw, ta zamilkła. Po kilku nieprzyjemnych sekundach głuchej ciszy powiedziała tylko, że ma nadzieję, że ta wojna skończy się, nim tam trafię. Choć dzwoniliśmy do siebie co parę dni, nigdy nie rozmawialiśmy o Iraku, nawet kiedy z zimy zrobiła się wiosna i już wszyscy wiedzieli, że latem polecę na wojnę. Czułem, że Mamaw nie chce o tym mówić ani nawet myśleć, i spełniłem jej wolę.

Mamaw była stara, wątła i schorowana. Nie mieszkałem już z nią, szykowałem się do wyjazdu na wojnę. Choć zdrowie babci poprawiło się nieco w czasie mojej służby w korpusie, wciąż jednak przyjmowała parenaście leków i co kwartał trafiała do szpitala z różnymi dolegliwościami. Kiedy AK Steel – zapewniająca opiekę medyczną Mamaw jako wdowie po dziadku – zawiadomiła o podniesieniu opłat za ubezpieczenie medyczne, Mamaw po prostu nie było na nie stać. I tak ledwie wiązała koniec z końcem, a tu zażądano od niej dodatkowych trzystu dolarów miesięcznie. Gdy pewnego dnia półsłówkami zdradziła, jak się mają sprawy, natychmiast zaoferowałem, że pokryję te koszty. Babcia nigdy niczego ode mnie nie brała – ani centa z pensji ze spożywczego czy z wypłat z obozu szkoleniowego. Jednak te trzysta dolarów miesięcznie przyjmowała i stąd wiem, że była w rozpaczliwej sytuacji.

Sam nie zarabiałem zbyt wiele – netto pewnie z tysiąc dolarów miesięcznie, ale korpus dawał mi dach nad głową i wyżywienie, więc wydatków miałem mało. Do tego miałem dodatkowe źródło dochodów – internetowego pokera. Pokera miałem we krwi – od kiedy sięgam pamięcią, grałem z Papaw i prawujami o groszowe stawki – a ówczesny szał za internetowym hazardem oznaczał, że właściwie dostawałem pieniądze za nic. Grałem po dziesięć godzin tygodniowo, o drobne kwoty, i miesięcznie inkasowałem czterysta dolarów. Mamaw martwiła się naturalnie, że wpadłem w szpony nałogu i tnę w karty w jakiejś przyczepie wśród gór, otoczony przez bidoków szulerów, ale zapewniałem ją, że to wszystko legalnie i w internecie.

– Ej, przecież wiesz, że tego całego, kurwa, internetu, to ja nie rozumiem. Tylko żebyś nie przepuścił tego wszystkiego na wódkę i dziwki. Bo wszyscy buce, co się biorą do hazardu, tak właśnie kończą.

Mamaw i ja uwielbialiśmy film *Terminator 2*. Obejrzeliśmy go we dwoje chyba z pięć czy sześć razy. Mamaw w Arnoldzie Schwarzeneggerze widziała ucieleśnienie amerykańskiego snu: silnego i zdolnego emigranta, który osiągnął sam szczyt. Ja jednak patrzyłem na ten film jak na metaforę własnego życia. Mamaw dawała mi dach nad głową, ochronę, a gdyby zaszła taka potrzeba, sama zostałaby moim Terminatorem, psiakrew. Nieważne, ile kłód życie rzuciłoby mi pod nogi, byłem bezpieczny, bo babcia mnie chroniła.

Opłacanie jej ubezpieczenia medycznego sprawiło, że po raz pierwszy w życiu to ja poczułem się jej obrońcą. Dało mi to poczucie satysfakcji, jakiego nawet sobie nie wyobrażałem – bo i skąd? Nim wstąpiłem do korpusu, nie miałem pieniędzy, by móc komuś pomóc. Gdy przyjeżdżałem teraz do domu, mogłem zaprosić mamę na lunch, zafundować dzieciakom lody, kupić Lindsay fajne prezenty na święta. Podczas jednej z moich wizyt zabrałem Mamaw i dwójkę najstarszych dzieci Lindsay na wycieczkę do parku krajobrazowego Hocking Hills, pięknego kawałka Appalachów w Ohio, gdzie spotkaliśmy się z ciocią Łii i Danem. Zawiozłem ich w obie strony, płaciłem za benzynę, kupiłem wszystkim kolację (fakt, że w fast foodzie). Czułem się jak prawdziwy, dorosły mężczyzna. To, że mogłem śmiać się i żartować z ludźmi, których tak kochałem, kiedy zajadali się zafundowanym przeze mnie żarciem, dało mi takie uczucie radości i spełnienia, że nie potrafię oddać go słowami.

Dotąd przez całe życie oscylowałem pomiędzy strachem w najgorszych momentach a poczuciem bezpieczeństwa i stabilności w tych najlepszych. Albo ścigał mnie zły Terminator, albo byłem chroniony przez dobrego. Nigdy jednak nie czułem, że posiadam moc sprawczą – nie wierzyłem, że potrafię troszczyć się o tych, których kocham, i że to także moja odpowiedzialność. Mamaw mogła wygłaszać kazania na temat zalet odpowiedzialności i ciężkiej pracy, o wychodzeniu na ludzi i daremności wymówek. Jednak żadna umoralniająca gadka czy perora nie mogła pokazać mi, jakie to uczucie przejść od szukania schronienia do dawania go innym. Tego musiałem nauczyć się sam, a kiedy już to się stało, nie było mowy o odwrocie.

W kwietniu 2005 Mamaw miała obchodzić siedemdziesiąte drugie urodziny. Raptem parę tygodni przed tą datą czekałem przy warsztacie w gigantycznym Walmarcie, aż mechanicy wymienią mi olej w samochodzie. Zadzwoniłem do Mamaw z komórki, którą sam sobie kupiłem, a ona opowiedziała mi, jak tego dnia wyglądała jej opieka nad dziećmi Lindsay.

– Z tej Meghan to jest słodziak jak wszyscy diabli – mówiła. – Powiedziałam jej, że ma walić kupę w nocnik, no to potem przez trzy godziny w kółko powtarzała: „walić kupę w nocnik, walić kupę w nocnik, walić kupę w nocnik", bez jednej przerwy. Mówiłam jej, żeby przestała, bo jej mama się na mnie pogniewa, a ta nic.

Roześmiałem się, powiedziałem Mamaw, że ją kocham, i dałem do zrozumienia, że comiesięczny czek na trzysta dolarów jest już w drodze.

– J.D., dzięki, że mi pomagasz. Jestem z ciebie bardzo dumna i kocham cię.

Dwa dni później, w niedzielę, obudził mnie telefon od siostry: Mamaw miała zapadnięte płuco, leżała w szpitalu w śpiączce, powinienem przyjechać do domu najszybciej, jak to tylko możliwe. Dwie godziny później byłem już w trasie. Spakowałem niebieski mundur wyjściowy, na wypadek gdybym potrzebował go na pogrzeb. Po drodze, w Wirginii Zachodniej, zatrzymał mnie policjant stanowy, bo prułem na międzystanowej I-77 sto pięćdziesiąt na godzinę. Zapytał, dokąd się tak spieszę, a gdy wyjaśniłem, powiedział, że przez następne sto dziesięć kilometrów, do granicy z Ohio, nie ma już patroli z radarami, więc do tego miejsca mogę wyciskać z auta wszystko. Wypisał mi ostrzeżenie, przyjąłem je z gorącym podziękowaniem i do granicy Ohio ciągnąłem sto siedemdziesiąt. Zamiast trzynastu godzin normalnej jazdy zmieściłem się w niespełna jedenastu.

Gdy o jedenastej wieczorem dotarłem do szpitala okręgowego w Middletown, wokół łóżka Mamaw zebrała się już cała rodzina. Z babcią nie było kontaktu. Choć lekarzom udało się na powrót napełnić jej płuco, infekcja, która doprowadziła do zapadnięcia, nie poddawała się terapii. Bez zwalczenia tego zakażenia wybudzanie babci sprawiłoby jej katusze, powiedział nam lekarz – o ile w ogóle udałoby się wyprowadzić ją ze śpiączki.

Kilka dni czekaliśmy na sygnał, że leki pokonują infekcję. Jednak objawy wskazywały na to, że jest wręcz przeciwnie – stale podnosiła się liczba krwinek białych, część organów wewnętrznych zdradzała oznaki znacznego przeciążenia. Lekarz wyjaśnił, że Mamaw żyje właściwie tylko dzięki respiratorowi i karmieniu dojelitowemu. Naradziliśmy się całą rodziną i postanowiliśmy, że jeśli po upływie doby liczba leukocytów wciąż będzie rosnąć, zgodzimy się na wyłączenie aparatury podtrzymującej życie. Z prawnego punktu widzenia jedyną osobą władną podjąć taką decyzję była ciocia Łii – nigdy nie zapomnę, jak ze łzami w oczach pytała mnie, czy nie uważam, że popełnia błąd. Nawet teraz jestem przeświadczony, że i ona, i my wszyscy dokonaliśmy słusznego wyboru. Pewności raczej nigdy nie będziemy mieli. W tamtej chwili żałowałem, że nie mamy w rodzinie lekarza.

Internista powiedział nam, że bez respiratora Mamaw umrze w ciągu kwadransa, najdalej godziny. A tymczasem konała trzy godziny, walczyła do ostatniej minuty. Byliśmy przy niej wszyscy: wuja Jimmy, mama, ciocia Łii, Lindsay, Kevin i ja – zebraliśmy się wokół jej łóżka, po kolei szepcząc jej do ucha z nadzieją, że jednak nas słyszy. Kiedy jej tętno zwolniło, zrozumieliśmy, że koniec jest już bliski, na chybił trafił otworzyłem Biblię z wyposażenia sali i zacząłem czytać. Był to Pierwszy List Świętego Pawła do Koryntian, rozdział 13, wers 12: „Teraz widzimy jakby w zwierciadle, niejasno; wtedy zaś [zobaczymy] twarzą w twarz: Teraz poznaję po części, wtedy zaś poznam tak, jak i zostałem poznany". Minęło kilka minut, i babcia już nie żyła.

Nie płakałem, gdy Mamaw umarła, ani przez wiele następnych dni. Ciocia Łii i Lindsay frustrowały się moim zachowaniem, ale potem zaczęły się martwić: „Jesteś taki stoicki – mówiły. – Musisz dać upust żałobie jak my wszyscy, bo inaczej trzaśniesz".

Bolałem nad jej śmiercią na swój sposób, wyczuwałem jednak, że cała nasza rodzina jest na krawędzi załamania, chciałem więc dawać przykład duchowej siły. Wszyscy wiedzieliśmy, jak mama zachowywała się po śmierci dziadka, a śmierć Mamaw wywołała jeszcze dodatkową presję: nadszedł czas rozporządzenia spadkiem, sprawdzenia stanu zadłużenia babci, spieniężenia posesji i rozdziału tego, co zostanie po spłacie. Po raz pierwszy wuja Jimmy uświadomił sobie, jak bardzo mama namieszała w finansach Mamaw – koszty terapii odwykowych, liczne, a nigdy niespłacane „pożyczki". Po dzień dzisiejszy nie odzywa się do niej.

Pozostali, dobrze wiedząc, jak szczodra potrafiła być Mamaw, nie byli zaskoczeni jej sytuacją finansową. Choć Papaw przez z górą cztery dekady pracował i odkładał każdy grosz, jedynym wartościowym obiektem, który pozostał, był dom, który kupili z babcią pół wieku temu. Mamaw miała tyle długów, że mocno nadszarpnęły hipotekę domu. Na szczęście był to rok 2005 – bańka na rynku nieruchomości osiągnęła właśnie szczytowe rozmiary. Gdyby babcia zmarła w 2008, długi najprawdopodobniej pochłonęłyby cały spadek.

Mamaw w testamencie podzieliła to, co zostało po spłacie, pomiędzy trójkę swoich dzieci, z jednym haczykiem: udział mamy został zapisany po równo na mnie i na Lindsay. To niewątpliwie przyczyniło się do nieuchronnej eksplozji maminych emocji. Byłem tak zaabsorbowany finansowymi konsekwencjami śmierci babci i spotykaniem krewniaków, których nie widziałem od wielu miesięcy, że nie dostrzegłem powolnego osuwania się mamy w to samo miejsce, w którym wylądowała, kiedy odszedł Papaw. Trudno jednak nie zauważyć rozpędzonego pociągu towarowego, kiedy stoi się na szynach, więc nie trzeba było wiele czasu, bym się zorientował, co się święci.

Podobnie jak Papaw, babcia zażyczyła sobie wystawienia zwłok w Middletown, by wszyscy jej przyjaciele z Ohio mogli się zebrać i z nią pożegnać. Podobnie jak Papaw, chciała też drugiego wystawienia w Jackson, w domu pogrzebowym Deatona. Po ceremonii kondukt wyjechał do Keck, duliny nieopodal miejsca urodzin babci, gdzie znajdował się też rodzinny cmentarz. W rodzinnych legendach Keck to miejsce nawet bardziej kultowe niż to, w którym urodziła się Mamaw. Jej matka – nasza ukochana Mamaw Blanton –

przyszła na świat właśnie w Keck, a jej młodsza siostra, ciocia Bonnie, już niemal dziewięćdziesięciolatka, miała na tej parceli piękną chatę z nieociosanych belek. Kawałek pod górę od tej chaty znajduje się względnie płaski skrawek terenu, na którym znaleźli miejsce ostatniego spoczynku Papaw, Mamaw Blanton i wielu innych krewnych, niektórzy urodzeni jeszcze w XIX wieku. Tam właśnie zmierzał kondukt, po wąskich, górskich drogach, by złożyć Mamaw obok członków rodziny, którzy odeszli przed nią.

Jeździłem tą trasą w kawalkadzie pogrzebowej pewnie dobre pół tuzina razy. Każdy zakręt odsłania pejzaże przywodzące na myśl wspomnienia szczęśliwszych chwil. Nie da się w ciągu dwudziestu minut jazdy wysiedzieć w samochodzie bez wymieniania się opowieściami o zmarłych, każdej zaczynającej się od: „A pamiętacie, jak...". Jednak po ceremonii pogrzebowej Mamaw nie przywoływaliśmy kolejnych pamiętnych chwil z babcią, dziadkiem, wujem Petem, wujem Salicylem, czy tego dnia, kiedy wuja David wypadł z drogi, koziołkował samochodem sto metrów w dół zbocza, po czym wysiadł zeń, nawet niedraśnięty. Zamiast tego słuchałem z Lindsay, jak mama wypomina nam, że jesteśmy z b y t s m u t n i, że kochaliśmy Mamaw z a b a r d z o, że to mama ma większe prawo do rozpaczy, bo, jak to ujęła, „To była moja mama, nie wasza!".

Nigdy w życiu nie byłem na nikogo aż tak wściekły, z żadnego powodu. Całymi latami usprawiedliwiałem mamę. Próbowałem pomagać jej w walce z lekomanią, czytałem te durne książki o uzależnieniach, chodziłem na spotkania anonimowych narkomanów. Bez słowa skargi znosiłem kolejnych „tatusiów", którzy za każdym razem odchodzili, zostawiając we mnie pustkę i nieufność do facetów. Zgodziłem się wsiąść do jej samochodu tego dnia, kiedy zagroziła, że mnie zabije, a potem stanąłem przed sędzią i kłamałem, żeby tylko mama nie poszła do więzienia. Wprowadziłem się z nią do Matta, a potem do Kena, bo chciałem, żeby jej się polepszyło, i myślałem, że jeśli nie będę z nią wojował, to może faktycznie się poprawi. Przez lata Lindsay mówiła, że jestem „wybaczającym dzieckiem" – tym, który znajdował w mamie dobre strony, który ją usprawiedliwiał, który wierzył. Otworzyłem usta, by rzygnąć w mamę czystą żółcią, ale Lindsay odezwała się pierwsza:

– Nie, mamo. Ona była także naszą matką.

I nie było już nic do dodania, więc dalej jechałem w milczeniu.

Dzień po pogrzebie ruszyłem z powrotem do Karoliny Północnej, do swojej jednostki marines. W trakcie jazdy, na wąskiej górskiej drodze wśród pustkowi Wirginii, wychodząc z zakrętu, trafiłem na mokry spłachetek asfaltu, straciłem panowanie nad kierownicą i samochód zaczął tańczyć. Jechałem szybko, rozpędzone auto wydawało się wcale nie tracić prędkości, kiedy mknąłem ku barierkom. Przemknęło mi przez głowę, że to już koniec – że wylecę z jezdni i spotkam się z Mamaw nieco szybciej, niż się spodziewałem – gdy nagle samochód się zatrzymał. Nigdy w życiu nie zdarzyło mi się nic bardziej wyglądającego na ingerencję sił nadprzyrodzonych i choć zapewne dałoby się wszystko wyjaśnić jakimiś prawidłami tarcia, wyobrażałem sobie, że to Mamaw powstrzymała moje auto przed runięciem ze stoku. Skierowałem je z powrotem we właściwym kierunku, wróciłem na swój pas, po czym zjechałem na pobocze. To wtedy pękłem i pozwoliłem płynąć łzom, które powstrzymywałem przez ostatnie dwa tygodnie. Nim ruszyłem w dalszą drogę, przedzwoniłem do Lindsay i cioci Łii. Po paru godzinach byłem znów w jednostce.

Ostatnie dwa lata mojej służby w marines przeleciały jak z bicza trzasł, właściwie bez ciekawszych zdarzeń, choć miały miejsce dwa incydenty, każdy ilustrujący, w jaki sposób Korpus Piechoty Morskiej zmienił mój sposób postrzegania świata. Najpierw moment z Iraku – miałem szczęście, bo uniknąłem tam poważniejszych starć, ale to zajście i tak odcisnęło na mnie swoje piętno. Otóż, przydzielony do kontaktu z mediami, dołączałem do różnych jednostek, żeby oswoić się z tokiem ich codziennych działań. Czasami towarzyszyłem cywilnym dziennikarzom, najczęściej jednak robiłem zdjęcia czy pisałem krótkie materiały o poszczególnych żołnierzach czy wykonywanych przez nich zadaniach. Niedługo po przybyciu do Iraku dołączyłem do jednostki wyznaczonej do utrzymywania kontaktu z ludnością z zadaniem wspierania lokalnych społeczności. Misje kontaktu z ludnością były z reguły uważane za bardziej niebezpieczne, bo nieduże oddziały marines wypuszczały się w niezabezpieczone rejony Iraku na spotkania z tubylcami. Podczas tej akurat misji oficerowie marines prowadzili rozmowy z miejscowymi urzędnikami oświatowymi, a cała reszta naszego oddziału zapewniała ochronę albo kręciła się wśród uczniów, kopiąc w piłkę czy rozdając cukierki i przybory szkolne. Pewien bardzo nieśmiały chłopczyk podszedł do mnie, wyciągając otwartą dłoń. Gdy dałem mu małą gumkę do ołówków, jego twarz na moment rozpromieniła się radością, a potem pobiegł do swojej rodziny, triumfalnie unosząc nad głową swój prezent za parę centów. Nigdy dotąd nie widziałem takiego podekscytowania na dziecięcej twarzy.

Nie wierzę w nagłe olśnienia. Nie wierzę w natychmiastowe przeobrażenia, bo przeobrażenie to zbyt trudna sprawa, by nastąpiło w jednej chwili. Widziałem zbyt wielu ludzi, z których aż wylewało się szczere pragnienie zmiany samych siebie, ale tracili cały animusz, kiedy uświadamiali sobie, jak trudna w rzeczywistości byłaby taka przemiana. Niemniej owa chwila z tym chłopcem była dla mnie niemal olśnieniem. Przez całe dotychczasowe życie nosiłem w sobie urazę do całego świata. Byłem wściekły na matkę i ojca, wściekły, że do szkoły dojeżdżałem gimbusem, kiedy innych podwozili samochodami kumple, wściekły, że nie miałem ciuchów od Abercrombie & Fitch, wściekłem się, gdy umarł mój dziadek, wściekało mnie, że mieszkamy w ciasnym domku. Wszystkie te żale nie zniknęły w jednej chwili, kiedy jednak stałem i patrzyłem na kłębiące się dzieci sponiewieranego wojną narodu, ze szkoły, w której nie było wody bieżącej, i na tego przeszczęśliwego malca, zacząłem doceniać, jak wiele szczęścia miałem w życiu: urodziłem się w najwspanialszym kraju pod słońcem, w zasięgu ręki miałem wszelkie wygody nowoczesności, wspierało mnie i kochało dwoje bidoków, bo byłem częścią rodziny, która mimo wszelkich swych narowów darzyła mnie bezwarunkową miłością. W owej chwili postanowiłem sobie, że ja też będę takim człowiekiem, który uśmiechnie się szeroko, kiedy ktoś sprezentuje mu choćby gumkę. Może nie do końca jeszcze mi się udało, ale gdyby nie tamten dzień w Iraku, nawet bym nie próbował.

Drugi, również odmieniający życie aspekt służby w korpusie, trwał nieustannie. Od pierwszego dnia i tamtego okropnego instruktora, który wytrącił mi talerzyk z ciastem, po sam koniec, kiedy złapałem kwity demobilizacyjne i wyrwałem do domu, Korpus Piechoty Morskiej uczył mnie życia w roli osoby dorosłej.

Korpus zakłada, że jego rekrutów cechuje skrajna ignorancja. Zakłada, że nikt nigdy nie uczył ich niczego na temat sprawności fizycznej, higieny osobistej czy osobistej gospodarki finansowej. Zaliczyłem obligatoryjne kursy z bilansowania wydatków z książeczki czekowej, robienia oszczędności i inwestowania. Gdy wróciłem z unitarki, wypłaciłem zarobione tysiąc pięćset dolarów z konta w kiepskim banku regionalnym, a starszy stażem szeregowiec marines zawiózł mnie do oddziału szanowanej kasy kredytowej Navy Federal i kazał mi założyć tam konto. Kiedy dostałem zapalenia gardła i próbowałem wziąć je na przetrzymanie, dowódca oddziału przyuważył mnie i polecił, żebym zgłosił się do lekarza.

Był czas, że wciąż narzekaliśmy na zasadniczą różnicę, jaką widzieliśmy między kontraktem w marines a pracą w cywilu: cywilny szef przestaje kierować twoim życiem, kiedy wychodzisz z roboty. W korpusie mój szef nie tylko pilnował, żebym dobrze wykonywał swoje zadania, ale wymagał też, żebym utrzymywał porządek w pokoju, żebym był ostrzyżony i miał odprasowany mundur. Wysłał starszego stażem żołnierza, by miał na mnie oko, kiedy zamierzałem sobie kupić pierwszy samochód, tak bym wybrał coś praktycznego, jakąś toyotę czy hondę, a nie bmw, jak mi się marzyło. Kiedy byłem już o włos od wzięcia kredytu na ten zakup prosto od dilera samochodów, gdzie stopa oprocentowania wynosiła dwadzieścia jeden procent, mój opiekun mało nie wyszedł z siebie – kazał mi zadzwonić do Navy Federal i zapytać o ich ofertę (mieli oprocentowanie o ponad połowę niższe). Nie miałem dotąd pojęcia, że ludzie robią takie rzeczy. Porównywać banki? Myślałem, że wszystkie są takie same. Szukać korzystniejszych warunków pożyczki? Poczułem się jak ogromny farciarz, że w ogóle zaoferowano mi kredyt, i byłem gotów z miejsca łapać za długopis. Korpus Piechoty Morskiej wymagał ode mnie strategicznego podchodzenia do takich decyzji, a z czasem nauczył też, jak to robić.

Co równie ważne, korpus sprawił, że zacząłem spodziewać się po sobie większych dokonań. Na unitarce sama myśl o wspinaczce na dziewięciometrową linę budziła zgrozę, ale kończąc pierwszy rok służby, byłem już w stanie zrobić to, podciągając się tylko jedną ręką. Przed wstąpieniem do wojska w życiu nie przebiegłem pełnej mili. Na ostatnim teście sprawnościowym zrobiłem trzy mile w dziewiętnaście minut. To właśnie w Korpusie Piechoty Morskiej po raz pierwszy rozkazałem dorosłym ludziom wykonanie jakiejś pracy i patrzyłem, jak się słuchają. Tam nauczyłem się, że przewodzenie to w znacznie większym stopniu kwestia zdobycia szacunku podwładnych niż wywyższania się nad nich, i odkryłem, jak można ten respekt uzyskać. Tam zobaczyłem, że mężczyźni i kobiety z różnych warstw społecznych i ras mogą działać jako jeden zespół, połączony tak silnie, jakby to były więzy krwi. To Korpus Piechoty Morskiej dał mi możliwość po raz pierwszy naprawdę nawalić, sprawił, że z tej możliwości skorzystałem, a kiedy faktycznie nawaliłem, i tak dał mi kolejną szansę.

Wśród marines przydzielonych do kontaktów z mediami rolę rzeczników prasowych otrzymują ci o najdłuższym stażu. Rzecznikowanie to dla piarowców korpusu Święty Graal, tu jest największa widownia, tu gra się o najwyższe stawki. Naszym oficerem od mediów w Cherry Point był pewien kapitan, który z nieodgadnionych dla mnie dotąd powodów mocno podpadł wierchuszce jednostki. Choć był kapitanem, osiem grup zaszeregowania nade mną, z powodu wojen w Iraku i Afganistanie nie było komu go zastąpić, kiedy go wysiudali. Mój szef oświadczył więc, że przez najbliższe dziewięć miesięcy (do końca kontraktu) będę rzecznikiem prasowym jednej z największych baz wojskowych na Wschodnim Wybrzeżu.

Zdążyłem się już oswoić z okazjonalną przypadkowością przydziałów w Korpusie Piechoty Morskiej. To jednak było zagranie zupełnie z kosmosu. Jak to żartem ujął jeden z moich kolegów, mam twarz w sam raz do radia, zupełnie też nie byłem przygotowany na dawanie wywiadów do telewizji na żywo o bieżących wydarzeniach w bazie. Korpus rzucił mnie wilkom na pożarcie. Początki były trochę kulawe – pozwoliłem kilku fotoreporterom zrobić zdjęcia nieodtajnionego statku powietrznego, odezwałem się nie w porę na spotkaniu ze starszymi oficerami – i zebrałem zjeby. Mój szef, Shawn Haney, wyjaśnił, co powinienem robić, żeby się poprawić. Rozmawiał ze mną o budowaniu właściwych stosunków z dziennikarzami, o trzymaniu się tematu, o zarządzaniu czasem. Więc się poprawiłem, a kiedy na urządzany co dwa lata pokaz lotniczy zjechały się nam do bazy setki tysięcy ludzi, nasz kontakt z mediami był tak dobrze poukładany, że przyznano mi medal pochwalny.

To przeżycie było dla mnie cenną lekcją: radziłem sobie. Jeśli musiałem, mogłem pracować dwadzieścia cztery godziny na dobę. Mogłem mówić wyraźnie i bez zająknienia nawet z obiektywami kamer o włos od twarzy. Mogłem wejść do sali z majorami, pułkownikami, generałami i nie wpadać w popłoch. Mogłem wykonywać zadania kapitana, nawet jeśli bałem się, że nie podołam.

Mimo wszystkich wysiłków babci, mimo kazań z cyklu „Możesz osiągnąć wszystko, nie bądź jak te chujki, co myślą, że świat gra z nimi znaczonymi kartami", przed wstąpieniem do korpusu nie całkiem jeszcze przyswoiłem sobie ten komunikat. Wszędzie dokoła widziałem bowiem inny przekaz: że ja i ludzie mi podobni jesteśmy kiepscy, że Middletown nie zrodziło żadnego absolwenta prestiżowych uniwersytetów Ivy League z powodu wadliwych genów czy charakterów. Nie mógłbym dostrzec destrukcyjnych skutków takiej mentalności, gdybym się z niej nie wyrwał. Korpus Piechoty Morskiej wpoił mi na jej miejsce coś innego, coś, co usprawiedliwienia traktuje ze wstrętem. „Daję z siebie wszystko" było sloganem, hasełkiem rzucanym na lekcji wuefu czy godzinie wychowawczej. Kiedy pierwszy raz przebiegłem trzy mile, nieco pod wrażeniem faktu, że zrobiłem to w raczej żałosne dwadzieścia pięć minut, na mecie powitał mnie przerażający typ, starszy instruktor musztry.

– Jak nie rzygasz, znaczy, że się opieprzałeś! Przestań się, kurwa, opierdalać!

I zaraz kazał mi ganiać sprintem od siebie do drzewa i z powrotem, raz za razem. Kiedy czułem, że za chwilę zemdleję, odpuścił. Rzęziłem, ledwie mogłem złapać oddech.

– I tak powinieneś się czuć po każdym biegu! – wrzasnął.

W korpusie dawanie z siebie wszystkiego to chleb powszedni.

Nie mówię, że talent się nie liczy. Na pewno pomaga. Jest jednak wielka moc w uświadomieniu sobie, że człowiek sam siebie dotąd nie doceniał – że nie wiedzieć czemu umysł brał skutki nieprzyłożenia się do jakiegoś zadania za dowód niezdolności do jego wykonania. I to dlatego, kiedy pytają mnie, co najbardziej chciałbym zmienić w białej klasie robotniczej, mówię: „Poczucie, że nasze decyzje nic nie znaczą". Korpus Piechoty Morskiej wypruł ze mnie to uczucie, jak chirurg usuwający nowotwór.

Parę dni po dwudziestych trzecich urodzinach wskoczyłem do pierwszego wartościowego przedmiotu, który w życiu kupiłem – starej hondy civic, odebrałem kwity o zwolnieniu z wojska i po raz ostatni ruszyłem w trasę z Cherry Point w Karolinie Północnej do Middletown w Ohio. W ciągu czteroletniego kontraktu w marines widziałem na Haiti taką biedę, jakiej dotąd nawet sobie nie wyobrażałem. Widziałem piekielne konsekwencje katastrofy lotniczej w dzielnicy mieszkalnej. Widziałem, jak umiera Mamaw, a parę miesięcy później poszedłem na wojnę. Zaprzyjaźniłem się z byłym dilerem cracku, który okazał się najciężej pracującym nad sobą żołnierzem marines, jakiego dane mi było poznać.

Kiedy wstąpiłem do Korpusu Piechoty Morskiej, uczyniłem to po części dlatego, że nie byłem gotowy na dorosłość. Nie umiałem pilnować stanu konta, a co dopiero wypełnić formularzy wniosków o pomoc finansową dla studenta. Teraz zaś wiedziałem już dokładnie, co chcę w życiu osiągnąć i jak powinienem do tego zmierzać. Za trzy tygodnie miałem rozpocząć zajęcia na Uniwersytecie Stanowym Ohio.

II

Na zajęcia orientacyjne uniwersytetu stanowego zgłosiłem się z początkiem września 2007 roku i podekscytowanie aż mnie roznosiło. Pamiętam każdy, najdrobniejszy szczegół tamtego dnia: lunch w Chipotle (pierwszy raz w życiu dla Lindsay), spacer z budynku, gdzie odbywały się zajęcia, do domu w południowej części kampusu, w którym miałem zamieszkać na czas pobytu w Columbus, i piękną pogodę. Spotkałem się ze swoim opiekunem, który przedstawił mi początkowy rozkład zajęć – na uniwersytecie musiałem być tylko przez cztery dni w tygodniu, nigdy przed dziewiątą trzydzieści. Po latach pobudek o wpół do szóstej w marines taki luksus nie mieścił mi się w głowie.

Główny kampus uniwersytetu stanowego w Columbus dzieli od Middletown odległość może stu pięćdziesięciu kilometrów, czyli na tyle niedużo, że co weekend mogłem odwiedzać rodzinę. Po czterech latach wreszcie mogłem wpadać do Middletown, kiedy tylko miałem ochotę. Ale o ile Havelock (miejscowość w Karolinie Północnej, przy której znajdowała się moja jednostka marines) nie różniło się zanadto od Middletown, Columbus było niczym wielkomiejski raj. Było to (i wciąż jest) jedno z najszybciej rozrastających się miast w kraju, a motorem jego rozwoju był w znacznej części rojny uniwersytet, w którym podjąłem naukę. Jego absolwenci zakładali firmy, w zabytkowych budynkach uruchamiano nowe restauracje, wydawało się, że nawet najgorsze dzielnice poddawane były znaczącej rewitalizacji. Niedługo po tym, jak przeprowadziłem się do Columbus, jeden z moich najlepszych kumpli został dyrektorem do spraw promocji w miejscowej stacji radiowej, więc zawsze wiedziałem, co się dzieje w mieście, i miałem wejścia na najfajniejsze wydarzenia, od festynów lokalnych po miejsce w loży dla VIP-ów na corocznym pokazie sztucznych ogni.

Pod wieloma względami życie na kampusie wyglądało bardzo swojsko. Znalazłem sobie wielu nowych przyjaciół, ale praktycznie wszyscy pochodzili z południowo-wschodnich regionów Ohio. Pięciu spośród sześciu moich współlokatorów ukończyło liceum w Middletown, a szósty – liceum Edgewood w pobliskim Trenton. Byli ode mnie nieco młodsi (kontrakt w marines sprawił, że odstawałem wiekiem od typowych pierwszoroczniaków), ale większość z nich znałem z miasta. Moi najbliżsi koledzy już ukończyli studia albo zaraz mieli to zrobić, ale wielu po zdobyciu dyplomu nie wyjeżdżało z Columbus. Nie byłem tego wówczas świadom, ale widziałem zjawisko znane jako „drenaż mózgów”: ludzie zdolni opuścić podupadające miasteczka często faktycznie z nich wyjeżdżają, a gdy znajdą sobie nowe miejsce, dające szanse na wykształcenie i dobrą pracę, zostają tam. Po latach spojrzałem na swoich sześciu drużbów i uświadomiłem sobie, że każdy z nich, jak ja, wychował się w którymś z miasteczek Ohio, po czym poszedł na uniwersytet stanowy. Co do jednego znaleźli sobie pracę poza rodzinnymi okolicami i żaden nie miał najmniejszej nawet ochoty wracać na stare śmieci.

Gdy rozpoczynałem studia, nosiłem w sobie wpojone przez korpus niewiarygodne poczucie niezwyciężoności. Chodziłem na zajęcia, przygotowywałem prace zaliczeniowe, ślęczałem w bibliotece, do bursy wracałem, żeby pić z kumplami prawie do rana, a zrywałem się co świt, żeby pobiegać. Bogaty plan dnia, ale wszystko to, czego bałem się w samodzielnym życiu uniwersyteckim, kiedy miałem osiemnaście lat, teraz było jak bułka z masłem. Kiedy przed laty pociliśmy się z Mamaw nad tymi wnioskami o dofinansowanie, debatowaliśmy nad tym, czy to ją czy mamę powinienem wpisać jako „rodzica/opiekuna". Baliśmy się, że jeśli jakimś cudem nie ustalę i nie podam im danych skarbowych Boba Hamela (prawnie mojego ojca), mogę być oskarżony o próbę wyłudzenia. Cała ta procedura uświadomiła nam boleśnie, jak niewiele wiemy o świecie wokół nas. W liceum mało brakowało, a zostałbym wydalony, bo w pierwszej klasie z angielskiego miałem tylko słabe tróje i pały. Teraz sam opłacałem swoje rachunki, a z każdego kursu, na który się zapisałem w najlepszym uniwersytecie w całym stanie, dostawałem celujące. Jak nigdy dotąd czułem, że jestem panem swojego losu.

Wiedziałem, że uniwersytet stanowy to czas próby, wóz albo przewóz. Z Korpusu Piechoty Morskiej wyniosłem nie tylko poczucie, że mogę osiągnąć to, co sobie wymarzę, ale też umiejętność planowania. Chciałem potem studiować prawo, ale wiedziałem, że by dostać się na najlepsze studia prawnicze, muszę mieć dobre oceny i osiągnąć świetny wynik na osławionym egzaminie LSAT (Law School Admission

Test – egzamin dopuszczający do studiów prawniczych).
Oczywiście wciąż nie dysponowałem pełną wiedzą. Nie potrafiłbym wyjaśnić, czemu naprawdę chciałem iść na prawo, może z wyjątkiem faktu, że w Middletown „bogackie dzieciaki" pochodziły wyłącznie z rodzin lekarzy albo prawników, a ja nie chciałem babrać się we krwi. Nie wiedziałem, ile jeszcze opcji istniało na świecie, ale ta odrobina wiedzy, którą dysponowałem, dała mi przynajmniej jakiś drogowskaz, i to mi wystarczało.

Nie cierpiałem mieć długów i wynikającego z nich poczucia skrępowania. Choć znaczną część kosztów studiów pokrywało dofinansowanie dla byłych żołnierzy, a mieszkańcy Ohio za naukę na uniwersytecie stanowym płacili względnie niedużo, wciąż jeszcze musiałem z własnej kieszeni pokryć kwotę około dwudziestu tysięcy dolarów. Znalazłem pracę w parlamencie stanowym, w personelu wyjątkowo miłego senatora z rejonu Cincinnati, Boba Schulera. Był z niego dobry człowiek, podobały mi się jego poglądy polityczne, więc kiedy wyborcy dzwonili z pretensjami, starałem się tłumaczyć jego decyzje. Obserwowałem wizyty lobbystów, nasłuchiwałem, kiedy senator dyskutował z asystentami, czy dana ustawa będzie korzystna dla jego wyborców, dla stanu, a może jednych i drugich. Przyglądanie się od wewnątrz temu, jak działa polityka, pozwoliło mi docenić ten proces w stopniu, którego nigdy nie da oglądanie programów informacyjnych z kablówki. Mamaw miała wszystkich polityków za kanciarzy, ale przekonałem się, że w parlamencie stanowym Ohio, niezależnie od partyjnych afiliacji, przeważnie było inaczej.

Po kilku miesiącach pracy dla senatu stanowego, gdy rachunków do zapłaty przybywało, a coraz trudniej przychodziło mi znajdowanie pomysłów na załatanie rozziewu między przychodami a wydatkami (jak się okazało, oddawać krew na osocze można tylko dwa razy w tygodniu), postanowiłem znaleźć jeszcze jedną pracę. Jakaś fundacja szukała pracownika na niepełny etat, płacili dziesięć dolarów za godzinę, ale kiedy na rozmowę przyszedłem w spodniach khaki, ohydnej limonkowej koszuli i bojowych trepach marines (poza adidasami miałem tylko takie) i zobaczyłem, jak na ten widok zareagował ich przedstawiciel, wiedziałem już, że tu nic nie zdziałam. Odmownego mejla, który przyszedł po tygodniu, praktycznie zignorowałem. Inna miejscowa fundacja, pracująca z krzywdzonymi i zaniedbywanymi dziećmi, także oferowała dychę za godzinę, poszedłem więc do odzieżowej sieciówki Target, kupiłem lepszą koszulę i czarne buty, i zaproponowali mi posadę „konsultanta". Kierunek działania tej fundacji trafiał mi do serca, zespół też mieli świetny. Pracę zacząłem od razu.

Dwa miejsca pracy i regularny tok studiów oznaczały mocno napięty rozkład każdego dnia, ale nie przeszkadzało mi to. Nie uświadamiałem sobie nawet, że to coś nadzwyczajnego, do chwili kiedy jeden z profesorów napisał do mnie mejla z propozycją spotkania po zajęciach, żebyśmy mogli omówić moją pracę zaliczeniową. Kiedy przesłałem mu swój rozkład tygodnia, był w szoku. Upomniał mnie surowo, że powinienem skupić się na nauce, nie dopuścić, by praca zarobkowa mnie rozpraszała. Uśmiechnąłem się, uścisnąłem mu dłoń, podziękowałem za radę, ale z niej nie skorzystałem. Podobało mi się siedzenie po nocach nad pracami pisemnymi, zrywanie się wcześnie po trzech czy czterech godzinach snu, byłem z siebie dumny, że daję radę. Po tylu latach lęku o własną przyszłość, zamartwiania się, że skończę tak jak wielu sąsiadów i krewnych – uzależniony od narkotyków czy alkoholu, w więzieniu czy z dziećmi, którymi nie mógłbym czy nawet nie chciałbym się zająć – teraz czułem w sobie potężny impet. Znałem statystyki. Już w dzieciństwie czytałem broszurki wykładane w biurach opieki społecznej. Wiedziałem, że higienistka z przychodni dentystycznej dla niezamożnych rodzin patrzy na mnie ze współczuciem. Nie powinienem był wyjść na prostą, a jednak samodzielne życie szło mi całkiem nieźle.

Czy nie wziąłem na siebie zbyt dużo? Ależ oczywiście. Za mało spałem. Zbyt dużo piłem, a prawie każdy posiłek pochodził z Taco Bell. Raz, kiedy wydawało mi się, że to tylko okropne przeziębienie, lekarz powiedział mi po tygodniu, że to zakaźna mononukleoza. Olałem go i ciągnąłem dalej, jakby syropy na kaszel i paracetamol były magicznymi eliksirami. Po kolejnym tygodniu mój mocz wpadł w obrzydliwy odcień brązu, a temperatura dobiła czterdziestki. Uświadomiłem sobie, że chyba jednak powinienem trochę o siebie zadbać, więc łyknąłem kilka paracetamoli, poprawiłem paroma piwkami, i zasnąłem.

Kiedy mama dowiedziała się, jak się mają sprawy, przyjechała do Columbus i zabrała mnie na ostry dyżur. Nie była idealną matką ani nawet czynną zawodowo pielęgniarką, ale za punkt honoru obrała sobie nadzorowanie każdego naszego zetknięcia z systemem opieki zdrowotnej. Zadawała te pytania, które należało zadać, spoglądała koso na lekarzy, jeśli nie odpowiadali jej wprost, i dopilnowała, żebym miał wszystko, czego potrzebowałem. W szpitalu spędziłem całe dwa dni, bo musieli wpompować we mnie pięć pakietów soli fizjologicznej, żeby przywrócić mi właściwy poziom płynów, a poza tym lekarze wykryli, że oprócz mononukleozy załapałem się jeszcze na zakażenie gronkowcem, co tłumaczyło, czemu aż tak się rozłożyłem. Wypisali mnie pod opiekę mamy, a ona wywiozła mnie ze szpitala na wózku inwalidzkim i dostarczyła na rekonwalescencję do domu.

Chorowałem jeszcze parę tygodni, co na szczęście zbiegło się z przerwą między wiosennym a letnim trymestrem na uniwersytecie. Podczas pobytu w Middletown przenosiłem się od mamy do cioci Łii i z powrotem – obie troszczyły się o mnie i traktowały mnie jak syna. Wtedy po raz pierwszy naprawdę poczułem, jak trudno będzie po śmierci Mamaw pogodzić emocjonalne potrzeby rodziny w Middletown: nie chciałem sprawić mamie przykrości, ale przeszłość otworzyła między nami przepaść, której raczej nigdy nie uda się zasklepić. Nigdy nie stanąłem twarzą w twarz z tymi problemami. Nie wygarnąłem mamie, że nieważne, jak miła i troskliwa bywała – a nie mógłbym marzyć o lepszej matce, kiedy walczyłem z tą infekcją – po prostu nie czułem się przy niej komfortowo. Spanie w jej domu oznaczało konieczność rozmów z mężem numer pięć, człowiekiem miłym, ale zupełnie mi nieznanym, który w moim życiu mógł stać się tylko kolejnym byłym facetem mamy. Oznaczało oglądanie jej mebli i wspominanie, jak kryłem się za nimi podczas jednej z jej awantur z Bobem. Oznaczało próby pojmowania, skąd w mamie brały się te przeciwieństwa – z jednej strony kobieta, która całymi dniami cierpliwie siedziała przy mnie w szpitalu, z drugiej ćpunka, która miesiąc później miała okłamać własną rodzinę, żeby wyłudzić od nas pieniądze.

Wiedziałem, że coraz bliższe związki łączące mnie z ciocią Łii sprawiają mamie przykrość. Wciąż do tego wracała. „To ja jestem twoją matką, nie ona" – powtarzała. Nadal zastanawiam się, czy gdybym jako dorosły miał w sobie tyle odwagi, co w dzieciństwie, mama nie zdołałaby się pozbierać. Nałogowcy są najsłabsi w chwilach silnych emocji, a wiedziałem, że mam możność ocalić mamę przed przynajmniej niektórymi atakami smutku. Tyle że już nie potrafiłem. Nie wiem, co się zmieniło, ale ja na pewno uległem przemianie. Może sprowadzało się to po prostu do instynktu samozachowawczego. Tak czy inaczej, przy niej nie potrafiłem udawać, że czuję się jak w domu.

Po parotygodniowej chorobie czułem się już dość dobrze, by wrócić do Columbus, na zajęcia. Straciłem na wadze – w cztery tygodnie dziewięć kilo – ale ogólne samopoczucie miałem niezłe. Zważywszy na dodatkowe wydatki, rachunki ze szpitala, znalazłem sobie trzecią pracę (przygotowywanie uczniów liceów do egzaminów końcowych, dla firmy Princeton Review), gdzie płacili szalone osiemnaście dolarów za godzinę. Trzy posady to było już zbyt wiele, więc zrezygnowałem z tej, którą lubiłem najbardziej – w parlamencie stanowym – bo płacili najgorzej. Potrzebowałem pieniędzy i swobody finansowej, którą mi zapewniały, a nie satysfakcjonującej pracy. Pocieszałem się, że na to jeszcze przyjdzie czas.

Niedługo przed moim odejściem z tej pracy senat Ohio debatował nad ustawą, która radykalnie ograniczyłaby działalność firm chwilówkowych. Mój senator był przeciwny takiemu rozwiązaniu, jako jeden z nielicznych, i choć nigdy nie tłumaczył, skąd ta postawa, lubiłem myśleć, że wychodzimy z podobnych założeń. Senatorzy i asystenci polityczni dyskutujący nad tą ustawą niewiele wiedzieli o roli, jaką chwilówki odgrywały w szarawej strefie gospodarki, gdzie żyli ludzie tacy jak ja. Dla senatorów tacy pożyczkodawcy byli lichwiarzami inkasującymi wysokie odsetki od pożyczanych kwot i wyśrubowane prowizje za inkaso czeków. Im szybciej się takich zlikwiduje, tym lepiej.

Dla mnie chwilówki bywały rozwiązaniem ważnych problemów finansowych. Dzięki serii fatalnych decyzji finansowych (za niektóre nie ponosiłem winy, ale za wiele – i owszem) miałem tragiczną historię kredytową, więc nie kwalifikowałem się na kartę kredytową. Jeśli chciałem zaprosić dziewczynę na kolację czy potrzebowałem książki na studia, a na koncie zabrakło środków, zostawało mi niewiele opcji. Zapewne mógłbym poprosić ciocię czy wujka o wsparcie, ale desperacko pragnąłem radzić sobie sam. Pewnego piątkowego ranka zapłaciłem za czynsz czekiem, wiedząc, że gdybym odłożył to jeszcze o dzień, doliczyliby pięćdziesięciodolarową karę za zwłokę. Nie miałem na koncie dość pieniędzy, by pokryć czek, ale był to dzień wypłaty, więc po pracy mógłbym uzupełnić stan konta. Tyle że po długim dniu pracy zapomniałem pobrać czek z kasy senatu. Zanim uświadomiłem sobie ten błąd, byłem już w domu, a personel senatu rozjechał się na weekend. Tamtego dnia zaciągnięta na trzy dni chwilówka, obciążona paroma dolarami odsetek, uratowała mnie przed ciężką prowizją za debet na koncie. Prawodawcy debatujący nad wadami chwilówek nie wspominali o takich sytuacjach. Jaka z tego lekcja? Ludzie sprawujący władzę często robią coś, by pomóc takim jak ja, choć zupełnie nie rozumieją, jak oni żyją.

Drugi rok studiów zaczął się podobnie jak pierwszy, piękną pogodą i wielkim podekscytowaniem. Przez nową posadę miałem trochę więcej zajęć, ale nie przeszkadzało mi to. Gryzłem się czym innym – czułem, że w wieku dwudziestu czterech lat jestem już nieco za stary na studenta drugiego roku. Jednak po czteroletnim kontrakcie w marines od innych studentów oddalał mnie nie tylko wiek. Podczas seminarium licencjackiego z polityki zagranicznej słuchałem kolegi z zajęć, dziewiętnastolatka z koszmarną brodą, który sadził jakieś brednie o wojnie w Iraku. Jak tłumaczył, ci, którzy walczyli tam na froncie, byli jako typ ludzki mniej inteligentni od tych (jak on sam), którzy po liceum poszli na studia. Dowodził, że uwidacznia się to w rozpasanym mordowaniu i pastwieniu się nad irackimi cywilami przez żołnierzy. Obiektywnie rzecz biorąc, był to kompletnie bezzasadny pogląd – moi koledzy z korpusu reprezentowali wszystkie odcienie politycznej tęczy i żywili na temat wojny wszelkie możliwe opinie. Wielu moich przyjaciół z marines było zagorzałymi liberałami, którzy naszego szefa sił zbrojnych – podówczas George'a W. Busha – nie lubili wcale a wcale i uważali, że zbyt wiele w Iraku poświęciliśmy, a zyskaliśmy bardzo niewiele. Żaden z nich jednak nigdy nie zaserwował takich bezmyślnych idiotyzmów.

Chłoptyś nawijał w najlepsze, a ja wspominałem niekończące się szkolenia z respektowania irackich norm kulturalnych: nigdy nie pokazywać nikomu spodu stopy, nigdy nie zwracać się do kobiety w tradycyjnym stroju muzułmańskim, nie porozmawiawszy najpierw z jej krewnym płci męskiej. Pamiętałem, jak ochranialiśmy członków irackich komisji wyborczych, jak cierpliwie tłumaczyliśmy im wagę zadania, które mieli wykonać, nigdy jednak nie narzucając im swoich poglądów politycznych. Przypomniał mi się młody Irakijczyk (który ni w ząb nie umiał angielskiego), bezbłędnie rapujący każde słowo *In Da Club* 50 Centa – zaśmiewaliśmy się z tego razem z nim i jego kolegami. Wspomniałem towarzyszy z rozległymi oparzeniami trzeciego stopnia, którzy „szczęśliwie" ocaleli z zasadzki minowej w irackiej prowincji Al-Kaim. A ten przychlast z mikrą bródką wmawiał studentom z mojej grupy, że mordowaliśmy ludzi dla zabawy.

Poczułem natychmiastowe pragnienie ukończenia studiów w jak najkrótszym czasie. Spotkałem się z doradcą edukacyjnym i zaplanowałem drogę ucieczki – wymagało to zapisania się na kursy prowadzone w czasie letnich wakacji i ponaddwukrotnej liczby zajęć w niektórych semestrach. Nawet jak na moje, podwyższone, standardy był to pracowity rok. W lutym, który był wyjątkowo koszmarny, wziąłem raz kalendarz i policzyłem, kiedy ostatnio przespałem ponad cztery godziny w ciągu doby. Wyszło na to, że było to trzydzieści dziewięć dni wcześniej. Parłem jednak naprzód i w sierpniu 2009, po roku i jedenastu miesiącach na uniwersytecie stanowym, zrobiłem licencjat z pierwszą lokatą na roku, z dwóch kierunków. Próbowałem wymigać się od ceremonii wręczania dyplomów, ale rodzina mi nie pozwoliła. Siedziałem więc na niewygodnym krześle przez trzy godziny, zanim mogłem przejść przez podest po dyplom licencjata. Kiedy Gordon Gee, ówczesny rektor Uniwersytetu Stanowego Ohio, zrobił nadzwyczajnie długą przerwę na zdjęcie z dziewczyną, która stała przede mną w kolejce, wyciągnąłem rękę do jego asystentki z niewerbalną prośbą o dyplom. Wręczyła mi go, a ja ominąłem rektora Gee i zszedłem z podestu. Chyba jako jedyny student uczestniczący tego dnia w ceremonii nie uścisnąłem mu dłoni. „Pora ruszać dalej" – pomyślałem.

Wiedziałem, że studia prawnicze rozpocznę później, w następnym roku (ukończenie licencjackich w sierpniu wykluczało start na podyplomowe jeszcze w 2009), wróciłem więc do Middletown, żeby obciąć wydatki. Ciocia Łii objęła po Mamaw rolę matriarchini rodu: gasiła pożary, gościła rodzinne zjazdy, to dzięki niej nie rozpierzchliśmy się we wszystkie strony. Zawsze zapewniała mi dach nad głową po śmierci Mamaw, ale sam czułbym, że się jej narzucam, gdybym wprowadził się na dziesięć miesięcy – nie podobało mi się, że miałbym tak długo zakłócać codzienną rutynę jej rodziny. Ciocia jednak nalegała:

– J.D., teraz to twój dom. Gdzie indziej miałbyś mieszkać?

Te ostatnie miesiące w Middletown były jednymi z najradośniejszych w moim życiu. Wreszcie miałem licencjat, wiedziałem też, że wkrótce spełni się kolejne moje marzenie – zacznę studiować prawo. Łapałem dorywcze prace, żeby trochę zaoszczędzić, i zżyłem się z dwiema córkami cioci. Dzień w dzień wracałem do domu, zakurzony i spocony po pracy fizycznej, i siadałem przy stole w dużym pokoju, gdzie słuchałem, jak moje nastoletnie kuzynki opowiadają, jak minęły im zajęcia w szkole czy jak czasami użerały się z przyjaciółkami. Zdarzało się, że pomagałem im przy pracy domowej. Podczas Wielkiego Postu w piątki pomagałem w lokalnym kościele katolickim, gdzie urządzano smażenie ryb. Nasilało się to uczucie, którego doznawałem już na uniwersytecie: przetrwałem dziesięciolecia chaosu i rozpaczy i wreszcie wydostałem się na drugi brzeg.

Ten niewiarygodny optymizm, z jakim patrzyłem na własne życie, ostro kontrastował z pesymizmem licznych sąsiadów. Na perspektywach życia wielu mieszkańców Middletown odcisnęły się dziesiątki lat spadków w dziedzinach gospodarki, w których były prace dla robotników. Wielka recesja i zdecydowanie nie taka wielka odbudowa tylko przyspieszyły tempo upadku miasta. Jednak cynizm szerokich kręgów społeczeństwa miał w sobie coś niemalże duchowego, coś, co korzeniami sięgało znacznie głębiej niż tylko do krótkotrwałej recesji.

Jako kultura nie mieliśmy własnych bohaterów. Na pewno nie był naszym herosem żaden polityk – Barack Obama był wówczas najbardziej podziwianym człowiekiem w Stanach (być może wciąż nim jest), ale nawet kiedy większość kraju obserwowała jego rosnące szanse z zachwytem, mieszkańcy Middletown przeważnie patrzyli na niego podejrzliwie. George'owi W. Bushowi w 2008 roku nie zostało już wielu fanów. Bill Clinton miał licznych wielbicieli, ale znacznie większa grupa ludzi widziała w nim uosobienie moralnej zgnilizny toczącej Amerykę, a Ronald Reagan zmarł już dawno temu. Ubóstwialiśmy wojsko, armia w naszych czasach nie wyłoniła jednak osobowości pokroju George'a S. Pattona. Podejrzewam, że moi sąsiedzi nie byliby nawet w stanie wymienić z nazwiska jakiegoś wyższego stopniem oficera. Program kosmiczny, wieloletnie źródło dumy, padł jak kawka, a z nim przepadli astronauci celebryci. Nic nie łączyło nas z kanwą amerykańskiego społeczeństwa. Czuliśmy się więźniami dwóch wojen, których najwyraźniej nie dało się wygrać, a na które nieproporcjonalnie wielu żołnierzy szło właśnie z naszych regionów, jak też więźniami gospodarki, która nie spełniała już podstawowej obietnicy amerykańskiego snu – nie gwarantowała stałej wypłaty.

By pojąć, jak istotne jest to kulturalne wyalienowanie, musicie zrozumieć, że znaczna część tożsamości mojej rodziny, mojego sąsiedztwa, mojej społeczności wywodzi się z naszej miłości do ojczyzny. Nie potrafiłbym powiedzieć wam niczego o głowie hrabstwa Breathitt, o jego systemie opieki zdrowotnej czy jego najsłynniejszych mieszkańcach. Wiem jednak, że „Bojowe Breathitt" zdobyło ponoć ten przydomek dlatego, że w czasie I wojny światowej przypadającą na nie kwotę poboru do wojska w całości wypełniło ochotnikami, jako jedyne w całych Stanach Zjednoczonych. Od tamtych czasów minęło niemal sto lat, a to właśnie ten fakcik o Breathitt pamiętam najlepiej – bo wszyscy wokół zadbali o to, żeby wrył mi się w pamięć. Raz, do szkolnego projektu, wypytywałem Mamaw o II wojnę światową. Po siedemdziesięciu latach, urozmaiconych małżeństwem, dziećmi, wnukami, śmiercią, ubóstwem i sukcesami, babcia najbardziej dumna i najbardziej podekscytowana była z tego, że i ona, i cała jej rodzina spełniła w czasie wojny obowiązek obywatelski. Na inne tematy zeszło nam parę minut, ale o wojennej reglamentacji, o plakatach z Rózią Nitowaczką, o listach miłosnych, której jej tata przesyłał do mamy z Pacyfiku, i o tym dniu, kiedy „zrzuciliśmy tę bombę". Mamaw zawsze miała dwóch bogów: Jezusa i Stany Zjednoczone Ameryki Północnej. Ja miałem tak samo, podobnie jak wszyscy ludzie, których znałem.

Jestem patriotą tego typu, z którego naśmiewają się mieszkańcy nadatlantyckiej megametropolii. Mam gulę w gardle, gdy słyszę obciachową balladę Lee Greenwooda

Proud to Be an American [Jestem dumny, bo jestem Amerykaninem]. Gdy miałem szesnaście lat, poprzysiągłem sobie, że kiedy tylko spotkam jakiegoś weterana, zrobię, co tylko się da, by uścisnąć jego dłoń, nawet jeśli musiałbym się niezręcznie narzucać. Do tej pory *Szeregowca Ryana* oglądam tylko w towarzystwie najbliższych przyjaciół, bo podczas końcowej sceny nie potrafię powstrzymać łez.

Mamaw i Papaw nauczyli mnie, że żyjemy w najlepszym, najwspanialszym kraju pod słońcem. Ten fakt nadał sens mojemu dzieciństwu. Kiedy było ciężko, kiedy dramaty i zamieszanie moich młodych lat zaczynały przygniatać, wiedziałem, że nadejdą lepsze dni, bo żyję w kraju, który pozwala mi dokonać dobrych wyborów, choć inni tego nie czynią. Gdy dziś myślę o tym, jak żyję, jakie to autentycznie niewiarygodne – cudna, miła i genialna partnerka moich dni, bezpieczeństwo finansowe, o którym w dzieciństwie mogłem tylko marzyć, wspaniali przyjaciele i nowe, podniecające doświadczenia – czuję przemożne uznanie dla tych właśnie Stanów Zjednoczonych. Wiem, obciach, ale tak czuję i już.

Jeśli Stany były drugim bogiem Mamaw, to wielu ludzi w mojej społeczności traciło właśnie coś bardzo zbliżonego do wiary. Zdawało się, że zniknęły więzy, które łączyły ich z sąsiadami, które były dla nich inspiracją w trudnych chwilach, taką jak dla mnie patriotyzm.

Wszędzie dokoła widzimy oznaki tego stanu rzeczy. Istotny odsetek białych, konserwatywnych wyborców – około jednej trzeciej – wierzy, że Barack Obama jest muzułmaninem. W jednym z sondaży trzydzieści dwa procent konserwatystów zadeklarowało przekonanie, że Obama urodził się za granicą, a kolejne dziewiętnaście procent – że nie ma w tym względzie pewności, co oznacza, że większość białych konserwatystów nie jest pewna, czy Obama to w ogóle Amerykanin. Regularnie słyszę od znajomych czy od dalszych krewnych, że Obama jest powiązany z islamskimi ekstremistami albo że jest zdrajcą, czy wreszcie, że urodził się gdzieś za siódmą górą.

Wielu moich nowych przyjaciół winą za takie postrzeganie naszego prezydenta obarcza rasizm. Jednak licznym mieszkańcom Middletown Obama wydaje się obcy z powodów zupełnie niezależnych od koloru jego skóry. Pamiętajcie, że ani jeden z moich kolegów z liceum nie trafił do uniwersytetu z Ivy League. Barack Obama uczył się na dwóch z nich i na obu miał świetne wyniki. Jest błyskotliwy, bogaty i mówi jak profesor prawa konstytucyjnego – bo nim przecież jest. Pod żadnym względem nie przypomina ludzi, których za młodu podziwiałem: jego wymowa – czysta, doskonała, wolna od akcentów – wydaje się obca, lista jego akademickich dokonań robi wręcz paraliżujące wrażenie, życie rodzinne prowadzi w Chicago, gęsto zaludnionej metropolii, i cechuje go pewność siebie zrodzona ze świadomości, że nowoczesna amerykańska merytokracja to system wręcz stworzony dla niego. Oczywiście, Obama także przezwyciężał przeciwności – przeciwności znane wielu spośród nas – ale miało to miejsce na długo przed tym, jak o nim usłyszeliśmy.

Prezydent Obama pojawił się na scenie dokładnie w chwili, kiedy bardzo wielu ludzi w mojej społeczności zaczęło żywić przeświadczenie, że nowoczesna amerykańska merytokracja została stworzona n i e d l a n i c h. Wiemy, że idzie nam kiepsko. Widzimy to każdego dnia: w nekrologach nastolatków, w których rzuca się w oczy brak wzmianki o przyczynie śmierci (czytamy między wierszami: przedawkowanie), w typach bez perspektyw, z którymi marnują czas nasze córki. Barack Obama godzi w samo serce naszych najgłębszych lęków. To dobry ojciec, a tak wielu z nas takimi nie jest. Do pracy zakłada garnitur, a my drelichowe kombinezony, o ile w ogóle fartownie mamy jakąś pracę. Jego żona mówi nam, że nie powinniśmy dawać naszym dzieciom pewnych rodzajów pokarmów, i nienawidzimy jej za to – nie z powodu przekonania, że się myli, lecz dlatego, że ma rację, i my o tym wiemy.

Wielu próbuje winą za wściekłość i cynizm białej klasy robotniczej obarczać dezinformację. Owszem, istnieje cały przemysł siewców teorii spiskowych i świrów z marginesu wypisujących wszelkiego rodzaju brednie, od rzekomych poglądów religijnych Obamy po jego rodzinne korzenie. Jednak każdy poważny kanał informacyjny, nawet często postponowane Fox News, zawsze mówił prawdę o obywatelstwie Obamy i jego poglądach na wiarę. Ludzie, których znam, dobrze wiedzą, co na ten temat mówią poważne kanały informacyjne, tyle że im po prostu nie wierzą. Tylko sześć procent amerykańskich wyborców uważa, że media są „bardzo wiarygodne"*. Według wielu z nas wolne media – ten fundament amerykańskiej demokracji – to po prostu kupa gówna.

Skoro tak bardzo nie wierzymy mediom, nie ma przeciwwagi dla internetowych teorii spiskowych, które rządzą

* *Only 6% Rate News Media as Very Trustworthy*, sondaż firmy Rasmussen Reports z 28 lutego 2013, www.rasmussenreports.com/public_content/politics/general_politics/february_2013/only_6_rate_news_media_as_very_trustworthy, dostęp: 17 listopada 2015.

digitalnym światem. Barack Obama to cudzoziemiec, czynnie pracujący nad zniszczeniem naszego kraju. Wszystko, co mówią nam media, to kłamstwa. Wielu członków białej klasy robotniczej wierzy we wszystko, co najgorsze o naszym społeczeństwie. Oto nieduża próbka mejli i innych wiadomości, które otrzymałem od przyjaciół i krewnych:

Program dokumentalny prawicowego radiowca Alexa Jonesa w dziesięciolecie zamachów z jedenastego września o „pytaniach, na które brak odpowiedzi", sugerujący, że amerykańskie władze odegrały jakąś rolę w tej masakrze własnych obywateli.

Z łańcuszka mejlowego: opowieść o tym, jakoby prawo o ubezpieczeniach medycznych wprowadzone przez Obamę nakazywało wszczepianie chipów nowo ubezpieczanym pacjentom. Dodatkowego kopa nadają tej historii jej religijne konotacje: wielu wierzy, że przepowiedzianym w Biblii na czasy ostateczne „znakiem Bestii" będzie jakieś urządzenie elektroniczne. Wielu przyjaciół ostrzegało się przed tym nawzajem w mediach społecznościowych.

Na popularnej stronie internetowej WorldNetDaily: artykuł redakcyjny sugerujący, że masakrę w Newtown sprokurował rząd federalny, by odmienić opinię publiczną w kwestii ograniczenia posiadania broni.

Z różnych źródeł w internecie: sugestie, że Obama wkrótce wprowadzi stan wyjątkowy, by zapewnić sobie rozciągnięcie władzy na trzecią kadencję.

Można tę listę ciągnąć dalej. Nie da się ustalić, ilu ludzi wierzy w jedną czy więcej z tych opowieści. Jednak skoro trzecia część mojej społeczności podważa kwestię pochodzenia prezydenta – mimo wszelkich dowodów na jej potwierdzenie – możemy bezpiecznie przyjąć, że i inne teorie spiskowe znajdują większe grono wyznawców, niż byśmy chcieli. To nie prosta, libertariańska nieufność do polityki rządowej, która stanowi zdrowy element każdej demokracji. Tutaj z głębokim sceptycyzmem traktuje się fundamentalne instytucje naszego społeczeństwa. I podejście takie coraz szerzej wkracza w główny nurt.

Nie możemy wierzyć wiadomościom w telewizji. Nie możemy wierzyć naszym politykom. Nasze uniwersytety, wrota do lepszego życia, kantują naszych. Nie możemy znaleźć pracy. Nie da się w to wszystko wierzyć i wciąż być użytecznym członkiem społeczeństwa. Psychologowie społeczni dowiedli, że wierzenia podzielane przez daną grupę silnie przekładają się na motywację w działaniu. Jeśli jakaś grupa uważa, że ciężka praca i dążenie do lepszego życia leżą w jej interesie, jej członkowie będą spisywać się lepiej niż inne osoby. To oczywiste: jeśli sądzisz, że nawet dokładając wszelkich starań, będziesz miał w życiu pod górkę, po co w ogóle się szarpać?

I podobnie, jeśli ktoś faktycznie poniesie porażkę, ten sposób patrzenia na życie pozwala mu szukać winy poza sobą. Raz w jednym z barów w Middletown wpadłem na starego znajomego – powiedział mi, że niedawno rzucił robotę, bo miał już potąd rannego zrywania się z łóżka. Potem widziałem, że skarżył się na Facebooku na „gospodarkę Obamy" i jej wpływ na jego życie. Nie wątpię, że gospodarka pod rządami Obamy była dla wielu ludzi niełatwym doświadczeniem, ale on do nich zdecydowanie nie należał.

Swój status w życiu zawdzięcza bezpośrednio decyzjom, które sam podjął, i może odmienić ten los, tylko podejmując lepsze decyzje. Żeby jednak wybierał lepiej, musiałby żyć w otoczeniu wymuszającym na nim, by sam sobie zadawał te trudne pytania. Wśród białej klasy robotniczej istnieje trend kulturowy, by za własne niepowodzenia winić społeczeństwo i rząd, i z dnia na dzień ma on coraz więcej zwolenników.

Oto gdzie retoryka nowoczesnych konserwatystów (a mówię to jako jeden z nich) rozmija się z rzeczywistymi problemami największej grupy ich wyborców. Zamiast zachęcać ich do angażowania się we własne sprawy, konserwatyści coraz częściej szerzą właśnie takie zdystansowane podejście, które wyzuło z ambicji wielu moich rówieśników. Widziałem przyjaciół, którzy rozkwitli i odnieśli sukces jako dorośli, i tych, co padli ofiarą najgorszych pokus Middletown – przedwczesnego rodzicielstwa, narkotyków, więzień. Różnica między tymi, którym się powiodło, a tymi, co polegli, sprowadza się do ich oczekiwań życiowych. Tymczasem jednak prawica coraz głośniej szermuje przekazem: to nie twoja wina, że jesteś przegrany, to wina rządu.

Mój tata na przykład nigdy nie negował wartości ciężkiej pracy, ale nie ufa niektórym z najbardziej oczywistych ścieżek awansu społecznego. Gdy dowiedział się, że chcę studiować prawo na Yale, zapytał, czy składając papiery na studia, udawałem „czarnego czy liberała". Tak nisko upadły oczekiwania białych Amerykanów z klasy robotniczej wobec społeczeństwa. Trudno się dziwić, że im bardziej szerzy się tego typu podejście, tym mniej znajduje się chętnych, by pracować na lepsze życie.

Projekt Mobilności Ekonomicznej organizacji Pew badał opinię Amerykanów na temat ich szans polepszenia pozycji ekonomicznej – wyniki tych badań są szokujące. W żadnej innej grupie Amerykanów nie panuje taki pesymizm jak wśród białej klasy robotniczej. Zdecydowanie ponad połowa czarnych, Latynosów i białych z wyższym wykształceniem spodziewa się, że ich dzieci będą stały gospodarczo lepiej niż oni sami. Wśród białej klasy robotniczej sądzi tak zaledwie czterdzieści cztery procent. Co jeszcze bardziej zaskakujące, czterdzieści dwa procent białej klasy robotniczej – zdecydowanie najwyższy odsetek wśród badanych – twierdzi, że pod względem ekonomicznym stoją gorzej niż ich rodzice.

W roku 2010 po prostu nie potrafiłem tak patrzeć na świat. Cieszyło mnie moje ówczesne położenie, a w przyszłość patrzyłem z przemożnym optymizmem. Pierwszy raz w życiu czułem się w Middletown obco. A tym, co przeobraziło mnie w outsidera, był właśnie ów optymizm.

Podczas pierwszej rundy rozsyłania zgłoszeń na wydziały prawa nawet nie próbowałem szczęścia na Yale, Harvardzie czy Uniwersytecie Stanforda – mitycznej „pierwszej trójce" uniwersytetów. Nie przypuszczałem, żebym w ogóle miał szansę tam się dostać. Co nawet ważniejsze, wydawało mi się, że to nie ma znaczenia – zakładałem, że każdy prawnik otrzymuje dobrą posadę. Wystarczy dostać się na prawo na którejkolwiek uczelni i będę ustawiony: miła pensja, szanowana profesja, amerykański sen. Jednak mój najlepszy kolega, Darrell, spotkał w popularnej restauracji w stolicy swoją koleżankę z prawa. Dziewczyna pracowała jako kelnerka, bo po prostu niczego lepszego jej nie zaoferowano. Wobec tego w drugiej rundzie zgłoszeń spróbowałem też szczęścia na Yale i Harvardzie.

Nie wysłałem zgłoszenia na Uniwersytet Stanforda – jeden z najlepszych wydziałów prawa w całym kraju – a wyjaśnienie, dlaczego go pominąłem, pozwoli wam pojąć, czemu lekcje wyniesione z dzieciństwa czasem działały na moją niekorzyść. Do zgłoszenia do Stanforda nie wystarczał standardowy zestaw: wyciąg ocen ze studiów licencjackich, wynik testu LSAT i parę rozprawek. Wymagali jeszcze, by wniosek poparł dziekan uczelni, którą się ukończyło – miał wypełnić specjalny formularz i podpisać się na nim, poświadczając, że nie jesteś frajerem z ulicy.

Uniwersytet Stanowy Ohio to duża uczelnia; nie znałem dziekan mojego wydziału. Na pewno jest ona cudowną osobą, a ten formularz do wypełnienia to właściwie czysta formalność. A jednak nie potrafiłem zwrócić się do niej z taką prośbą. Nigdy jej nie spotkałem, nie miałem z nią zajęć, a co najważniejsze – nie ufałem jej. Nieważne, jakie przymioty cechowały ją jako osobę, postrzegałem ją abstrakcyjnie jako kogoś obcego. Profesorowie, których wybrałem na autorów moich listów polecających, zaskarbili sobie moje zaufanie. Niemal codziennie słuchałem ich wykładów, zdawałem u nich egzaminy, pisałem prace zaliczeniowe. Uwielbiałem Uniwersytet Stanowy Ohio i jego wykładowców, dali mi wyśmienite wykształcenie i wiele doświadczeń, ale nie mogłem powierzyć swojego losu komuś, kogo wcale nie znałem. Próbowałem to sobie wyperswadować. Wydrukowałem nawet ten formularz i pojechałem z nim na kampus. Kiedy jednak przyszła pora zgłosić się do pani dziekan, zmiąłem papier w kulkę i cisnąłem do kosza. I tak J.D. nie poszedł na prawo na Stanford.

Doszedłem do wniosku, że bardziej niż w jakiejkolwiek innej uczelni chciałem robić prawo na Yale. Uniwersytet ten ma swoistą aurę: nauka w małych grupach, specyficzny system ocen. Yale promuje się jako niezbyt stresujący sposób na rozpoczęcie kariery prawnika. Większość studentów tej uczelni przybywa jednak z elitarnych szkół prywatnych, a nie ze stanowych molochów, jak ja, myślałem więc, że nie mam szans na miejsce. Mimo wszystko złożyłem wniosek przez internet, jako że było to względnie proste. Późnym popołudniem któregoś dnia na początku wiosny 2010 roku zadzwonił mój telefon, wyświetlił nieznany mi numer z kierunkowym prefiksem 203. Odebrałem połączenie – głos w słuchawce przedstawił się jako kierownik przyjęć na Wydział Prawa Yale i powiadomił, że zostałem przyjęty do rocznika 2013 (planowanej daty zakończenia studiów). W ekstazie szczęścia przez trzyminutową rozmowę skakałem po całym pokoju. Kiedy ten z Yale pożegnał się i rozłączył, byłem już tak zdyszany, że gdy zadzwoniłem do cioci Łii, by przekazać jej wieści, myślała, że zaliczyłem wypadek samochodowy.

Tak się zawziąłem na studia na Yale, że pogodziłem się już z koniecznością zadłużenia się na dwieście tysięcy dolarów czy coś koło tego, a wiedziałem, że takie kwoty wchodzą tu w rachubę. Jednak nawet mi się nie śniło, że Yale ma w ofercie tak korzystne subsydia socjalne. Na pierwszym roku pokrywali niemal wszystkie koszty. Nie ze względu na jakiekolwiek osiągnięcia czy zasługi z mojej strony – dlatego że należałem do najuboższych studentów. Yale oferowało dziesiątki tysięcy dolarów w pomocy celowej. Pierwszy raz w życiu okazało się, że bieda jest tak opłacalna. Yale było nie tylko uczelnią moich marzeń, ale też najtańszą z tych, które były gotowe mnie przyjąć.

„New York Times" doniósł ostatnio, że najdroższe szkoły paradoksalnie okazują się tańszą opcją dla studentów z rodzin o niskich dochodach. Weźmy na przykład studenta, którego rodzice zarabiają rocznie trzydzieści tysięcy dolarów – marne pieniądze, ale jeszcze nie poniżej krawędzi ubóstwa. Taki student płaciłby dziesięć tysięcy na każdej z mniej wybrednych filii Uniwersytetu Wisconsin, ale na flagowym kampusie tej uczelni, w Madison, tylko sześć tysięcy. Na Harvardzie płaciłby około tysiąca trzystu dolarów, choć czesne wynosi ponad czterdzieści tysięcy. Oczywiście młodzi ludzie tacy jak ja nie mają o tym pojęcia. Mój kumpel Nate, z którym znamy się od małego, jeden z najbystrzejszych ludzi, chciał robić licencjat na Uniwersytecie Chicagowskim, ale nie wysłał tam papierów, bo wiedział, że go na to nie stać. Zapewne kosztowałoby go to znacznie mniej niż studia na Uniwersytecie Stanowym Ohio z dokładnie tych samych powodów, dla których Yale było dla mnie znacznie tańsze od każdej innej szkoły.

Następnych kilka miesięcy spędziłem na przygotowaniach do przeprowadzki. Przyjaciel cioci i wujka załatwił mi tę robotę w lokalnej hurtowni gresu, gdzie przepracowałem całe lato: jeździłem sztaplarką, przygotowywałem płytki do transportu, zamiatałem ogromny magazyn. Z końcem lata odłożyłem już dość pieniędzy, by nie stresować się przeprowadzką do New Haven.

W dniu wyjazdu czułem się zupełnie inaczej niż podczas wszystkich poprzednich wyprowadzek z Middletown. Kiedy szedłem do marines, wiedziałem, że będę często tu wracał i że życie może jeszcze sprowadzić mnie z powrotem do rodzinnego miasteczka, i to na dłużej (co też się stało). Po czterech latach w korpusie wyprowadzka na studia do Columbus nie wydawała się aż tak bardzo istotna. Otrzaskałem się już z wyjazdami z Middletown w inne miejsca, choć za każdym razem czułem się nieco osamotniony. Jednak teraz wiedziałem, że nie wrócę, nie na dłużej. Nie dręczyło mnie to. W Middletown nie czułem się już jak w domu.

Pierwszego dnia na Wydziale Prawa Yale zobaczyłem na korytarzach plakaty zawiadamiające o wykładzie Tony'ego Blaira, byłego premiera Wielkiej Brytanii. Nie wierzyłem własnym oczom: Tony Blair miał przemawiać do parudziesięciu studentów? Gdyby pojawił się na Uniwersytecie Stanowym Ohio, audytorium wypełniłby tłum tysiąca ludzi.

– No tak, on co raz ma takie spotkania na Yale – powiedział mi kolega. – Jego syn robi tu licencjat.

Parę dni później omal nie wpadłem na kogoś, kiedy wychodziłem zza rogu, kierując się do głównego wejścia na wydział. Rzuciłem „Najmocniej przepraszam", uniosłem wzrok i widzę, że to gubernator stanu Nowy Jork George Pataki. Takie rzeczy zdarzały się tam przynajmniej raz w tygodniu. Wydział Prawa Yale to jak Hollywood dla nerdów, i wciąż czułem się tam jak turysta z rozdziawioną gębą.

Pierwszy semestr zorganizowano tak, żeby ułatwić studentom życie. Kiedy moi koledzy na innych uniwersytetach ginęli pod nawałem pracy, zestresowani ostrymi kryteriami oceniania, wymuszającymi bezpośrednią rywalizację z towarzyszami z grupy, nasz dziekan w trakcie zajęć orientacyjnych poradził nam, byśmy szli tam, dokąd prowadzi nas pasja, i nie przejmowali się ocenami aż tak bardzo. Cztery pierwsze kursy były w ogóle tylko na zaliczenie, co ułatwiało zastosowanie się do tej rady. Jeden z nich, seminarium z prawa konstytucyjnego dla szesnastu studentów, stał się dla mnie czymś w rodzaju rodziny. Nazwaliśmy się działem niedobranych zabawek, bo nie dałoby się znaleźć dla nas żadnego wspólnego mianownika: konserwatywny bidok z Appalachów, superinteligentna córka imigrantów z Indii, czarny Kanadyjczyk, przez dekady otrzaskany z życiem na ulicy, neurobiolog z Phoenix, urodzony raptem kilka minut drogi od kampusu Yale chłopak, który pragnął zostać adwokatem specjalizującym się w prawach obywatelskich, oraz skrajnie postępowa lesbijka o zabójczym poczuciu humoru, i inni – ale zostaliśmy świetnymi przyjaciółmi.

Ten pierwszy rok na Yale przytłaczał, ale pozytywnie. Zawsze byłem maniakiem historii Stanów Zjednoczonych, a tu na kampusie niektóre budynki pochodziły jeszcze sprzed wojny o niepodległość. Czasami spacerowałem sobie między gmachami, szukając tabliczek, na których podane były lata budowy. Same budynki zapierały dech w piersiach swoim pięknem – strzeliste majstersztyki architektury neogotyckiej. We wnętrzach filigranowe rzeźbienia w kamieniu i dekoracyjne drewniane elementy wykończenia tworzyły niemal średniowieczną atmosferę. Zdarzało się nawet słyszeć dowcipy, że chodzimy na WPH (Wydział Prawa Hogwartu). To wymowne, że najlepszym sposobem opisania wydziału uniwersyteckiego było odwołanie do serii powieści fantasy.

Kursy były trudne, czasem wymagały zarywania nocy nad książkami w bibliotece, ale też nie s k r a j n i e trudne. Gdzieś w głowie kryła mi się myśl, że w końcu zostanie obnażona moja pseudointeligencja, że zarząd uczelni, uświadomiwszy sobie, jak okropny błąd popełnił, z najszczerszymi wyrazami przeprosin odeśle mnie do Middletown. Inna część umysłu uważała, że dam radę, ale tylko dzięki nadzwyczajnym wysiłkom – w końcu ci tutaj byli najinteligentniejszymi studentami świata, a ja do takich nie należałem. Tyle że okazało się, że to nie tak. Choć wśród młodzieży przemierzającej korytarze wydziału prawa zdarzali się z rzadka prawdziwi geniusze, ludzi na roku cechował przeważnie głęboki, ale nie powalający intelekt. W debatach podczas zajęć i na egzaminach raczej nie dawałem sobie w kaszę dmuchać.

Nie wszystko przychodziło z łatwością. Zawsze wydawało mi się, że znośnie piszę, kiedy jednak oddałem pracę pisemną, do której się nie przyłożyłem, słynącemu z surowości profesorowi, zwrócił mi ją z nadzwyczaj krytycznymi komentarzami. „Zupełnie do niczego" – dopisał na jednej ze stron. Na innej zakreślił spory akapit i na marginesie napisał: „To słowne wymiociny, imitujące tekst. Poprawić". Doszły mnie pogłoski, jakoby ów profesor uważał, że Yale powinno przyjmować tylko licencjatów z uczelni takich jak Harvard, Yale, Uniwersytet Stanforda czy Princeton: „Nie jesteśmy od prowadzenia zajęć wyrównawczych, a zbyt wielu ludzi z innych uniwersytetów takich potrzebuje". To sprawiło, że uwziąłem się, by zmienił zdanie w tej kwestii. Pod koniec semestru mówił już, że piszę „wyśmienite" prace, przyznał też, że mógł się mylić co do absolwentów uczelni stanowych. Kończąc pierwszy rok na Yale, triumfowałem w duchu – miałem dobry kontakt z profesorami, zapracowałem na mocną średnią, a na lato znalazłem sobie pracę prosto z marzeń: asystowanie głównemu doradcy jednego z urzędujących senatorów federalnych.

A jednak wśród wszystkich tych radości i intryg Yale zasiało w mojej duszy ziarenko zwątpienia: czy na pewno byłem tu na swoim miejscu? Ten uniwersytet wykraczał hen, poza wszystkie moje oczekiwania życiowe. W Ohio nie znałem nikogo, kto ukończyłby studia na którejkolwiek uczelni Ivy League, ba, w mojej najbliższej rodzinie ja pierwszy zrobiłem licencjat, jako pierwszy wśród wszystkich krewnych i powinowatych zacząłem studia podyplomowe. Gdy pojawiłem się na uczelni w sierpniu 2010 roku, Yale miało wśród absolwentów dwoje spośród trojga ostatnio powołanych sędziów Sądu Najwyższego, dwóch spośród sześciu ostatnich prezydentów, nie wspominając już o aktualnej sekretarz stanu, Hillary Clinton. Rytuały towarzyskie Yale miały w sobie coś niesamowitego: przyjęcia koktajlowe i bankiety służyły zarówno tworzeniu sieci kontaktów zawodowych, jak i indywidualnym swatom. Żyłem pośród nowo namaszczonych członków grupy, którą ludzie w moich rodzinnych okolicach pejoratywnie określają „elitami", i według wszelkich zewnętrznych oznak sam byłem jednym z nich: wysoki, biały mężczyzna hetero. Nigdy w życiu nie czułem się nigdzie nieswojo. Z wyjątkiem Yale.

Po części była to kwestia klasowa. Sondaż przeprowadzony wśród studentów Wydziału Prawa Yale wykazał, że ponad dziewięćdziesiąt pięć procent z nich kwalifikuje się do wyższej klasy średniej lub wyżej, a większość z nich to po prostu ludzie bogaci. Ja oczywiście nie byłem ani z wyższej klasy średniej, ani bogaty. Wśród studentów prawa Yale bardzo niewielu jest takich jak ja. Może i wyglądają podobnie, ale mimo panującej na Ivy League obsesji różnorodności niemal wszyscy – czarni, biali, żydzi, muzułmanie, kto tam jeszcze – pochodzą z nierozbitych rodzin, w których pieniądze nigdy nie stanowiły problemu. Niedługo po rozpoczęciu pierwszego roku zrobiliśmy sobie z kolegami z grupy nocną popijawę i na koniec postanowiliśmy wpaść do baru z pieczonymi kurczakami w New Haven. Grupa była duża, więc zostawiliśmy po sobie straszliwy syf: brudne talerze, ogryzione kości, stoły zachlapane sosem i napojami gazowanymi, te rzeczy. Nie wyobrażałem sobie, żeby jakiś nieborak miał to po nas sprzątać, więc kiedy wszyscy się zwinęli, ja zostałem. Spośród parunastu ludzi z grupy znalazł się tylko jeden, który mi pomógł – mój kumpel Jamil, także z niebogatej rodziny. Po wszystkim napomknąłem mu, że pewnie tylko my dwaj ze wszystkich studentów musieliśmy już kiedyś po kimś sprzątać. Pokiwał głową bez słowa.

W Middletown nigdy nie czułem się jak obcy, nawet jeśli moje przeżycia były wyjątkowe. Tam praktycznie nikt nie miał rodziców po studiach. Wszyscy moi najbliżsi przyjaciele naoglądali się w życiu różnych bolesnych sytuacji: były rozwody, ponowne małżeństwa, separacje, ojcowie trafiali do więzienia. Niektórzy mieli rodziców, którzy pracowali jako prawnicy, lekarze czy nauczyciele. Dla Mamaw to wszystko byli „bogaci", ale nigdy nie była to aż taka zamożność, żebym postrzegał ich jako zasadniczo odmiennych. Wciąż mieszkali na tyle niedaleko, że dało się do ich domów dojść spacerem, posyłali dzieci do tego samego liceum, generalnie robili to samo, co my wszyscy. Nigdy nie czułem się tam nieswojo, nawet odwiedzając domy swoich relatywnie zamożnych przyjaciół.

Studiując prawo na Yale, miałem wrażenie, że mój statek kosmiczny zaliczył przymusowe lądowanie w krainie Oz. Tutaj ludzie bez zmrużenia oka twierdzili, że z ojcem inżynierem i matką chirurgiem jest się członkiem klasy średniej. W Middletown sto sześćdziesiąt tysięcy dolarów rocznie to niewyobrażalna pensja. Na wydziale prawa w Yale studenci oczekują, że w pierwszym roku po ukończeniu studiów właśnie tyle zarobią. Wielu z nich już się zamartwia, że to za mało.

Chodziło tu nie tylko o pieniądze czy o moje relatywne niedostatki w tym względzie. Rzecz szła o to, jak się jest postrzeganym. W Yale po raz pierwszy w życiu poczułem, że innych ludzi intryguje historia mojego życia. Wydawało się, że wykładowców i kolegów z grupy autentycznie interesuje to, co mnie jawiło się jako płytkie i nudne: ukończyłem przeciętne liceum, moi rodzice nie mieli wyższego wykształcenia, wychowałem się w Ohio. Przecież prawie wszyscy moi znajomi mogli powiedzieć o sobie to samo. W Yale jednak nie było drugiego takiego. W Ohio nawet moje cztery lata w Korpusie Piechoty Morskiej nie były niczym nadzwyczajnym, za to w Yale wielu spośród moich przyjaciół nigdy nie miało okazji porozmawiać z weteranem ostatnich amerykańskich wojen. Innymi słowy, byłem anomalią.

To niekoniecznie coś złego. Sporą część pierwszego roku na prawie spędziłem, napawając się faktem, że na tym elitarnym wydziale byłem jedynym napakowanym weteranem marines z zaśpiewem z Południa. Jednak kiedy znajomi z zajęć przeobrazili się w dobrych przyjaciół, czułem coraz większy dyskomfort, kłamiąc o swojej przeszłości. „Moja matka jest pielęgniarką" – mówiłem. Co oczywiście w tym czasie nie było już prawdą. Nawet nie wiedziałem, w jaki sposób zarabia na życie mój biologiczny ojciec – ten, którego nazwisko widnieje na moim akcie urodzenia; zupełnie człowieka nie znałem. Jeśli nie liczyć najlepszych przyjaciół z Middletown, których poprosiłem o przeczytanie rozprawki załączanej do zgłoszenia na uczelnię, nikt nie wiedział o doświadczeniach, które ukształtowały całe moje życie. W Yale postanowiłem zmienić ten stan rzeczy.

Nie jestem pewien, co mnie do tego skłoniło. Po części przestałem się wstydzić: nie ponosiłem winy za błędy swoich rodziców, więc nie miałem powodu ich ukrywać. Najbardziej jednak dręczyło mnie to, że nikt nie rozumiał, jak olbrzymią rolę w moim życiu odegrali dziadkowie. Nawet wśród najbliższych przyjaciół mało kto uświadamiał sobie, że bez Mamaw i Papaw nie miałbym nawet cienia szansy. Może więc po prostu chciałem oddać im wreszcie sprawiedliwość.

Jest jednak i coś innego. Kiedy pojąłem, jak wiele różni mnie od innych studentów Yale, zacząłem doceniać, jak bardzo przypominam ludzi z rodzinnych okolic. Co najważniejsze, z całą ostrością dostrzegłem wewnętrzny konflikt zrodzony z tego niedawnego sukcesu. Podczas jednej z pierwszych wizyt w Ohio po rozpoczęciu nauki zajechałem na stację benzynową niedaleko domu cioci Łii. Zagadnęła mnie kobieta tankująca przy dystrybutorze obok – zauważyłem, że miała na sobie koszulkę Yale.

– Chodziła pani do Yale? – zapytałem.

– Nie – odparła – mój siostrzeniec tam studiuje. Pan też?

Zawahałem się, nim odpowiedziałem. Głupie – w końcu jej siostrzeniec tam studiował, kurczę blade – wciąż jednak nie czułem się komfortowo z myślą, że miałbym się przyznać do uczęszczania na uniwersytet z Ivy League. W chwili, kiedy powiedziała mi, że jej siostrzeniec studiuje na Yale, stanąłem w obliczu wyboru: jestem studentem prawa na Yale czy chłopakiem z Middletown, wnukiem bidoków? Jeśli to pierwsze, mogliśmy się kurtuazyjnie powitać, pozachwycać urokami New Haven. Jeśli to drugie, była między nami niewidzialna bariera i nie mogłem tej kobiecie zaufać. Na tych swoich koktajlach i wykwintnych kolacjach pewnie

pokpiwała sobie wraz z siostrzeńcem z tych nieokrzesań-
ców z Ohio, którzy religii i broni strzegli jak niepodległości.
Nie mogłem być jej sojusznikiem. Odpowiedziałem jej więc
w żałosnej próbie kulturowego kontrataku:

– Ja nie, moja dziewczyna się tam uczy.

Po czym wsiadłem do samochodu i odjechałem.

Nie był to najbardziej chwalebny moment w moim życiu, ale podkreśla on ów wewnętrzny konflikt, którego zarze-
wiem był mój gwałtowny awans społeczny: okłamałem obcą
osobę, żeby nie czuć się jak zdrajca. Tkwi w tym niejeden
morał, choćby ten, o którym już wspomniałem – jedną z konsekwencji wyalienowania jest postrzeganie standardowych
kryteriów sukcesu nie tylko jako najzwyczajniej w świecie
nieosiągalnych, ale też jako przynależnych ludziom odmien-
nym od nas. Mamaw zawsze zwalczała we mnie takie podejście, i w znacznej mierze odniosła sukces.

Kolejny morał jest taki, że to nie tylko nasze rodzime
społeczności umacniają takie poczucie wyalienowania, lecz
także te miejsca, ci ludzie, z którymi zyskujemy styczność
dzięki awansowi społecznemu – jak ów wykładowca z Wydziału Prawa Yale, który proponował, by nie przyjmowano
tam studentów z nieprestiżowych uczelni stanowych. Wielkości wpływu takich postaw na klasę robotniczą nie da się
opisać liczbami. Wiemy jednak, że Amerykanie z klasy robotniczej nie tylko z mniejszym prawdopodobieństwem
wespną się na wyższe szczeble drabiny ekonomicznej, ale
też mają większe szanse, by z niej spaść, nawet gdyby udało
im się osiągnąć sam szczyt. Podejrzewam, że przynajmniej
pewną rolę w tych ich kłopotach gra dyskomfort, jaki od-
czuwają, pozostawiając na niższych szczeblach znaczną

część swojej tożsamości. Zatem nasze klasy wyższe mogłyby wspierać awans społeczny nie tylko poprzez forsowanie roztropnej polityki dla mas, ale też przyjmując z otwartymi ramionami i umysłami tych, którym awans udało się osiągnąć, a którzy jeszcze się nie dopasowali.

Choć opiewamy zalety awansu społecznego, ma on też pewne minusy. Samo określenie implikuje jakiś ruch – owszem, teoretycznie ku lepszemu życiu, lecz również pozostawienie czegoś za sobą. A nie zawsze da się wybrać, które części dawnego życia się porzuci. W ciągu ostatnich paru lat pojechałem na wakacje do Panamy i do Anglii. Zakupy robiłem w sklepach z żywnością organiczną. Byłem na widowni koncertów symfonicznych. Próbowałem wyjść z uzależnienia od „rafinowanych cukrów przetworzonych" (w tym określeniu jest przynajmniej jeden nadmiarowy wyraz). Niepokoiły mnie uprzedzenia rasowe wśród mojej rodziny i u przyjaciół.

Żadna z tych spraw nie jest sama w sobie niczym złym. Ba, większość z nich to dobre rzeczy – o wizycie w Anglii marzyłem od dziecka, a spożywanie mniejszych ilości węglowodanów służy zdrowiu. A jednak wykazały mi one, że awans społeczny to nie tylko kwestia pieniędzy i ekonomii, to także zmiana stylu życia. Ludzie bogaci i potężni są nie tylko bogaci i potężni – kierują się innym kodeksem norm i obyczajów. Gdy się przejdzie z klasy robotniczej w szeregi białych kołnierzyków, okazuje się, że niemal każdy element dawnego życia jest w najlepszym razie niemodny, a w najgorszym – niezdrowy. Najdosadniej przekonałem się o tym, kiedy po raz pierwszy (i ostatni) zabrałem kolegę z Yale do restauracji z sieci Cracker Barrel, popularnej na Południu.

Gdy byłem młody, mieliśmy to za szczyt kulinarnego luksusu – i ja, i Mamaw lubiliśmy tę sieć najbardziej. Dla kolegów z Yale była to brudna nora, zagrożenie sanitarno-epidemiologiczne.

Nie są to może wielkie problemy i gdybym znów miał wybierać, w mgnieniu oka postawiłbym na życie, które obecnie prowadzę, kosztem szczypty towarzyskiego dyskomfortu. Kiedy jednak uświadomiłem sobie, że w moim nowym świecie to ja byłem tym kulturowo obcym, zacząłem głębiej zastanawiać się nad pytaniami, które dręczyły mnie jeszcze jako nastolatka: dlaczego nikt inny z mojej szkoły nie trafił do Ivy League? Czemu ludzie mojego pokroju mają tak mało przedstawicieli w elitarnych instytucjach Stanów Zjednoczonych? Czemu w rodzinach takich jak moja tak częsta jest przemoc domowa? Dlaczego wydawało mi się, że Yale, Harvard i miejsca im podobne są nieosiągalne? Czemu ludzie, którzy odnieśli sukces, wydawali się tak o d m i e n n i?

13

W czasie gdy zacząłem nieco wnikliwiej roztrząsać kwestię własnej tożsamości, totalnie zadurzyłem się w Ushy, koleżance z grupy. Traf chciał, że do pierwszej poważniejszej pracy zaliczeniowej połączono nas w parę, więc na pierwszym roku spędziliśmy sporo czasu, poznając się nawzajem. Wydawała mi się czymś w rodzaju anomalii genetycznej, łączyła bowiem w sobie wszystkie pozytywne cechy, które może mieć istota ludzka: była bystra, pracowita, wysoka i piękna. Rzuciłem żartem koledze, że gdyby miała paskudny charakter, w sam raz nadawałaby się na bohaterkę powieści Ayn Rand. Usha posiadała jednak fantastyczne poczucie humoru i dar wyjątkowo bezpośredniego wyrażania poglądów. Inni mogliby zagadnąć bez ikry: „Eee, może dałoby się to wyrazić inaczej" albo „A myślałeś może, żeby popatrzeć na to z tej strony?". Usha mówiła wprost: „Według mnie to zdanie trzeba przerobić" czy „Ten argument jest po prostu fatalny". Kiedyś w barze spojrzała na naszego wspólnego znajomego i bez cienia ironii powiedziała mu: „Wiesz, masz bardzo małą głowę".

W życiu nie spotkałem kogoś takiego.

Umawiałem się już wcześniej z dziewczynami, czasem były to związki poważne, czasem nie. Usha jednak należała do wszechświata zupełnie innych uczuć. Bez przerwy o niej myślałem. Jeden kolega stwierdził, że jestem „chory na serce", inny, że jeszcze nigdy mnie takiego nie widział. Pod koniec pierwszego roku dowiedziałem się, że Usha nie ma chłopaka, więc zaraz zaprosiłem ją do knajpy. Po paru tygodniach flirtowania i jednej randce oświadczyłem jej, że ją kocham. Złamałem wszystkie reguły nowoczesnych zalotów, które poznałem za młodu, ale miałem to w nosie.

Usha stała się dla mnie czymś w rodzaju przewodnika duchowego po Yale. Zrobiła tu już licencjat, więc wiedziała, gdzie serwują najlepszą kawę i dobre jedzenie. Jej znajomość uniwersytetu sięgała jednak znacznie głębiej: Usha instynktownie pojmowała pytania, których nawet nie potrafiłem zadać, i zawsze zachęcała mnie, bym szukał okazji, o których istnieniu nie miałem pojęcia.

– Chodź na konsultacje – mówiła mi. – Wykładowcy lubią mieć bliższy kontakt ze studentami. To część życia na Yale.

Sprawiała, że w miejscu, które zawsze wydawało mi się nieco obce, czułem się jednak jak w domu.

Poszedłem na Yale, żeby zostać prawnikiem. Jednak pierwszy rok studiów nauczył mnie przede wszystkim, że nie mam zielonego pojęcia o tym, jak urządzony jest świat. Każdego roku w sierpniu do New Haven zjeżdżają się łowcy głów z prestiżowych kancelarii adwokackich, głodni młodych, wysoko wykwalifikowanych i utalentowanych prawników. Ów tygodniowy maraton kolacji, przyjęć koktajlowych, spotkań w apartamentach gościnnych i indywidualnych rozmów studenci nazywają JPR – skrót od Jesienny Program Rozmów. W pierwszym dniu mojego debiutanckiego JPR, tuż przed rozpoczęciem drugiego roku studiów, miałem sześć rozmów, w tym z przedstawicielem firmy, do której najbardziej chciałem się dostać, spółki partnerskiej Gibson, Dunn & Crutcher (w skrócie Gibson Dunn), elitarnej kancelarii z Waszyngtonu.

Rozmowa z Gibson Dunn poszła nieźle, dostałem zaproszenie na ich osławioną kolację w jednej z najwykwintniejszych restauracji w New Haven. Z giełdy plotek dowiedziałem się, że to swego rodzaju kolejny etap rozmowy: należało wykazać się dowcipem, urokiem osobistym, miłym obejściem, bo jeśli nie, zaproszenia na ostateczne spotkanie w biurze w Dystrykcie Kolumbii czy w Nowym Jorku nie będzie. Kiedy stanąłem przed restauracją, pomyślałem sobie: jaka szkoda, że najdroższy posiłek, jaki w życiu zjem, będzie zarazem grą o tak wysoką stawkę.

Przed kolacją sprowadzono nas wszystkich do osobnej salki bankietowej na wino i pogawędki. Kobiety o dekadę starsze ode mnie krążyły z butelkami wina spowitymi w piękne płótna, co parę minut dopytując, czy życzę sobie kieliszek nowego wina bądź więcej dotychczasowego. Z początku byłem zbyt zestresowany, by pić. W końcu jednak zdobyłem się na odwagę i gdy ktoś zaproponował mi wino, a jeśli tak, to jakie, powiedziałem, że poproszę o białe. Myślałem, że to zamknie temat.

– Życzy pan sobie sauvignon blanc czy chardonnay?

Podejrzewałem, że babka robi mnie w wała. Jednak wytężywszy talenty dedukcyjne, zdołałem pojąć, że to dwa różne r o d z a j e białego wina. Poprosiłem więc o chardonnay, nie dlatego, że nie wiedziałem, jakie jest sauvignon blanc (aczkolwiek nie wiedziałem), lecz po prostu było mi łatwiej powtórzyć tę nazwę. Wywinąłem się spod katowskiego topora, po raz pierwszy – bo wieczór dopiero się zaczynał.

Na tego typu imprezach trzeba wyczuć złoty środek, ani nie być zbyt nieśmiałym, ani nachalnym. Tak, żeby nie zirytować partnerów w firmie, ale też żeby na odchodne uścisnęli ci dłoń. Próbowałem być sobą – zawsze uważałem się za osobę towarzyską, ale bez popadania w uciążliwość. Luksus otoczenia przytłoczył mnie jednak do tego stopnia, że „bycie sobą" sprowadzało się do gapienia z rozdziawioną paszczą na piękny wystrój restauracji i zastanawiania, ile to wszystko kosztowało.

„Kieliszki błyszczą, jakby myli je płynem do okien. Ten gość nie kupował swojego garnituru na przecenie «trzy w cenie jednego» w sieciowym outlecie, przecież to chyba jedwab. Obrus na tym stole wygląda na delikatniejszy niż moje prześcieradła, aż muszę dotknąć, tylko dyskretnie, żeby nie wyjść na świra". Krótko mówiąc, musiałem obmyślić nowy plan. Zanim zasiedliśmy do kolacji, postanowiłem skupić się na zadaniu podstawowym – grunt to zapewnić sobie pracę – a zwiedzanie habitatu klas wyższych odłożyć na potem.

Na tym kursie utrzymałem się przez całe dwie minuty. Kiedy siedliśmy, kelnerka zapytała, czy chcę wodę kranową, czy perlage. Uśmiechnąłem się wtedy pod nosem: może i restauracja zrobiła na mnie wrażenie, ale nazywanie wody „perlistą"? To już n a d m i a r pretensjonalności, jak „perlisty" śmiech czy „perlista" rosa. Cóż, tak czy inaczej zamówiłem sobie tę perlage. Pewnie będzie zdrowsza. Mniej zanieczyszczeń.

Upiłem jeden łyk i – słowo daję – wyplułem go. W życiu nie próbowałem czegoś równie ohydnego. Pamiętam, że kiedyś w barze Subway wziąłem sobie colę light, nie zauważywszy, że w dystrybutorze zabrakło właśnie do niej syropu. Dokładnie tak samo smakowała ta cała woda perlage w restauracji dla nadzianych.

– Coś jest nie tak z tą wodą – zaprotestowałem.

Kelnerka przeprosiła, powiedziała, że zaraz przyniesie mi nową butelkę pellegrino. Dopiero wtedy zrozumiałem, że perlage oznacza wodę gazowaną. Myślałem, że zapadnę się pod ziemię ze wstydu, ale na szczęście tylko jeszcze jedna osoba zauważyła tę wpadkę – koleżanka z grupy. Nie zhańbiłem się publicznie. Dobra, koniec z błędami.

Więc zaraz potem spojrzałem na zastawę stołową. Zauważyłem kosmiczną liczbę sztućców. Dziewięć sztuk? Po co mi trzy łyżki, ja się pytam? Parę noży do masła? Wtedy przypomniałem sobie scenę z jakiegoś filmu i uświadomiłem sobie, że rozmieszczenie i rozmiary sztućców są skodyfikowane w jakichś konwencjach towarzyskich. Przeprosiłem towarzystwo, ulotniłem się do toalety i zadzwoniłem do swojej duchowej przewodniczki:

– Co mam robić z tymi wszystkimi widelcami, do cholery? Wolałbym nie wyjść na idiotę.

Do stołu wróciłem opancerzony wiedzą przekazaną przez Ushę: „Od zewnętrznych do wewnętrznych, i nie używaj tych samych sztućców do różnych dań... a, ta łyżka z grubym trzonkiem jest do zupy" – i byłem już gotów olśniewać swoich przyszłych chlebodawców.

Reszta wieczora upłynęła bezstresowo. Prowadziłem grzeczne rozmowy, pamiętając o pouczeniach Lindsay, żeby zamykać usta podczas przeżuwania. Przy naszym stole rozmawiano o prawie i studiach prawniczych, o kulturze korporacyjnej, nawet trochę o polityce. Łowcy głów, z którymi jedliśmy tę kolację, byli bardzo sympatyczni i wszyscy ludzie z naszego stołu dostali ofertę zatrudnienia – nawet ten, który wypluł wodę gazowaną.

To właśnie przy tym stole, pierwszego z pięciu katorżniczych dni nieustannych rozmów, zacząłem rozumieć, że oto obserwuję od środka działanie systemu, który przed większością moich pobratymców jest zupełnie ukryty. Nasze biuro karier podkreślało, że należy wypowiadać się naturalnie, być osobą, obok której prowadzący rozmowę kwalifikacyjną chętnie przesiedziałby nawet podróż lotniczą. Porady zupełnie logiczne – w końcu kto chciałby pracować z jakimś palantem? Sądziłem jednak, że to dość dziwne rozłożenie akcentów jak na decyzję, która wydawała się najważniejszym krokiem w początkach kariery zawodowej. Jak nam wyjaśniono, naszych rozmówców niezbyt obchodziły średnie ocen czy to, co mogli wyczytać z CV. Skoro legitymowaliśmy się stażem na prawie Yale, drzwi już były dla nas uchylone. W rozmowach testowano nas pod kątem ogłady towarzyskiej: czy odnajdziemy się w towarzystwie, czy nie zje nas trema na posiedzeniu zarządu korporacji, czy zdołalibyśmy nawiązać kontakty z potencjalnymi przyszłymi klientami.

Najtrudniejszym sprawdzianem był ten, do którego nawet nie musiałem podchodzić – samo otrzymanie zaproszenia na rozmowę. Przez cały tydzień z zadziwieniem patrzyłem, jak łatwo było dostać się do najbardziej poważanych prawników naszego kraju. Każdy z moich przyjaciół został zaproszony na co najmniej parenaście rozmów, w większości kończących się propozycją zatrudnienia. Ja na początku tygodnia mogłem się pochwalić szesnastoma zaproszeniami, ale pod koniec byłem już tak rozbestwiony (i wymęczony) tym rytuałem, że z paru rozmów zrezygnowałem. Dwa lata wcześniej składałem CV w dziesiątkach firm z nadzieją, że po licencjacie znajdę dobrze płatną pracę, ale wszędzie mnie odrzucili. Wystarczył rok prawa na Yale, żebyśmy wraz z kolegami otrzymywali propozycje rocznych pensji znacznie przekraczających sto tysięcy dolarów, i to od ludzi, którym zdarzało się prowadzić sprawy przed Sądem Najwyższym.

Stało się oczywiste, że działa tu jakaś tajemnicza energia, do której po raz pierwszy udało mi się podłączyć. Dotąd zawsze wydawało mi się, że w poszukiwaniu pracy należy sprawdzić oferty w internecie. Później rozsyła się kilkanaście CV. A potem czeka się z nadzieją, że ktoś oddzwoni. Przy odrobinie szczęścia znajdzie się kolega, który przełoży twoją cefałkę na szczyt pryzmy. Jeśli ma się kwalifikacje do wykonywania jakiegoś cieszącego się bardzo dużym popytem zawodu, na przykład uprawnienia księgowego, takie szukanie pracy może być ciut łatwiejsze, ale podstawowe reguły się nie zmieniają.

Problem w tym, że prawie każdy, kto szukając roboty, trzyma się tych zasad, ponosi porażkę. Ten tydzień rozmów kwalifikacyjnych pokazał mi, że ludzie odnoszący w życiu sukcesy grają według diametralnie innych reguł. Nie zasypują rynku pracy cefałkami z nadzieją, że jakiś pracodawca zaszczyci ich rozmową. Oni nawiązują znajomości. Koledze kolegi wyślą mejla, żeby mieć pewność, że ich zgłoszenie zostanie potraktowane z należytą uwagą. Mają wujków, którzy mogą zadzwonić do starych znajomych ze studiów. Uczelniane biura karier ustawią im rozmowy kwalifikacyjne z wielomiesięcznym wyprzedzeniem. Rodzice nauczą ich, jak się ubrać, co mówić, komu się przypodobać.

Nie znaczy to, że CV kandydata czy to, jak wypadnie na rozmowie, nie ma znaczenia. To wszystko też się liczy. Jednak ogromną wartość ma to, co ekonomiści nazywają kapitałem społecznym. To określenie z żargonu profesorskiego, ale kryje się pod nim dość prosta koncepcja: otóż sieci naszych kontaktów osobistych i instytucjonalnych mają wymierną wartość gospodarczą. Dają nam dostęp do odpowiednich osób, zapewniają nam lepsze szanse, dostarczają cennych informacji. Bez tego wszystkiego walczymy w pojedynkę.

Przekonałem się o tym boleśnie podczas jednej z ostatnich rozmów tego maratonu zwanego JPR. Przyszedł już moment, kiedy kolejne spotkania były jak zacięta płyta. Pytano mnie o zainteresowania, o ulubione przedmioty, o to, w której dziedzinie prawa chciałbym się specjalizować. A na koniec o to, czy sam mam jakieś pytania. Po parunastu podejściach odpowiedzi miałem już przećwiczone, a pytania zadawałem jak wytrawny konsument informacji udzielanych przez kancelarie prawne. Prawda natomiast była taka, że nie miałem pojęcia, czym chciałbym się zajmować, na którym z obszarów prawa miałem nadzieję praktykować. Nie byłem nawet pewien, o co właściwie pytam, indagując rozmówców o „kulturę korporacyjną" czy „równowagę między pracą a życiem osobistym". Wszystko to dość mocno przypominało konkurs psów rasowych. Nie wychodziłem jednak na palanta, więc jakoś szło.

Aż w końcu wpadłem na minę. Ostatni rozmówca zadał mi pytanie, na które nie byłem przygotowany: Dlaczego właściwie chcę pracować w firmie prawniczej? Łatwizna, ale tak się już przyzwyczaiłem do nawijki o swoim rosnącym zainteresowaniu sprawami o charakterze antymonopolowym (zainteresowaniu, w najlepszym razie, nieco udawanym), że aż wstyd przyznać, jak na tym poległem. Powinienem był zacząć od tego, że chcę się uczyć od najlepszych, czy od pokusy walki w sprawach o wielkie stawki. Generalnie wszystko byłoby lepsze od słów, które faktycznie wypowiedziałem:

– Tak naprawdę to nie wiem, ale nieźle płacą, ha, ha!

Rozmówca spojrzał na mnie jak na trójokiego kosmitę i do końca nie udało mi się przywrócić przyjaznej atmosfery.

Byłem pewien, że już po mnie. Zawaliłem tę rozmowę tak, że gorzej się nie dało. Jednak za kulisami już wisiała na telefonie jedna z pań, która załatwiała mi wstępne rekomendacje. Partnerowi odpowiadającemu w kancelarii za przyjmowanie nowych pracowników powiedziała, że bystry i równy ze mnie chłopak, że będę świetnym prawnikiem. „Wystawiła ci fantastyczną laurkę" – dowiedziałem się później. Kiedy więc łowcy głów zgłosili się, by uzgodnić kolejną rundę spotkań, okazało się, że jednak przeszedłem dalej. W końcu dostałem też pracę, choć fatalnie wyłożyłem się na najważniejszej, jak uważałem, części procesu rekrutacji. Jak mówi stare przysłowie, lepiej mieć szczęście niż talent. Najwyraźniej dobre kontakty są jeszcze lepsze.

W Yale nawiązywanie kontaktów jest niczym powietrze, którym oddychamy – tak wszechobecne, że łatwo je przegapić. Pod koniec pierwszego roku większość z nas szykowała się do konkursu dającego szansę publikacji w „Yale Law Journal". Ów periodyk publikuje długie analizy prawne, głównie dla odbiorców akademickich. Czyta się toto jak instrukcje obsługi chłodnicy – są drętwe, schematyczne i po części w obcym języku. (Oto próbka: „Choć system ocen był bardzo obiecujący, wykażemy, że odnośne przepisy dotknięte są poważnymi usterkami od fazy projektu przez wdrożenie po zastosowanie: sądy okręgowe zamiast delikatnych szturchnięć rozdają raczej niecelne kułaki"). Żarty żartami, ale „Journal" to poważna sprawa. Szukające pracowników firmy prawnicze widzą w nim zdecydowanie najistotniejsze zajęcie dodatkowe, jakiemu może się oddawać student. Niektóre werbują tylko spośród osób, które trafiły do stopki redakcyjnej.

Co poniektórzy studenci już od samego początku planowali, jak dostać się do „Yale Law Journal". Konkurs na artykuł zaczynał się w kwietniu. Byli tacy, którzy w marcu mieli już za sobą kilka tygodni przygotowań. Mój dobry kolega, idąc za radą niedawnych absolwentów (a bliskich przyjaciół), zabrał się do nauki jeszcze przed Bożym Narodzeniem. Weterani najlepszych firm konsultingowych zbierali się i odpytywali nawzajem z technik edytorskich. Pewien student drugiego roku pomógł staremu współlokatorowi z czasów licencjatu na Harvardzie (teraz na pierwszym roku) opracować strategiczny plan nauki na ostatni miesiąc przed rozpoczęciem rywalizacji. Gdziekolwiek spojrzeć, ludzie szukali wejść poprzez kręgi znajomych czy grupy alumnów, by dowiedzieć się jak najwięcej o najważniejszym sprawdzianie, który czekał nas w tym roku.

A ja nie miałem zielonego pojęcia, co jest grane. Nie było tu grupy absolwentów Uniwersytetu Stanowego Ohio – kiedy przybyłem do Yale, poza mną na prawie była jeszcze tylko jedna osoba stamtąd. Mogłem domniemywać, że „Journal" się liczy, bo pisała do niego sędzia Sądu Najwyższego,

Sonia Sotomayor. Ale dlaczego się liczył? Nie wiedziałem nawet, czym się zajmuje. Cały ten proces był dla mnie czarną magią, a nie znałem żadnego wtajemniczonego czarodzieja.

Istniały oczywiście oficjalne kanały rozpowszechniania informacji. Tyle że komunikaty płynące z nich kłóciły się ze sobą nawzajem. Yale chlubi się tym, że tutejszy wydział prawa nie narzuca rywalizacji, jest mało stresujący. Czasami, niestety, ten etos objawia się sprzecznościami w przekazywaniu informacji. Wydawało się, że właściwie nikt nie ma pojęcia, jaką wagę ma fakt opublikowania artykułu w „Yale Law Journal". Mówiono nam, że to bardzo pomaga w karierze, ale to nic takiego, że nie powinniśmy się tym przejmować, ale bez takiej publikacji pewne kategorie posad będą dla nas niedostępne. W sumie wszystko prawda: jest wiele ścieżek kariery i zainteresowań, przy których pisanie do „Journal" byłoby tylko stratą czasu. Nie wiedziałem jednak, k t ó r y c h dokładnie ścieżek kariery to dotyczy. I nie miałem pojęcia, jak się tego dowiedzieć.

Mniej więcej wtedy wkroczyła do akcji jedna z moich wykładowczyń, Amy Chua, i wyłożyła mi dokładnie, jak to wygląda: „Publikacje w «Journal» przydadzą się, jeśli będziesz chciał pracować dla sędziego albo zostać na uczelni. W przeciwnym razie szkoda zachodu. Ale jeśli nie masz pewności, co zamierzasz robić, śmiało, spróbuj szczęścia". I to była porada za milion punktów. A że faktycznie sam nie wiedziałem, czego chcę, skorzystałem z niej. Choć na pierwszym roku nie odniosłem sukcesu, na drugim przeszedłem przez sito i stałem się redaktorem prestiżowego periodyku. Choć nieważne, czy mi się udało. Ważne, że dzięki pomocy wykładowczyni zdołałem sforsować rozpadlinę zrodzoną z niedostatecznej wiedzy. Zupełnie jak gdybym nauczył się widzieć.

Amy jeszcze nieraz pomogła mi w wędrówce przez nieznane terytoria. Studia prawnicze to trzyletni tor przeszkód, decyzji o życiu i karierze zawodowej. Z jednej strony to miłe, kiedy oferują ci tyle szans. Z drugiej nie miałem pojęcia, jak te szanse wykorzystać ani też które z nich okażą się użyteczne na dłuższą metę. Ba, żebym chociaż wiedział, co sam chciałem robić na dłuższą metę... Pragnąłem po prostu ukończyć studia i znaleźć dobrą pracę. Mgliście roiło mi się, że po spłaceniu kredytu zaciągniętego na studia chętnie robiłbym coś w usługach publicznych. Jednak niczego konkretnego jeszcze sobie nie upatrzyłem.

Tyle że życie nie chciało stać w miejscu. Niemal natychmiast po tym, jak podjąłem ofertę jednej z firm prawniczych, ludzie zaczęli dyskutować o zgłaszaniu się po ukończeniu studiów na praktykę asystencką. Takie staże przy sędziach federalnych trwają rok. Dla młodych prawników to wspaniała okazja do pogłębienia wiedzy: asystenci czytają pisma procesowe, dokonują dla sędziów kwerend w kwestiach prawnych, a nawet pomagają im przy tworzeniu wstępnych wersji opinii. Wszyscy byli asystenci pieją o swoich stażach, a pracodawcy z sektora prywatnego często dokładają zatrudnianym przez siebie ludziom świeżo po praktykach dziesiątki tysięcy w premiach.

Tyle właśnie wiedziałem o stażach asystenckich, i wszystko to prawda. Z tym że to bardzo naskórkowa wiedza. Praktyki to zagadnienie znacznie bardziej złożone. Przede wszystkim trzeba zdecydować, dla jakiego sądu chce się pracować: takiego, który rozpatruje mnóstwo spraw, czy apelacyjnego, zajmującego się odwołaniami od wyroków niższych instancji. Potem należy określić, w którym regionie kraju chce się pracować. Jeśli chciałoby się asystować w Sądzie Najwyższym, są sędziowie, zwani „karmicielami", u których ma się na to większe szanse. Jak się łatwo domyślić, wybierają sobie oni praktykantów według ostrzejszych kryteriów, więc zafiksowanie się na stażu u takiego sędziego wiąże się z pewnym ryzykiem – jeśli wygrasz, masz już za sobą pół drogi do izb najważniejszego z wszystkich sądów w kraju, ale jeśli przegrasz, zostajesz bez stażu. To wszystko okrasza jeszcze fakt, że asystent naprawdę blisko współpracuje ze swoim sędzią. Kto chciałby zmarnować rok na zbieranie zjebów od jakiegoś ćwoka w czarnej todze?

Nie ma bazy danych, z której dałoby się wygarnąć takie informacje, żadnego centralnego źródła, gotowego wskazać, którzy sędziowie są mili, z którymi łatwiej trafić do Sądu Najwyższego i który rodzaj pracy bardziej by ci odpowiadał: procesy czy apelacje. Ba, dopytywać się o te kwestie zdaniem wielu niemal się nie godzi. Jak zapytać wykładowcę, czy sędzia, której cię właśnie polecił, ma miły charakter? Nie taka to łatwa sztuka, jak by się mogło wydawać.

Żeby zdobyć te informacje, należy więc czerpać je od swoich kontaktów towarzyskich – grup studenckich, przyjaciół, którzy już zaliczyli staże, i tej garstki wykładowców skorych udzielać brutalnie szczerych rad. Byłem już na tyle otrzaskany z życiem na tej uczelni, że wiedziałem jedno: najlepsze kontakty nie zdadzą się na nic, jeśli sam nie poproszę o pomoc. Więc poprosiłem. Amy Chua wyjaśniła mi, że nie powinienem zawracać sobie głowy staraniami o praktykę u prestiżowego sędziego – „karmiciela", bo taka pozycja w życiorysie niewiele mi da, zważywszy na to, jakie miałem plany na przyszłość. Ja jednak nalegałem, aż w końcu ustąpiła i poleciła mnie bardzo ważnemu sędziemu federalnemu, który miał silne koneksje z wieloma członkami Sądu Najwyższego.

Przedłożyłem mu wszystkie potrzebne materiały: CV, wypolerowaną na błysk próbkę pracy pisemnej, dramatyczny list motywacyjny. Sam nie potrafiłbym powiedzieć, po co to wszystko. Może przez swój południowy zaśpiew i brak rodzinnych tradycji czułem potrzebę wykazania, że na prawie na Yale nie znalazłem się przez pomyłkę. A może po prostu byłem jak owca w stadzie. Tak czy inaczej, m u s i a - ł e m zdobyć ten staż.

Parę dni po tym, jak złożyłem te papiery, Amy wezwała mnie do swojego gabinetu i oświadczyła, że trafiłem na krótką listę. Serce zabiło mi mocniej. Wiedziałem, że jeśli dojdzie do rozmowy kwalifikacyjnej, staż jest mój. Wiedziałem też, że jeśli Amy naprawdę poprze mój wniosek, to zostanę zaproszony na taką rozmowę.

I wtedy właśnie dowiedziałem się, ile jest wart prawdziwy kapitał społeczny. Nie zamierzam tu sugerować, że moja pani profesor podniosła słuchawkę i powiedziała sędziemu, że musi przyjąć mnie na rozmowę. Powiedziała, że zanim coś takiego zrobi, musi ze mną bardzo poważnie porozmawiać. Bynajmniej nie była w nastroju do żartów.

– Wydaje mi się, że walczysz o ten staż z niewłaściwych powodów. Robisz to chyba tylko po to, żeby mieć to w CV, co nie jest złe, ale akurat ta pozycja nie przyda ci się do osiągnięcia wymarzonych celów. Jeśli nie chcesz być liczącym się adwokatem, który uderza do Sądu Najwyższego z pozwami cywilnymi, nie powinieneś aż tak starać się o ten staż.

A potem wyłożyła mi, jak ciężkie są praktyki u tego sędziego. Był to człowiek skrajnie wymagający. Jego asystenci przez cały rok nie mieli ani dnia wolnego. Potem przeszła do spraw osobistych. Wiedziała, że mam od niedawna dziewczynę, w której jestem nieprzytomnie zakochany.

– Ten staż to coś, co może rozbić wasz związek. Jeśli chcesz mojej rady, powinieneś postawić Ushę na pierwszym miejscu i wymyślić takie posunięcie, które rzeczywiście pasuje do twojej wymarzonej kariery.

W życiu nie dostałem od nikogo lepszej rady i zastosowałem się do niej. Poprosiłem Amy, żeby wycofała moje zgłoszenie. Nie da się powiedzieć, czy rzeczywiście udałoby mi się wywalczyć ten staż. Chyba byłem zbyt pewny siebie: stopnie i CV miałem niezłe, ale nie fenomenalne. Porada Amy zapobiegła jednak podjęciu przeze mnie decyzji, która odmieniłaby moje życie. Powstrzymała mnie od oddalenia się na półtora tysiąca kilometrów od dziewczyny, z którą w końcu się ożeniłem. A co najważniejsze, pozwoliła mi uznać, że w tej obcej instytucji jestem jednak u siebie – że wolno mi wytyczać własne szlaki, że to nic złego, jeśli uważam Ushę za ważniejszą niż jakieś krótkoterminowe ambicje. Moja pani profesor pozwoliła mi być sobą.

Trudno byłoby wycenić tę jej poradę w dolarach. Słowa Amy wciąż owocują dywidendami. Żebyśmy się jednak dobrze zrozumieli: ta porada miała wymierną wartość finansową. Kapitał społeczny nie wyraża się tylko w tym, że ktoś przedstawi cię przyjacielowi czy przekaże twoje CV do dawnego szefa. To także, a może nawet przede wszystkim, miara wiedzy, którą zyskujemy dzięki naszym przyjaciołom, znajomym, mentorom. Nie wiedziałem, które z dostępnych mi opcji uznać za priorytetowe, nie miałem pojęcia, że mogę iść innymi, lepszymi dla mnie ścieżkami. Tego wszystkiego dowiedziałem się dzięki swoim kontaktom – a szczególnie dzięki bardzo szczodrej wykładowczyni.

Wciąż jeszcze uczę się o kapitale społecznym. Był czas, że pisałem artykuły dla strony internetowej prowadzonej przez Davida Fruma, dziennikarza, człowieka opiniotwórczego, obecnie w zespole autorów periodyku „The Atlantic". Kiedy byłem już gotów podjąć pracę w jednej z waszyngtońskich firm prawniczych, on zaproponował inną, w której pozycje starszych partnerów objęli właśnie dwaj jego koledzy, przedtem członkowie administracji Busha. Rozmowę kwalifikacyjną przeprowadził ze mną właśnie jeden z tych przyjaciół – gdy otrzymałem u nich posadę, stał się dla mnie ważnym mentorem. Później spotkałem go jeszcze na konferencji urządzanej na Yale – przedstawił mnie wtedy swojemu kamratowi z czasów pracy w Białym Domu Busha (a mojemu politycznemu idolowi), gubernatorowi Indiany Mitchowi Danielsowi. Gdyby nie sugestia Davida, nigdy nie trafiłbym do tej firmy i nie mógłbym porozmawiać (niechby i przez chwilę) z osobą publiczną, którą darzę największym podziwem.

Zdecydowałem jednak, że i tak chcę iść na staż asystencki. Zamiast jednak pakować się w to na oślep, zrozumiałem, co chciałbym w ten sposób uzyskać: pracę dla kogoś, kogo bym szanował, zdobycie jak największej wiedzy praktycznej, i bliskość z Ushą. Postanowiliśmy zatem z Ushą, że podejdziemy do stażu we dwoje. Skończyliśmy w północnym Kentucky, niedaleko okolic, w których się wychowałem. Była to najlepsza sytuacja, jaka mogła się nam przytrafić. Sędziów, którzy nam szefowali, polubiliśmy tak bardzo, że poprosiliśmy ich potem, by udzielili nam ślubu.

To tylko jeden przykład tego, jak działa świat ludzi sukcesu. Kapitał społeczny mamy jednak wszędzie wokół siebie. Ci, którzy umieją z niego zaczerpnąć i wykorzystać to, zyskują. Ci, którzy tego nie robią, w wyścigu życia są obciążeni dużym handicapem. Dla młodych ludzi takich jak ja to poważny problem. Oto niepełna lista rzeczy, których nie wiedziałem, kiedy rozpoczynałem studia na Wydziale Prawa Yale:

Że na rozmowę kwalifikacyjną o pracę należy przyjść w garniturze.

Że garnitur tak obszerny, jakby skrojony na przywódcę stada goryli, jest niestosowny.

Że nóż do masła to nie tylko element dekoracji (bądź co bądź, każdą czynność wymagającą użycia noża do masła da się lepiej wykonać łyżką albo i palcem wskazującym).

Że skóra i skóra ekologiczna to dwa różne materiały.

Że pasek i buty nie powinny się gryźć.

Że w pewnych miastach i stanach jest łatwiej o pracę.

Że zrobienie licencjatu w lepszej szkole daje korzyści niesprowadzające się tylko do przechwałek.

Że finanse to regularna gałąź gospodarki, w której pracują ludzie.

Mamaw zawsze była oburzona stereotypowym traktowaniem bidoków, jakbyśmy wszyscy byli zaślinionymi kretynami.

Cóż, kiedy faktem jest, że naprawdę miałem nędzne pojęcie o tym, jak walczyć o swoje. Nieświadomość rzeczy znanych wielu innym osobom często pociąga za sobą poważne konsekwencje ekonomiczne. To przez nią nie dostałem pracy podczas studiów licencjackich (bo piechociarskie glany i spodnie koloru khaki to chyba jednak niewłaściwy strój na rozmowę kwalifikacyjną), a w czasie studiów prawniczych mogłaby mnie kosztować znacznie więcej, gdyby nie znalazła się grupka ludzi gotowych pomagać mi na każdym kroku.

14

Rozpoczynałem drugi rok studiów prawniczych, czując się tak, jakbym złapał Pana Boga za nogi. Do New Haven wróciłem z letniej pracy w senacie federalnym, bogaty w nowe przyjaźnie i doświadczenia. Miałem przepiękną dziewczynę, praktycznie w kieszeni była też świetna posada w fajnej firmie prawniczej. Wiedziałem, że ludziom takim jak ja taki awans właściwie się nie zdarza, więc gratulowałem sam sobie triumfu nad statystyką. Byłem lepszy niż to, co mnie zrodziło: lepszy niż mama i jej nałogi, lepszy od wszystkich tatusiów, którzy mnie opuścili. Żałowałem tylko, że Mamaw i Papaw już tego nie zobaczą.

To i owo wskazywało jednak, że nie wszystko idzie gładko, szczególnie w moim związku z Ushą. Chodziliśmy ze sobą ledwie parę miesięcy, kiedy trafiła się jej analogia, wręcz idealnie mnie opisująca. Jak to ujmowała Usha, byłem żółwiem.

– Kiedy tylko zdarzy się coś złego... niech pojawi się tylko cień niezgody... ty całkowicie się wycofujesz. Zupełnie jakbyś miał skorupę, do której się chowasz.

Tak było. Nie miałem pojęcia, jak sobie radzić z problemami powstającymi w związku, więc wybrałem opcję ignorowania ich. Gdyby Usha zrobiła coś, co by mi się nie spodobało, mógłbym na nią nawrzeszczeć, ale to była wredna opcja. Mogłem też się wycofać, oderwać. I – jak to mówią – tyle właśnie miałem strzał w kołczanie, całe dwie. Myśl o tym, że miałbym walczyć z Ushą, strącała mnie prosto w bagno uczuć, których – jak mi się dotąd wydawało – nie odziedziczyłem po przodkach: stresu, smutku, lęku, niepokoju. Wszystko to miałem w sobie, i to p o t ę ż n e.

Próbowałem więc się wycofywać, ale Usha mi nie pozwalała. Wiele razy chciałem nawet całkiem zerwać związek, mówiła mi jednak, że to idiotyzm, chyba że zupełnie mi na niej nie zależy. Więc wrzeszczałem i darłem się. Robiłem wszystkie te okropne rzeczy, jak moja mama. A potem czułem rozpaczliwy lęk i miałem poczucie winy. Przez tak wiele lat robiłem z mamy czarny charakter. A teraz sam zachowywałem się tak jak ona. Nic nie może równać się z lękiem, że sam zamieniasz się w potwora skrywającego się w twojej szafie.

Na drugim roku wyjechaliśmy z Ushą do Waszyngtonu na kolejne spotkania w kilku firmach prawniczych. Do pokoju hotelowego wróciłem przygnębiony, bo właśnie zawaliłem rozmowę w jednej z firm, w których naprawdę bardzo chciałem pracować. Gdy Usha próbowała mnie pocieszyć, twierdząc, że na pewno poradziłem sobie lepiej, niż mi się wydawało, a nawet jeśli nie, to znajdą się inne firmy, puściły mi nerwy.

– Nie mów, że poszło mi świetnie – wrzeszczałem. – Tylko byś usprawiedliwiała słabość. To nie dzięki usprawiedliwianiu błędów dotarłem tu, gdzie jestem.

Wypadłem z pokoju i przez następnych parę godzin snułem się po ulicach biznesowej części Waszyngtonu.

Wspominałem sytuację, kiedy po wściekłej awanturze z Bobem mama zabrała mnie i naszego małego pudelka do motelu Comfort Inn w Middletown. Spędziliśmy tam parę dni, aż wreszcie Mamaw przemówiła mamie do rozumu, kazała jej wrócić do domu i stawić czoła swoim problemom, jak na dorosłą osobę przystało. Myślałem też o tym, jak wyglądało dzieciństwo mamy, kiedy z matką i siostrą wymykały się z domu tylnymi drzwiami, by uniknąć kolejnej koszmarnej nocy z ojcem alkoholikiem. Byłem uciekinierem w trzecim pokoleniu.

Dotarłem w pobliże Teatru Forda, tego historycznego budynku, w którym John Wilkes Booth zastrzelił Abrahama Lincolna. Jakieś pół przecznicy od teatru znajduje się narożny sklepik sprzedający lincolnowskie pamiątki. Siedzi tam wielki, nadmuchiwany Lincoln z nadzwyczaj szerokim uśmiechem i tępo gapi się na przechodniów. Miałem wrażenie, że ten dmuchany manekin ze mnie drwi. „Co go tak cieszy, do cholery?" – pomyślałem. Lincoln generalnie miał melancholijne usposobienie, a jeśli jakieś miejsce skłaniałoby go do uśmiechów, to na pewno nie sklep o rzut kamieniem od miejsca, w którym zamachowiec wypalił mu w głowę.

Minąłem ten narożnik i po kilku krokach zobaczyłem, że na schodach Teatru Forda siedzi Usha. Wybiegła za mną z hotelu, bojąc się, co pocznę sam w Waszyngtonie. Wtedy uświadomiłem sobie, że mam poważny problem – że muszę stawić czoła temu czemuś, co od pokoleń zmuszało ludzi w mojej rodzinie do krzywdzenia tych, których kochali. Przepraszałem Ushę pokornie. Spodziewałem się, że powie mi, żebym spierdalał, że naprawienie tego, co spieprzyłem, to robota na wiele dni, że jestem okropnym typem. Szczere przeprosiny to kapitulacja, a kiedy ktoś kapituluje, trzeba go dobić. Jednak Ushy nie interesowało dorzynanie mnie. Powiedziała mi spokojnie, mimo łez, że ucieczka zawsze jest złym rozwiązaniem, że martwiła się o mnie i że muszę się nauczyć z nią rozmawiać. A potem przytuliła mnie, powiedziała, że przyjmuje przeprosiny i że cieszy się, że nic mi nie jest. I już.

Usha nie uczyła się walczyć w surowej szkole bidoków. Gdy po raz pierwszy odwiedziłem jej rodziców na Święto Dziękczynienia, zdumiało mnie, że nie robili dramatów. Matka Ushy nie obrabiała jej ojcu tyłka. Nikt nie sugerował, że wierni przyjaciele rodziny to tak naprawdę kłamcy czy zdrajcy, nie było gniewnych wymian słów między czyjąś żoną a jego siostrą. Rodzice Ushy, wydawało się, naprawdę lubili jej babcię, a o swoim rodzeństwie wspominali z miłością. Gdy zapytałem jej ojca o pewnego względnie osamotnionego członka ich rodziny, spodziewałem się, że wygarnie litanią niedostatków jego charakteru. Tymczasem jednak usłyszałem wyrazy współczucia i nieco smutku, ale przede wszystkim życiową naukę:

– Wciąż regularnie do niego dzwonię, sprawdzam, jak się czuje. Nie można po prostu odrzucić krewniaka, nawet jeśli wydaje się, że rodzina go nie obchodzi. Trzeba się starać, bo to mimo wszystko krewny.

Spróbowałem szczęścia z poradnictwem emocjonalnym, ale przerosło mnie to. Zwierzanie się obcej osobie z własnych uczuć sprawiało, że zbierało mi się na wymioty. Poszedłem za to do biblioteki i przekonałem się, że to, co uważam za normalne zachowanie, jest już obiektem intensywnych badań naukowych. Psychologowie określają zjawiska, z którymi ja i Lindsay w dzieciństwie stykaliśmy się codziennie, mianem „niekorzystnych doświadczeń dziecięcych" (*Adverse Childhood Experiences*, czyli ACE). ACE to traumatyczne doznania z dzieciństwa, których konsekwencje potrafią sięgać daleko w dorosłość. Trauma nie musi wynikać z urazów cielesnych. Do najczęściej występujących ACE zalicza się następujące zdarzenia czy uczucia:

gdy rodzice klną na dziecko, uwłaczają mu bądź je upokarzają

gdy rodzice popychają dziecko, szarpią nim czy rzucają w nie czymś

gdy ma się poczucie braku wsparcia między członkami rodziny

gdy rodzice są w separacji lub rozwiedzeni

gdy mieszka się z alkoholikiem lub narkomanem

gdy mieszka się z osobą w depresji lub po próbie samobójczej

gdy widzi się, jak osoba kochana pada ofiarą przemocy fizycznej

ACE występują wszędzie, w każdej społeczności. Badania wykazały jednak, że częstotliwość ich pojawiania się jest zdecydowanie większa w moim kawałku demograficznego tortu. Raport Funduszu Powierniczego dla Dzieci stanu Wisconsin wskazuje, że wśród ludzi, którzy ukończyli przynajmniej studia licencjackie (czyli wśród pracowników niefizycznych), ACE doświadczyła niespełna połowa. W klasie robotniczej ludzi z przynajmniej jednym ACE jest znacznie ponad pięćdziesiąt procent, przy czym czterdzieści procent doznało wielu różnych przeżyć tego typu. To naprawdę uderzająca różnica: cztery na dziesięć osób w klasie robotniczej zetknęły się z traumami dzieciństwa pod wieloma różnymi postaciami. Dla białych kołnierzyków odsetek ten wynosi dwadzieścia dziewięć procent.

Dałem cioci Łii, wujkowi Danowi, Lindsay i Ushy test stosowany przez psychologów do ustalenia liczby ACE, które miała dana osoba. Ciocia Łii zaliczyła ich siedem – nawet więcej niż ja i Lindsay, bo u nas stanęło na sześciu. Dan i Usha – oboje z rodzin, w których ludzie odnosili się do siebie wręcz podejrzanie miło – mieli zero. Zatem dziwni ludzie to ci, którzy nie przeszli traumy w dzieciństwie.

Dzieci z wieloma ACE częściej muszą walczyć z lękami i depresją, częściej dotykają ich choroby serca i otyłość, częściej zapadają na określone rodzaje nowotworów. Muszą się też liczyć ze zwiększonym prawdopodobieństwem gorszych wyników w szkole i nietrwałości związków w życiu dorosłym. Nawet nadmiar krzyków może nadwerężyć poczucie bezpieczeństwa u dziecka, powodując z czasem problemy z zachowaniem i zdrowiem psychicznym.

Pediatrzy z Harvardu badali skutki wpływu traum z dzieciństwa na umysł. Oprócz późniejszych negatywnych konsekwencji dla zdrowia odkryli, że ciągły stres może wręcz zmienić równowagę chemiczną w mózgu dziecka. Bądź co bądź, stres jest wywoływany przez reakcje fizjologiczne. Jest skutkiem adrenaliny i innych hormonów wyzwalanych do organizmu, najczęściej w odpowiedzi na jakiś bodziec. To ta klasyczna reakcja walki lub ucieczki, o której uczymy się już w podstawówce. Czasami pozwala ona zwykłym szaraczkom na akty niewiarygodnej siły czy odwagi. To dzięki temu matki potrafią podźwignąć ciężkie przedmioty, jeśli utknęło pod nimi dziecko, dzięki temu starsza pani gołymi rękami odpędzi panterę, by ocalić męża.

Niestety, jako stały towarzysz reakcja walki lub ucieczki sprawdza się fatalnie. Jak to ujęła doktor Nadine Burke Harris, to świetna reakcja, „jeśli jesteś w lesie i napotkasz niedźwiedzia. Problem pojawia się wtedy, gdy ten niedźwiedź co noc wraca do domu z baru". Jak odkryli badacze z Harvardu, w takiej sytuacji kontrolę przejmuje ten obszar mózgu, który włącza się w szczególnie stresujących sytuacjach. Jak piszą, „poważny stres we wczesnym dzieciństwie [...] powoduje, że fizjologiczna reakcja na stres objawia się przy najlżejszych bodźcach lub jest inicjowana chronicznie, wzrasta też prawdopodobieństwo lęków i niepokojów". U dzieci takich jak ja obszar mózgu odpowiedzialny za reakcje na stres i konflikty jest wiecznie czynny – przełącznik wciąż tkwi w jednej pozycji. Nieustannie jesteśmy gotowi do walki lub ucieczki, bo zawsze jest przy nas niedźwiedź, czy to w postaci ojca alkoholika, czy niezrównoważonej matki. Konflikt mamy ustawiony jako stan domyślny. I tak jest nawet wtedy, kiedy wokół nie ma już konfliktów.

Nie chodzi tu tylko o awantury. Porównanie niemal wszystkich możliwych wskaźników dowodzi, że amerykańskie rodziny z klasy robotniczej doświadczają niestabilności na skalę niespotykaną nigdzie indziej pod słońcem. Weźmy na przykład nieustanną paradę tatuśków u mamy. W żadnym innym kraju coś takiego by się nie zdarzyło. We Francji odsetek dzieci, które miały styczność z trzema lub więcej partnerami mamy, wynosi pół procent – to mniej więcej jedno na dwieście. Drugie miejsce na świecie zajmuje

Szwecja, gdzie wskaźnik ten wynosi 2,6 procent – mniej więcej jedno na czterdzieścioro. W Stanach to wstrząsające 8,2 procent – mniej więcej jedno na dwanaścioro, przy czym w klasie robotniczej jest jeszcze gorzej. Najbardziej przygnębia fakt, że taka niestabilność związków, jak i chaotyczne życie rodzinne, to błędne koło. Jak odkryli socjologowie Paula Fornby i Andrew Cherlin, „rośnie liczba publikacji sugerujących, że dzieci, które doświadczyły licznych zmian w strukturze rodziny, mogą wykazywać gorsze wskaźniki rozwoju niż te, które dorastały w stabilnych stadłach z dwojgiem rodziców, a może nawet te dorastające w stabilnych warunkach z jednym rodzicem".

Dla wielu dzieci pierwszym impulsem jest ucieczka, ale ludzie rzucający się do wyjścia rzadko trafiają na właściwe drzwi. Stąd właśnie moja ciotka w wieku szesnastu lat wyszła za mąż za brutala. To dlatego moja mama, która liceum ukończyła z drugą lokatą, nim skończyła drugą dekadę życia zaliczyła już dziecko i rozwód, ale ani jednych zajęć na studiach. Z deszczu pod rynnę. Chaos rodzi chaos. Niestabilność rodzi niestabilność. Witajcie w życiu rodzinnym amerykańskich bidoków.

Zrozumienie mojej przeszłości i świadomość, że nie jestem skazany na jej powtarzanie, dały mi nadzieję i hart ducha, by oprzeć się demonom młodości. I choć to zabrzmi jak frazes, okazało się, że najlepszym lekarstwem są rozmowy z tymi, którzy też rozumieją to życie. Zapytałem ciocię Łii, czy i ona miała podobne doświadczenia ze swoich związków.

– Oczywiście – odparła niemal odruchowo. – Zawsze byłam gotowa do walki z Danem. Czasami nawet szykowałam się na grubszą awanturę... w sensie, autentycznie przybierałam pozycję do walki, jeszcze zanim skończył mówić swoje.

Byłem w szoku. Ciocia Łii i Dan to najbardziej udane małżeństwo, jakie znam. Nawet po dwudziestu latach odnoszą się do siebie, jakby ledwie rok temu zaczęli chodzić na randki. Jak wyznała ciocia, jej związek jeszcze się polepszył, kiedy wreszcie zrozumiała, że naprawdę nie musi przez cały czas czuwać, czy nic jej nie grozi.

To samo powiedziała mi Lindsay.

– Kiedy kłóciłam się z Kevinem, wyzywałam go, mówiłam, żeby zrobił to, co przecież wiem, że mu się marzy, żeby się po prostu wyniósł. A on zawsze pytał: „Co z tobą? Czemu ze mną wojujesz, jakbym był twoim wrogiem?".

Wyjaśnienie jest takie, że w naszym rodzinnym domu czasem trudno było rozróżnić, kto jest przyjacielem, a kto wrogiem. Jednak minęło szesnaście lat, a Lindsay wciąż jest ze swoim mężem.

Dużo myślałem o sobie, o tym, czego w ciągu osiemnastu lat życia w domu nauczyłem się o prowokowaniu emocji. Uświadomiłem sobie, że nie wierzę przeprosinom, często były one bowiem wykorzystywane do osłabienia czujności drugiej osoby. W końcu to właśnie „wybacz" skłoniło mnie, bym wybrał się z mamą na tamtą pamiętną przejażdżkę sprzed ponad dekady. Zacząłem też rozumieć, czemu używałem słów jak broni: to samo robili wszyscy dokoła, więc tylko tak mogłem przetrwać. Każdy spór był wojną, tu grało się po to, żeby wygrać.

Nie od razu udało mi się przezwyciężyć te nauki. Wciąż borykam się z konfliktami, walczę ze statystyką, choć czasem wydaje się, że te wskaźniki walą się na mnie jak lawina.

Czasami żyje się łatwiej ze świadomością, że według staty-styk powinienem odsiadywać wyrok albo spłodzić czwarte nieślubne dziecko. Czasem jednak to ciężar – wydaje się, że konflikty i rozpad rodziny to przeznaczenie, któremu nie zdołam umknąć. W najtrudniejszych chwilach wmawiam sam sobie, że nie mam wyjścia, że choćbym ze wszystkich sił walczył przeciwko demonom przeszłości, stanowią one część dziedzictwa moich przodków zupełnie tak samo jak niebieskie oczy i brązowe włosy. Ponure fakty są takie, że bez Ushy nie podołałbym. Nawet w najlepszych chwilach jestem tylko odroczoną eksplozją – da się mnie rozbroić, ale wymaga to umiejętności i precyzji. To nie tylko ja na-uczyłem się panować nad sobą, to także Usha wyszkoliła się w sterowaniu mną. Gdybym pod jednym dachem znalazł się ja pod dwiema postaciami, skończyłoby się to reakcją łańcuchową. Nic dziwnego, że każdy członek mojej rodziny, który zdołał stworzyć sobie udany związek – ciocia Łii, Lind-say, kuzynka Gail – znalazł sobie partnera spoza naszej ciasnej kultury.

Ta świadomość rozniosła na kawałki narrację na temat mojego życia, którą sobie skonstruowałem. We własnych oczach wyszedłem ponad swoją przeszłość. Byłem silny. Ro-dzinne miasto opuściłem najwcześniej, jak tylko się dało, służyłem ojczyźnie w piechocie morskiej, na uniwersyte-cie stanowym osiągnąłem świetne wyniki, dostałem się na najlepszy wydział prawa w kraju. Nie dręczyły mnie żadne demony, nie miałem wad charakteru, żadnych problemów. Tyle że to nie była prawda. To, czego pragnąłem najbardziej na świecie – szczęśliwa partnerka, szczęśliwy dom – wyma-gało nieustannego skupienia. Obraz samego siebie, który stworzyłem, sprowadzał się do rozgoryczenia ukrytego pod maską arogancji. Parę tygodni po rozpoczęciu nauki na drugim roku prawa uświadomiłem sobie, że nie rozmawiałem z mamą już od wielu miesięcy, dłużej niż kiedykolwiek przedtem. Zdałem sobie sprawę, że wśród wszystkich uczuć, które do niej żywiłem – miłości, litości, przebaczenia, wściekłości, nienawiści, dziesiątków innych – nigdy jeszcze nie spróbowałem podejść do niej ze współczuciem. Dotąd w chwilach najwyższej empatii wydawało mi się, że cierpienia mamy wywodziły się z jakiejś koszmarnej wady genetycznej, i miałem nadzieję, że nie odziedziczyłem tego po niej. Im bardziej jednak dostrzegałem u siebie zachowania mamy, tym mocniej starałem się ją zrozumieć.

Wuja Jimmy opowiedział mi, jak kiedyś był świadkiem poważnej rozmowy Mamaw i Papaw. Mama wpakowała się w jakieś kłopoty i rodzice musieli zapłacić za nią kaucję. Takie sytuacje zdarzały się notorycznie w teorii za każdym razem taka wypłata wiązała się z określonymi konsekwencjami. Mówili mamie, że musi pilnować pieniędzy, obmyślali jakiś plan działań, który chcieli jej narzucić. Ten plan miał być ceną za ich pomoc. Kiedy tak siedzieli i debatowali, Papaw nagle ukrył twarz w dłoniach i zrobił coś, na czym wuja Jimmy nigdy dotąd go nie przyłapał: rozpłakał się.

– Zawiodłem ją – łkał. Wciąż powtarzał: – Zawiodłem ją, zawiodłem ją, zawiodłem swoją córeczkę.

Wyjątkowa chwila słabości dziadka trafia w sedno kwestii bardzo istotnej dla bidoków takich jak ja: jak dużą część naszego życia, jego dobrych i złych stron, powinniśmy przypisywać decyzjom podjętym przez nas osobiście, a ile to po prostu spuścizna naszej kultury, naszych rodzin, rodziców, którzy zawiedli swoje dzieci? Do jakiego stopnia mama ponosi winę za to, jak wygląda jej życie? Kiedy przestaniemy obwiniać, a zaczniemy współczuć?

Każdy z nas ma osobiste poglądy. Wuja Jimmy z żywiołową odrazą reaguje na każdą sugestię, jakoby błędne wybory mamy choćby w części były winą dziadka.

– On wcale jej nie zawiódł. Wszystko, co się z nią działo, to jej własna wina, do cholery.

Niemal tak samo patrzy na to ciocia Łii, i kto mógłby mieć o to do niej pretensje? Od mamy jest młodsza wszystkiego o dziewiętnaście miesięcy, widziała najgorsze oblicza Mamaw i Papaw, sama popełniła niejeden błąd, ale w końcu wyszła na ludzi. Skoro ona dała radę, to i mama powinna. Lindsay ma dla mamy nieco więcej współczucia, uważa, że skoro nasze życiorysy obdarzyły nas niejednym demonem, to i w życiu mamy musiało być podobnie. Mówi jednak, że kiedyś w końcu trzeba przestać kryć się za wymówkami i zacząć brać odpowiedzialność za własne życie.

Osobiście mam w tej kwestii mieszane uczucia. Cokolwiek by mówić o roli, jaką w moim życiu odegrali rodzice mamy, ich wieczne boje i alkoholizm musiały się na niej odbić. Kłótnie między dziadkami, wydaje się, już w dzieciństwie mamy i cioci wpływały na nie w różny sposób. Ciocia Łii błagała rodziców, żeby się uspokoili, albo prowokowała Papaw, żeby odciągnąć jego uwagę od babci, a moja mama kryła się, uciekała z domu czy padała na ziemię, zasłaniając dłońmi uszy. Nie radziła sobie tak dobrze, jak jej brat i siostra. Pod pewnymi względami mama jest tym dzieckiem Vance'ów, które przegrało mecz ze statystyką. Prawdę mówiąc, moja rodzina chyba i tak miała szczęście, że przydarzyło się to tylko jednej osobie.

Wiem jednak, że mama to nie czarny charakter. Kocha Lindsay i mnie. Desperacko usiłowała być dobrą matką. Czasami jej się udawało, czasem nie. Próbowała odnaleźć szczęście w miłości i pracy, ale zbyt często szła za niewłaściwym głosem w głowie. A jednak nie można uznać jej za niewinną. Nikt nie może zasłaniać się dzieciństwem za każdym razem, kiedy nabroi – ani Lindsay, ani ciocia Łii, ani ja, ani mama.

Przez całe moje życie nikt, nawet Mamaw, nie potrafił wzbudzić we mnie tak intensywnych emocji jak moja mama. Jako malec kochałem ją tak bardzo, że gdy kolega z grupy w przedszkolu wyśmiewał się z jej parasolki, huknąłem go prosto w twarz. Gdy widziałem jej kolejne porażki w walkach z uzależnieniami, nienawidziłem jej, czasem marzyłem, żeby wzięła tych prochów tyle, byśmy wreszcie z Lindsay mieli ją z głowy. Kiedy po kolejnym nieudanym związku leżała, szlochając w łóżku, czułem taką furię, że mógłbym kogoś zamordować.

Pod koniec moich studiów prawniczych Lindsay zadzwoniła z wieścią, że mama przeszła na kolejny narkotyk – heroinę – i postanowiła raz jeszcze spróbować terapii odwykowej. Nawet nie wiem, ile razy mama była już na odwyku, ile nocy spędziła w szpitalach, ledwie przytomna po zażyciu jakiegoś środka. Nie powinienem więc być zaskoczony ani jakoś bardzo przejęty, ale „heroina” po prostu brzmi zupełnie inaczej, to już jest ekstraliga narkotyków. Kiedy dowiedziałem się, jaką to substancję sobie teraz upodobała, przez całe tygodnie czułem się tak, jakby zawisł nade mną cień. Może utraciłem już wszelką nadzieję, że się jej polepszy.

Uczuciem, które wtedy wzbudzała we mnie mama, nie była nienawiść, miłość czy furia, lecz lęk. Lęk o jej bezpieczeństwo. Lęk przed tym, że Lindsay znów będzie musiała radzić sobie z problemami mamy, kiedy ja toczyłem swoje życie setki kilometrów dalej. A nade wszystko lęk, że przed niczym nie udało mi się, cholera, uciec. Do ukończenia prawa na Yale zostało mi parę miesięcy. Powinienem czuć się jak król stworzenia. A tymczasem znów zastanawiałem się nad tym samym pytaniem, co przez znaczną część ostatniego roku: Czy ludzie tacy jak my mogą się rzeczywiście zmienić?

Kiedy Usha i ja odbieraliśmy dyplomy, ekipa obserwująca mój przemarsz przez podium liczyła osiemnaście osób, w tym moje kuzynki Denise i Gail, córki braci Mamaw, odpowiednio Davida i Peta. Na miejsce przybyli też rodzice i wujek Ushy – fantastyczni ludzie, choć zdecydowanie mniej rozbrykani niż moja banda. Było to pierwsze spotkanie naszych rodzin, więc zachowywaliśmy się grzecznie (choć Denise pozwoliła sobie na parę soczystych określeń pod adresem „sztuki" nowoczesnej w muzeum, które odwiedziliśmy!).

Mamina potyczka z nałogiem skończyła się tak samo jak wszystkie poprzednie – niepewnym rozejmem. Mama nie przyjechała na ceremonię wręczania dyplomów, ale na razie nie brała narkotyków i to zupełnie mi wystarczało. Na uroczystości przemawiała sędzia Sonia Sotomayor, podpowiadając nam, że to nic złego, jeśli wciąż nie mamy pewności, co chcemy dalej robić. Zapewne miała na myśli nasze kariery zawodowe, ale dla mnie ta jej porada miała znacznie szersze zastosowanie. W Yale nauczyłem się wiele o prawie.

Nauczyłem się też jednak, że ten nowy świat zawsze będzie mi się wydawał nieco obcy i że bycie bidokiem oznacza, że czasem nie umie się odróżnić miłości od wojny. Kiedy kończyliśmy studia, to właśnie z tym miałem największy kłopot.

15

Najbardziej w pamięć wryły mi się te jebane pająki. Serio, ogromne, jak tarantule czy coś. Stałem przy oknie jednego z tych obleśnych przydrożnych moteli, oddzielony od kobiety (która na pewno nie miała dyplomu z hotelarstwa) taflą grubego szkła. Światło z jej biura wyłuskiwało z mroku parę pajęczyn rozpiętych między motelem a prowizoryczną markizą, wydawało się, gotową lada moment zwalić mi się na głowę. Na każdej sieci siedział przynajmniej jeden olbrzymi pająk – nie mogłem pozbyć się myśli, że jeśli spuszczę je z oczu choćby o chwilę zbyt długo, któryś rzuci mi się na twarz i zacznie wysysać krew. W ogóle nie boję się pająków, ale te tutaj były w i e l k i e.

Nawet nie powinno mnie tu być. Całe życie układałem sobie tak, żeby nie pojawiać się w takich miejscach. Kiedy myślałem o opuszczeniu rodzinnego miasta, o „wyrwaniu się" zeń, to właśnie od tego typu miejsc chciałem uciec. Było już po północy. W świetle latarni widać było postać mężczyzny siedzącego pół w pikapie, pół na zewnątrz – drzwi uchylone, stopy na asfalcie – z wystającym ze zgięcia łokcia ewidentnym kształtem strzykawki. Powinienem być wstrząśnięty, cóż, witamy w Middletown. Raptem parę tygodni wcześniej tutejsi policjanci znaleźli nieprzytomną kobietę w myjni samochodowej: na siedzeniu pasażera leżały łyżka i torebeczka heroiny, igła wciąż tkwiła w ramieniu.

Najbardziej rozpaczliwie wyglądała ta kobieta, która owej nocy siedziała w recepcji. Miała może czterdzieści lat, ale wszystko w jej wyglądzie – od długich, siwych, pozlepianych włosów, przez wyzute z zębów usta, po czoło zasępione, jakby ciążył na nim młyński kamień – gromko sygnalizowało starość. Musiała mieć ciężkie życie. Gdy się odzywała, brzmiało to jak głos małego dziecka, wręcz takiego stawiającego pierwsze kroki – potulny, ledwo słyszalny, pełen smutku.

Podałem jej kartę kredytową – ewidentnie nie była na to przygotowana.

– Normalnie ludzie płacą tu gotówką – wyjaśniła.

– No tak, ale już kiedy dzwoniłem, mówiłem, że zapłacę kartą – powiedziałem. – Jeśli pani woli gotówkę, mogę podjechać do bankomatu.

– Ach, przepraszam, musiało mi wylecieć z głowy. Nie ma problemu, mamy tu gdzieś tę maszynkę do płacenia.

No i wyciągnęła ten starożytny aparat z heblem, który odciska numer karty na żółtym świstku. Gdy znów podałem jej kartę, wydawało się, że w jej wzroku widzę błaganie, jakby była więźniarką własnego życia.

– Życzę miłego pobytu – powiedziała, co wydało mi się dość dziwne. Niespełna godzinę wcześniej tłumaczyłem jej przez telefon, że pokoju potrzebuję nie dla siebie, ale dla matki, która straciła dach nad głową.

– Jasne. Dzięki.

Byłem świeżo upieczonym absolwentem prawa na Yale, byłym członkiem zespołu redakcyjnego prestiżowego „Yale

Law Journal", poważanym członkiem palestry. Ledwie dwa miesiące wcześniej, pewnego pięknego dnia pobraliśmy się z Ushą we wschodnim Kentucky. Na uroczystość przybyła cała moja rodzina, a my oboje zmieniliśmy nazwisko na Vance – dzięki temu wreszcie nazywałem się tak samo jak rodzina, w której było moje miejsce. Miałem fajną pracę, nowo kupiony dom, kochającą żonę i szczęśliwe życie w mieście, które kochałem – w Cincinnati. Wróciliśmy tam z Ushą na roczne praktyki asystenckie po studiach i znaleźliśmy dom dla nas i naszych dwóch psów. Wywalczyłem awans społeczny. Osiągnąłem swój cel. Żyłem w amerykańskim śnie.

A przynajmniej tak to wyglądało z zewnątrz. Awans społeczny nigdy nie jest jednak czymś absolutnym, świat, który zostawiłem za sobą, zawsze znajdzie sposób, żeby ściągnąć mnie z powrotem. Nie znam ze szczegółami tego ciągu wydarzeń, który sprowadził mnie do motelu w Middletown, ale najważniejsze fakty i owszem. Mama znów zaczęła ćpać. Swojemu piątemu mężowi ukradła coś z rodzinnej schedy, żeby mieć na prochy (tym razem bodajże opioidy na receptę), a on w odpowiedzi wywalił ją za drzwi. Rozwodzili się i mama nie miała gdzie się podziać.

Przysięgałem sobie, że już nigdy jej nie pomogę, ale człowiek, który to ślubował, sam się zmienił. Powracałem, jakkolwiek niepewnie, do chrześcijaństwa, które porzuciłem lata temu. Po raz pierwszy zrozumiałem, jak rozległe były emocjonalne rany wyniesione przez mamę z dzieciństwa. Pojąłem też, że nigdy się całkiem nie zagoją, podobnie jak i moje. Kiedy więc odkryłem, że mama wpakowała się w tarapaty, nie zakląłem pod nosem i nie rzuciłem słuchawką. Zaproponowałem pomoc.

Spróbowałem zadzwonić do motelu w Middletown i podać im numer karty kredytowej. Stawka za tydzień wynosiła sto pięćdziesiąt dolarów – uznałem, że tyle czasu wystarczy, żebyśmy ułożyli jakiś plan. Jednak przez telefon karty przyjąć nie chcieli, więc o jedenastej w nocy z wtorku na środę ruszyłem w trasę z Cincinnati do Middletown (mniej więcej godzina w jedną stronę), żeby mama nie musiała spać na ulicy.

Plan, który wykoncypowałem, wydawał się względnie nieskomplikowany. Dam mamie dość pieniędzy, żeby mogła stanąć na nogi. Znajdzie sobie własne lokum, odłoży tyle, żeby wystarczyło na odnowienie licencji pielęgniarki, a potem będzie już z górki. Ja tymczasem będę pilnował jej finansów, żeby mieć pewność, że nie bierze, nie przepuszcza forsy. Przypomniałem sobie „plany", które układali dla niej Mamaw i Papaw, ale wmówiłem sam sobie, że tym razem będzie inaczej.

Chciałbym móc powiedzieć, że pomoc mamie przyszła mi z łatwością. Że jakoś pogodziłem się z własną przeszłością i zdołałem rozwiązać problem, który dręczył mnie od podstawówki. Że uzbrojony we współczucie i zrozumienie dla dzieciństwa mamy mogłem cierpliwie dopomóc jej w walce z uzależnieniem. Cóż, kiedy niełatwo było dogadać się z ludźmi z tego obleśnego motelu. A czynne doglądanie finansów mamy, jakie sobie zaplanowałem, wymagało więcej cierpliwości i czasu, niż miałem do dyspozycji.

Z łaski Bożej nie muszę już kryć się przed mamą. Nie mogę też jednak wszystkiego naprawić. Teraz mogę zarazem czuć gniew na życie, które sobie wybrała, i okazywać współczucie dla dzieciństwa, którego nie wybierała. Kiedy mogę, jestem też w stanie jej pomóc, gdy finanse i rezerwy emocjonalne pozwalają mi otoczyć mamę taką opieką, jaka jest jej potrzebna. Zdaję sobie jednak sprawę z własnych ograniczeń i jestem gotowy trzymać mamę na dystans, jeśli pomoc w jej kłopotach oznaczałaby, że zabrakłoby mi pieniędzy na opłacenie własnych rachunków czy cierpliwości dla ludzi, którzy liczą się najbardziej. Taki to właśnie, niepewny rozejm zawarłem sam ze sobą – jak na razie działa.

Czasami ludzie pytają, czy moim zdaniem jest coś, co moglibyśmy uczynić, by „rozwiązać" problemy mojej społeczności. Wiem, czego by pragnęli: jakiegoś czarodziejskiego rozwiązania na drodze polityki społecznej czy pomysłowego programu rządowego. Jednak wszystkie te problemy, które dotknęły rodzin, wiary i kultury, to nie jest kostka Rubika, nie wydaje mi się, żeby rozwiązanie dla nich (w tym sensie, w jakim pojmuje to większość ludzi) tak naprawdę w ogóle istniało. Mój dobry przyjaciel, który przez pewien czas pracował w Białym Domu i naprawdę przejmuje się losem klasy robotniczej, powiedział mi kiedyś:

– Być może najlepszym sposobem patrzenia na te sprawy jest uświadomienie sobie, że najprawdopodobniej nie uda się ich naprawić. Te problemy będą z nami zawsze. Możesz jednak próbować trochę przechylać szalę na korzyść tych, co są na krawędzi.

Moją szalę pomagało przechylać wielu ludzi. Kiedy spoglądam wstecz na swoje życie, w oczy rzuca się od razu, jak wiele zmiennych musiało ułożyć się dokładnie tak, jak trzeba, żebym dostał szansę. Na przykład stała obecność dziadka i babci, nawet kiedy matka i ojczym przeprowadzili się w dalszą okolicę, próbując się od nich odciąć. Mimo karuzeli tatuśków często znajdowali się wokół mnie mężczyźni troskliwi i łagodni. Mama, mimo wszystkich swoich wad, wpajała mi od dziecka zamiłowanie do nauki i edukacji. Siostra zawsze stawała w mojej obronie, nawet kiedy już ją przerosłem. Dan i ciocia Łii otwierali przede mną drzwi swojego domu także wtedy, kiedy bałem się o to poprosić. Na długo przedtem byli dla mnie pierwszym przykładem udanego, pełnego miłości małżeństwa. Do tego nauczyciele, dalsi krewni, przyjaciele.

Gdyby usunąć którąkolwiek z tych osób z równania mojego życia, prawdopodobnie miałbym przejebane. Inni ludzie, którym udało się przezwyciężyć wyroki statystyki, także powołują się na tego rodzaju wsparcie. Jane Rex prowadzi biuro dla studentów przenoszących się na Appalachian State University w Karolinie Północnej. Podobnie jak ja, pochodzi z robociarskiej rodziny i była w niej pierwszą, która podjęła studia. Zamężna od niemal czterdziestu lat, wychowała trójkę udanych dzieci. Zapytacie ją, co zrobiło w jej życiu największą różnicę, a wskaże na stabilną rodzinę, która dodawała jej sił i zapewniła poczucie, że Jane może zapanować nad własną przyszłością. Powie też, że kiedy zobaczy się odpowiednio duży kawał świata, zyskuje się moc marzenia o rzeczach wielkich.

– Myślę, że niezbędne jest, by w pobliżu mieć dobre wzorce do naśladowania. Miałam bardzo bliską przyjaciółkę, której ojciec był dyrektorem banku, więc mogłam zobaczyć inne życie. Wiedziałam, że coś takiego istnieje, a skoro trochę się z tym opatrzyłam, mogłam o tym marzyć.

Moja kuzynka Gail należy do osób, które uwielbiam. Jedna z najstarszych w pokoleniu mojej mamy, to jest wnucząt Blantonów, ziściła w swoim życiu amerykański sen: ma piękny dom, trójkę wspaniałych dzieci, układa się jej w małżeństwie, a w obejściu jest jak święta. Nie licząc Mamaw Blanton, która w oczach jej wnuków i prawnuków ma niemalże status bogini, nie znam nikogo innego, o kim mówiono by, że to „najmilsza osoba pod słońcem". Gail absolutnie zasługuje na ten tytuł.

Przypuszczałem, że to bajkowe życie odziedziczyła po rodzicach. „Nikt przecież nie jest aż taki miły" – myślałem, a już na pewno nikt, kogo spotkały w życiu prawdziwe przeciwności. Gail pochodziła jednak z Blantonów, a ja, w sercu przecież bidok, powinienem był wiedzieć, że nie ma bidoka, który dożyłby dorosłości, nie zaliczając po drodze przynajmniej paru totalnych wpadek. Dzieciństwo Gail obdarowało i ją balastem emocji. Miała siedem lat, kiedy jej ojciec porzucił rodzinę, siedemnaście, kiedy kończyła liceum, planując kontynuować naukę na Uniwersytecie Miami. Tu jednak był pewien haczyk:

– Mama powiedziała mi, że nie puści mnie na studia, jeśli nie zerwę z chłopakiem. No to dzień po wręczeniu świadectw wyniosłam się z domu, a w sierpniu byłam już w ciąży.

Niemal natychmiast jej życie zaczęło się sypać. Wybiło szambo uprzedzeń rasowych, kiedy Gail oznajmiła, że w rodzinie pojawi się czarnoskóre dziecko. Z zawiadomienia zrodziły się awantury, aż pewnego dnia Gail zorientowała się, że już nie ma rodziny.

– Nie odzywali się do mnie żadni krewni – mówiła mi potem. – Moja mama powiedziała, że już nigdy więcej nie chce słyszeć mojego imienia.

Zważywszy na jej wiek i brak wsparcia rodziny, trudno się dziwić, że małżeństwo Gail także wkrótce się rozpadło. Jednak jej życie stało się zdecydowanie bardziej skomplikowane: mało, że straciła całą rodzinę, to przybyła jej córeczka, absolutnie zależna od matki.

– To zupełnie odmieniło moje życie... bycie matką stało się moją tożsamością. Może przedtem i byłam hipiską, ale teraz zaczęły obowiązywać surowe reguły: żadnych prochów, żadnego alkoholu, nic, co mogłoby sprawić, że opieka społeczna odbierze mi małą.

Mamy więc Gail – nastoletnią samotną matkę, bez rodziny, praktycznie bez żadnego wsparcia. Wielu ludzi w takiej sytuacji padłoby jak kawka, ale w niej obudził się bidok.

– Taty właściwie nie było – wspominała później – i to tak od lat, no a z mamą oczywiście nie było rozmowy. Pamiętam jednak, że dostałam od nich jedną naukę, a mianowicie, że jeśli bardzo chcę coś zrobić, to mogę. Chciałam zachować to dziecko i ułożyć sobie życie jak trzeba. Więc to zrobiłam.

Znalazła pracę w miejscowej firmie telefonicznej, stopniowo awansowała, a w końcu nawet zrobiła licencjat. Nim ponownie wyszła za mąż, jej życie nabrało sakramenckiego impetu. Więc ten bajkowy związek z Allanem, jej drugim mężem, był tylko wisienką na torcie.

Tam, gdzie się wychowywałem, często widać różne warianty historii Gail. Nastolatki lądują w tarapatach, czasem z własnej winy, czasem nie. Statystyka jest zdecydowanie przeciwko nim, więc licznym zdarza się polec: w najgorszym razie czeka ich przestępczość albo i wczesna śmierć, w najlepszym małżeńskie boje i życie z zasiłków. Inni jednak dają sobie radę. Taka Jane Rex. Taka Lindsay, która rozkwitła wśród żałoby po śmierci Mamaw, czy ciocia Łii, która po porzuceniu brutalnego męża naprostowała sobie życie. Wszystkie one w ten czy inny sposób skorzystały z tego samego rodzaju doświadczeń. Miały kogoś w rodzinie, na kim mogły polegać. Zobaczyły też – u przyjaciela rodziny, wujka, mentora w miejscu pracy – co da się osiągnąć, co jest możliwe.

Niedługo po tym, jak zacząłem rozważać, co takiego mogłoby pomóc amerykańskiej klasie robotniczej odbić się od dna, opublikowane zostało przełomowe studium dotyczące życiowych szans w Ameryce, dzieło zespołu ekonomistów, wśród których był także Raj Chetty. Stwierdzili oni, ku niczyjemu zaskoczeniu, że szanse biednego dziecka na awans w hierarchii amerykańskiej merytokracji są gorsze, niżby sobie tego życzyła większość z nas. Według opracowanych przez nich zestawień, sporo krajów Europy lepiej niż Stany wydaje się radzić sobie ze ziszczeniem amerykańskiego snu. Co ważniejsze, odkryli, że szanse życiowe nie są wyrównane na całej połaci kraju. W stanach takich jak Utah, Oklahoma czy Massachusetts amerykański sen ma się świetnie – równie dobrze, jeśli nie lepiej jak gdziekolwiek indziej na świecie. To na Południu, w Pasie Rdzy i w Appalachach, biedne dzieci mają naprawdę ciężko. Ustalenia te zaskoczyły wielu ludzi, ale nie mnie. Ani nikogo, kto miał okazję spędzić w tych regionach nieco więcej czasu.

W analizie tych danych Chetty i pozostali współautorzy wskazują dwa istotne czynniki, które wyjaśniają nierównomierny rozkład geograficzny szans na lepsze życie: częstotliwość występowania samotnych rodziców i rozziew w przychodach. Dorastanie wśród licznych samotnych matek i ojców, mieszkanie w okolicy, gdzie większość stanowią ludzie biedni, naprawdę zawężają wachlarz dostępnych możliwości. Oznacza to bowiem, że jeśli zabraknie Mamaw i Papaw, którzy przypilnowaliby, żebyś nie zszedł na złą drogę, możesz zostać na niej już na zawsze. Oznacza to, że nie będzie ludzi, którzy na własnym przykładzie pokażą ci, co można osiągnąć ciężką pracą i wykształceniem. Zasadniczo oznacza to, że brakuje ci wszystkiego, co sprawiło, że ja, Lindsay, Gail czy ciocia Łii mogliśmy znaleźć choć trochę szczęścia. Nie zdziwiłem się więc, że mormońskie Utah – gdzie są silny Kościół, zżyte społeczności, nierozbite rodziny – biło na łeb Ohio, tkwiące w Pasie Rdzy.

Sądzę, że z mojego życia dałoby się wysnuć parę lekcji na temat polityki społecznej – sposobów przechylania tej jakże ważnej szali. Moglibyśmy skorygować podejście instytucji opieki społecznej do rodzin takich jak moja. Jak pamiętacie, w wieku dwunastu lat widziałem, jak policja zabrała mamę. Już przedtem zdarzało się, że widziałem, jak ją aresztują, ale przy tamtej okazji wiedziałem, że to poważniejsza sprawa. Wpadliśmy w tryby systemu, odwiedzał nas kurator, mieliśmy obligatoryjną terapię rodzinną. A nad moją głową, niczym ostrze gilotyny, zawisła data rozprawy w sądzie.

W teorii kuratorzy byli po to, by mnie chronić, ale na bardzo wczesnym etapie stało się boleśnie jasne, że są raczej przeszkodami do sforsowania. Kiedy tłumaczyłem im, że większość czasu spędzam z dziadkami i najchętniej nie zmieniałbym tego stanu rzeczy, usłyszałem, że sąd niekoniecznie przystanie na taki układ. W świetle prawa moja babcia była niewyszkoloną opiekunką, bez uprawnień do opieki nad cudzymi dziećmi. Gdyby proces mojej mamy potoczył się źle, z równym prawdopodobieństwem mogłem trafić do rodziny zastępczej albo do Mamaw. Przerażała mnie myśl, że mógłbym zostać oderwany od wszystkiego i wszystkich, których kochałem. Więc przestałem marudzić, ludziom z opieki mówiłem, że wszystko jest super, i liczyłem na to, że nie stracę rodziny, kiedy już dojdzie do procesu.

Nadzieja się ziściła – mama nie poszła do więzienia, a ja mogłem zostać z Mamaw. Był to nieformalny układ: jeśli chciałem, mogłem mieszkać z mamą, ale drzwi babci stały dla mnie zawsze otworem. Mechanizm egzekwowania tego porozumienia był równie nieformalny: Mamaw zabiłaby każdego, kto spróbowałby nie dopuścić mnie do niej. Groźba działała, bo babcia była stuknięta i wszyscy w rodzinie się jej bali.

Nie każdy jednak może liczyć na ochronę walniętej bidoczki. Dla wielu dzieci opieka społeczna to ostatnie nici siatki bezpieczeństwa – jeśli nie zdołają się o nie zahaczyć, to już raczej nic ich nie zatrzyma w katastrofalnym upadku.

Problem po części bierze się z definicji rodziny w prawie stanowym. W rodzinach takich jak moja – jak też wielu murzyńskich czy latynoskich – nieproporcjonalnie dużą rolę odgrywają dziadkowie, kuzyni, ciotki i wujowie. Dla opieki społecznej wszyscy oni często pozostają poza kadrem, tak też było w moim przypadku. Niektóre stany wymagają od rodziców zastępczych zdobycia odpowiedniej licencji – jak od pielęgniarek czy lekarzy – nawet jeśli potencjalny rodzic zastępczy to babcia czy inny członek bliskiej rodziny. Innymi słowy, opieka społeczna w naszym kraju nie została stworzona z myślą o rodzinach bidoków i często zdarza się, że tylko pogarsza sytuację.

Chciałbym móc stwierdzić, że to niewielki problem, ale tak nie jest. W każdym roku w rodzinach zastępczych przynajmniej jakiś czas spędza sześćset czterdzieści tysięcy dzieci, przeważnie ubogich. Dodajmy do tego ciemną liczbę dzieci, które są zaniedbane czy maltretowane, a jednak w ten czy inny sposób nie trafiają do systemu rodzin zastępczych, i mamy istną epidemię – a funkcjonująca obecnie polityka socjalna tylko ją nasila.

Możemy działać inaczej. Możemy tworzyć politykę w oparciu o lepsze zrozumienie przeszkód, które mają przed sobą takie dzieciaki, jakim byłem ja. Najważniejszą nauką, jaka płynie z mojego życia, nie jest to, że społeczeństwo zawiodło i nie dało mi szans. Do mojej podstawówki i liceum nie mogę mieć żadnych pretensji, zatrudnieni w nich nauczyciele także robili wszystko, co w ich mocy, by się do mnie przebić. Co prawda nasze liceum w rankingu szkół w Ohio stało bardzo niziutko, ale grono pedagogiczne miało na to niewielki wpływ, za to uczniowie wręcz przeciwnie. Dzięki stypendiom socjalnym i nisko oprocentowanym kredytom studenckim z dopłatami rządowymi mogłem sobie pozwolić na studia licencjackie, na prawniczych utrzymałem się dzięki stypendiom celowym. Nigdy nie cierpiałem głodu, przynajmniej po części dzięki temu, że Mamaw szczodrze dzieliła się ze mną zasiłkiem emerytalnym. To wszystko nie są programy idealne, ale o ile byłem bliski temu, by dać się zmiażdżyć konsekwencjom swoich najgorszych decyzji (a naprawdę było blisko), wina za to spada niemal wyłącznie na czynniki, na które rząd nie miał żadnego wpływu.

Ostatnio siadłem do dyskusji z grupą nauczycieli z mojego starego liceum w Middletown. Wszyscy oni na różne sposoby wyrażali niepokój, że państwo tak wiele środków przeznacza na ten późniejszy okres edukacji.

– Zupełnie jak gdyby nasi politycy uważali, że tylko studia są wyjściem z sytuacji – powiedział jeden. – Dla wielu to wspaniała opcja. Jednak wśród naszych dzieciaków wiele ma praktycznie zero szans na zrobienie licencjatu.

– Przemoc i walki, tylko to widzą od najmłodszych lat – dodała inna nauczycielka. – Jedna z moich uczennic zgubiła swoje dziecko dokładnie tak samo, jak mogłaby zgubić kluczyki do samochodu: po prostu nie miała pojęcia, gdzie się podziało. Po dwóch tygodniach mała znalazła się w Nowym Jorku, z ojcem, dilerem prochów i częścią jego rodziny.

Wszyscy wiemy, jakie życie czeka to nieszczęsne niemowlę, chyba że stanie się jakiś cud. Jednak teraz, kiedy odpowiednia interwencja mogłaby jeszcze pomóc, opcji zaradczych jest bardzo mało.

Myślę więc, że wszelkie pomyślne programy socjalne muszą dostrzegać to, co nauczyciele z mojego liceum widzą każdego dnia: że dla tak wielu dzieci prawdziwym problemem jest to, co się dzieje w domu (czy też właśnie czego tam brakuje). Zauważylibyśmy na przykład, że dopłaty z programu Section 8 powinny być rozdzielane w taki sposób, żeby nie skupiać ludzi ubogich w ciasnych enklawach. Jak powiedział mi inny nauczyciel z Middletown, Brian Campbell:

– Kiedy mamy liczną grupę rodziców i dzieci objętych Section 8, będących na utrzymaniu malejącej liczby podatników z klasy średniej, to jakby postawić piramidę na szpicu. Gdy w całej dzielnicy mieszkają tylko rodziny o niskich dochodach, pojawia się niedostatek i zasobów finansowych, i emocjonalnych. – Dodał jeszcze: – Jeśli natomiast dzieci z ubogich rodzin połączymy z tymi, które reprezentują inny styl życia, te z gospodarstw domowych o małych przychodach zaczynają piąć się w górę.

Kiedy jednak niedawno władze Middletown próbowały ograniczyć liczbę dopłat w ramach Section 8 w poszczególnych dzielnicach, rząd federalny stanął okoniem. Cóż, pewnie lepiej trzymać nędzarzy z dala od klasy średniej.

Polityka rządu może być jednak zupełnie bezsilna wobec innych problemów naszej społeczności. W dzieciństwie dobre wyniki w szkole kojarzyły mi się z kobiecością. Męskość oznaczała siłę, odwagę, gotowość do bitki, a później także powodzenie u dziewczyn. Chłopców, którzy dostawali dobre oceny, wyzywano od „cieniasów" czy „cweli". Nie mam pojęcia, skąd mi się to wzięło. Na pewno nie od Mamaw, która żądała ode mnie dobrych ocen, ani od Papaw. Skądś jednak podchwyciłem takie poglądy, a obecnie badania wykazują, że chłopcy z rodzin z klasy robotniczej, tacy jak ja, w szkole osiągają znacznie gorsze wyniki, bo postrzegają naukę jako zajęcie dziewczyńskie. Czy nowe prawa bądź programy socjalne mogą tu coś zmienić? Raczej nie. Niektórych szal nie da się tak łatwo przechylić.

Przekonałem się, że te właśnie cechy, które w dzieciństwie pozwoliły mi przetrwać, utrudniają osiągnięcie sukcesu w wieku dojrzałym. Jeśli widzę konflikt, uciekam albo przygotowuję się do walki. Nie ma to sensu w mojej obecnej sytuacji towarzyskiej, ale bez takiego podejścia w dzieciństwie zostałbym starty na proch przez domy, w których się wychowywałem. W bardzo wczesnym wieku nauczyłem się kryć pieniądze w wielu różnych miejscach, żeby mama czy ktoś inny nie znalazł ich i nie „pożyczył" – trochę szło pod materac, trochę do szuflady z bielizną, trochę chowałem w domu

Mamaw. Kiedy w późniejszym okresie połączyliśmy z Ushą nasze finanse, była w szoku, gdy okazało się, że mam wiele kont bankowych i nieduże debety na kilku kartach kredytowych. Usha wciąż czasami upomina mnie, że nie każde zdarzenie, w którym widzę zniewagę – czy to ze strony mijającego mnie kierowcy, czy sąsiada, który skrytykuje moje psy – wymaga krwawej pomsty. A ja zawsze jej ulegam, mimo buzujących emocji, bo wiem, że raczej ma rację.

Parę lat temu podczas jazdy przez Cincinnati z Ushą jakiś typ zajechał mi drogę. Dałem w klakson, on sprzedał mi palec, a kiedy stanęliśmy na czerwonym (on przede mną), odpiąłem pasy i otworzyłem drzwi. Zamierzałem żądać przeprosin (i tłuc się z gościem, jeśli zaszłaby potrzeba), zwyciężył jednak zdrowy rozsądek i zamknąłem drzwi z powrotem, nie wysiadając z samochodu. Usha była zachwycona, bo rozmyśliłem się, zanim musiała na mnie wrzasnąć, że zachowuję się jak obłąkaniec (zdarzały się precedensy), powiedziała mi, że jest ze mnie dumna, bo oparłem się wrodzonym instynktom. Tamten kierowca przewinił, bo godził w mój honor, a w dzieciństwie to właśnie od honoru zależał niemal każdy skrawek mojego szczęścia: to dzięki niemu miałem spokój z klasowym osiłkiem, to przez niego czułem więź z mamą, kiedy obrażał ją kolejny facet czy jego dzieci (nawet jeśli uważałem ich obelgi za uzasadnione), to dzięki honorowi miałem coś, niechby i mizernych rozmiarów, nad czym sprawowałem całkowitą kontrolę. Przez pierwszych osiemnaście lat życia czy coś koło tego powstrzymanie się od bitki kosztowałoby mnie lawinę wyzwisk – zebrałoby mi się od „cip", „mięczaków", „bab". Doświadczenia z większej części życia wdrukowały mi w głowę, że obiektywnie najlepsze posunięcia są zarazem odrażające dla szanującego się młodego mężczyzny. Przez parę godzin po tamtej słusznej decyzji krytykowałem w duchu siebie samego. Cóż, to i tak postęp, prawda? Lepsze to, niż siedzieć pod celą za to, że dało się debilowi nauczkę na temat jazdy defensywnej.

Zakończenie

W zeszłym roku, tuż przed Bożym Narodzeniem, stałem w dziale dziecięcym hipermarketu Walmart w Waszyngtonie z listą zakupów w garści. Patrzyłem na kolejne zabawki i perswadowałem sam sobie, że to nie to. Owego roku zgłosiłem się na ochotnika, by „zaadoptować" dziecko w potrzebie, co oznaczało, że w miejscowej placówce Armii Zbawienia otrzymałem listę zakupów i polecenie, bym wrócił z torbą niezapakowanych prezentów świątecznych.

Niby proste, a jednak prawie każda propozycja budziła moje zastrzeżenia. Piżama? Ludzie biedni nie zakładają piżam. Kładziemy się spać w bieliźnie, albo i w dżinsach. Nawet dziś sama koncepcja piżamy wydaje mi się zbytkownym luksusem dla elit, niczym kawior czy elektryczna kostkarka do lodu. Zobaczyłem zabawkową gitarę, która wyglądała mi na fajną i przy okazji uczącą zabawkę, przypomniałem sobie jednak, jak pewnego roku dostałem od dziadków keyboard, ale któryś z fagasów mamy warknął wrednie, żebym „przestał napierdalać w ten szajs". Wszelkie zabawki edukacyjne pomijałem, bo nie chciałem wyjść na kogoś, kto się wywyższa. W końcu stanęło na tym, że kupiłem trochę ubrań, zabawkowy telefon komórkowy i wozy strażackie.

Dorastałem w świecie, w którym wszystkich dręczyła obawa o to, skąd mają wziąć pieniądze na święta. Teraz żyję w takim, gdzie bogaci i uprzywilejowani mają pod dostatkiem okazji, by okazać swą szczodrość biedniejszym członkom społeczeństwa. Wiele prestiżowych kancelarii prawniczych prowadzi „programy anielskie", w ramach których każdemu prawnikowi przydzielane jest dziecko i lista jego wymarzonych prezentów. Sąd, w którym pracowała niegdyś Usha, nakłaniał pracowników, by adoptowali na święta dzieci osób, które uprzednio wpadły w tryby systemu sądowego. Koordynatorzy tego programu kierowali się nadzieją, że jeśli prezenty kupi ktoś inny, rodzice maluchów nie będą czuli aż takiej presji na zorganizowanie świąt, by uciekać się do przestępstw. Nawet Korpus Piechoty Morskiej prowadzi działalność tego typu. Już przez kilka ostatnich sezonów przedświątecznych wędrowałem po wielkich centrach handlowych, kupując zabawki dla dzieci, których nie widziałem na oczy.

Kiedy robię te zakupy, uświadamiam sobie, że jakkolwiek niewysoko stałem w dzieciństwie na drabince socjoekonomicznej amerykańskiego społeczeństwa, są ci, którzy wylądowali jeszcze niżej: dzieci, które przy Bożym Narodzeniu nie mogą liczyć na szczodrość dziadków, rodzice w tak fatalnej sytuacji finansowej, że liczą na zyski z przestępstw – a nie na chwilówkę – by pod choinką znalazły się najmodniejsze zabawki tego roku. To bardzo pożyteczny eksperyment myślowy. Skoro w moim życiu miejsce biedy zajęła obfitość, te chwile refleksji zakupowych zmuszają mnie, bym dostrzegł, ile miałem szczęścia.

A jednak robienie zakupów dla dzieci z biednych rodzin przypomina mi też o moim dzieciństwie i o tym, w jaki sposób prezenty świąteczne mogą posłużyć jako domowe miny przeciwpiechotne. Rok w rok rodzice w mojej dzielnicy przystępowali do nieodmiennego rytuału, diametralnie różnego od tego, do czego jestem przyzwyczajony obecnie, w nowo osiągniętym dobrobycie: zamartwiali się o to, jak zapewnić dzieciom „fajne święta", przy czym fajność zawsze była wprost proporcjonalna do obfitości prezentów pod choinką. Jeśli tydzień przed Bożym Narodzeniem odwiedzali cię w domu koledzy i widzieli pustą podłogę pod drzewkiem, usprawiedliwiałeś się: „Mama po prostu nie była jeszcze na zakupach" albo „Tata czeka na konkretną premię na koniec roku, wtedy kupi wszystkiego tyle, że hej". Te wymówki miały ukryć to, o czym i tak wszyscy wiedzieliśmy: wszyscy byliśmy ubodzy, i nawet hałda fantów z logo Żółwi Ninja nie mogła tego zmienić.

Niezależnie od stanu naszych finansów moja rodzina zawsze potrafiła wydać na świąteczne zakupy ciut więcej, niż miała. Nikt nie przyznałby nam karty kredytowej, ale było wiele metod wydawania pieniędzy, których się nie miało. Na przykład wpisanie na czeku daty, która miała dopiero nadejść (tak zwane postdatowanie), tak że odbiorca mógł go zainkasować dopiero wtedy, kiedy na konto znów wpadły jakieś pieniądze. Można też było wziąć chwilówkę od lichwiarza. A jeśli wszystkie inne metody zawiodły, pozostawało jeszcze zapożyczenie się u dziadków. Pamiętam zresztą wiele zimowych rozmów, kiedy Mamaw i Papaw wysłuchiwali błagań mamy o pożyczkę na „fajne święta" dla ich wnucząt. Zawsze próbowali jej perswadować, że nie o to chodzi w świątecznym nastroju, ale też zawsze ulegali. Może dopiero w Wigilię, ale pod drzewkiem zawsze rosła piramida prezentów, choć nasze oszczędności kurczyły się ze skromnych do żadnych, a potem i mniej niż żadnych.

Gdy byłem zupełnym malcem, mama i Lindsay gorączkowo szukały dla mnie misia Teddy'ego Ruxpina z wbudowanym magnetofonem, zabawki tak popularnej, że zabrakło ich we wszystkich sklepach w mieście. Kosztowała okrutne pieniądze, a że miałem raptem dwa latka, był to absolutnie zbędny zakup. Lindsay wciąż jednak pamięta, że na poszukiwanie tego misia zmarnowały cały dzień. Mama dowiedziała się skądś, że jakiś nieznajomy facet mógł odsprzedać jednego ze swoich misiów, ale za sowitą dopłatą. Pojechały do niego z Lindsay i kupiły ten gadżet, bez którego stawiający jeszcze niepewne kroki malec na pewno nie miałby wymarzonych świąt. Pamiętam o tym pluszaku tylko tyle, że po latach znalazłem go w jakimś pudle – sweterek miał obszarpany, a futerko na pyszczku pozlepiane smarkami.

To właśnie okres przedświąteczny sprawił, że dowiedziałem się o zwrotach podatku – jak wówczas przypuszczałem, były to darmowe kwoty rozsyłane przez rząd do biedaków na początku nowego roku, żeby ocalić ich przed konsekwencjami finansowych wybryków w starym. Zwroty nadpłat podatku dochodowego stanowiły rezerwę ostateczną. „No pewnie, że nas na to stać. Zapłacimy ze zwrotu" – tak brzmiała świąteczna mantra. Cóż, kiedy łaska rządu na pstrym koniu jeździ. Niewiele było chwil tak pełnych napięcia jak powroty mamy z urzędu skarbowego we wczesnym styczniu. Czasami zwroty przekraczały oczekiwania. Kiedy jednak mama dowiadywała się, że Wuj Sam nie pokryje świątecznych szaleństw zakupowych, bo miała zbyt małe przychody, mogło to popsuć humor na cały miesiąc. A styczeń w Ohio i bez tego może wpędzić w depresję.

Domniemywałem, że bogaci obchodzą Boże Narodzenie tak samo jak my, może tylko mniej martwią się o pieniądze, za to prezenty mają jeszcze fajniejsze. Jednak kiedy urodziła się kuzynka Bonnie, zauważyłem, że święta u cioci Łii wyglądają zupełnie inaczej. Nie wiedzieć czemu dzieci cioci i wujka otrzymały prezenty zdecydowanie bardziej przyziemne od tych, których ja mogłem się spodziewać w dzieciństwie. Nikt obsesyjnie nie pilnował, żeby prezenty dla każdego były warte co najmniej dwieście czy trzysta dolarów, nikt nie martwił się, że brak najnowszego gadżetu elektronicznego sprawi dziecku przykrość. Usha często dostawała pod choinkę książki. Moja kuzynka Bonnie w wieku jedenastu lat poprosiła rodziców, by pieniądze przeznaczone na prezenty dla niej ofiarowali potrzebującym mieszkańcom Middletown. Wstrząsające było to, że jej prośba została spełniona: jej rodzice nie mierzyli jakości Bożego Narodzenia wartością pieniężną prezentów, które otrzymała ich córka.

Jakkolwiek by definiować te dwie grupy i ich podejście do prezentów: czy to będą bogaci i biedni, wykształceni i nie, klasa robotnicza i klasy wyższe – ich przedstawiciele w coraz większym stopniu żyją w odrębnych światach. Jako imigrant kulturowy z jednej grupy do drugiej dostrzegam te różnice z bolesną wyrazistością. Czasami członków elit postrzegam z niemal zwierzęcą wzgardą – niedawno jeden ze znajomych użył w zdaniu słowa „konfabulować" i mało brakowało, a zacząłbym wrzeszczeć. Muszę im jednak przyznać: ich dzieci są szczęśliwsze i zdrowsze, odsetek rozwodów niższy, frekwencja w kościołach wyższa, a i żyją dłużej. Skubańcy biją nas na naszym boisku.

Udało mi się uniknąć najgorszych elementów mojej spuścizny kulturowej. I choć moje nowe życie budzi we mnie opory, nie mogę narzekać: życie, jakie wiodę teraz, w dzieciństwie było tylko czczą fantazją. Bardzo wielu ludzi pomogło tej fantazji się ziścić. Na każdym etapie życia, w każdym otoczeniu znajdowałem krewnych, mentorów i serdecznych przyjaciół, którzy mnie wspierali i otwierali przede mną drzwi.

Często zastanawiam się jednak, gdzie bym skończył, gdyby nie oni. Wracam myślami do pierwszej klasy liceum, kiedy prawie wyleciałem ze szkoły za oceny, do tamtego poranka, gdy mama zawędrowała do domu babci i zażądała pojemniczka czystego moczu. Czy do wcześniejszych lat, kiedy byłem samotnym chłopakiem z dwoma ojcami, choć z żadnym nie widywałem się zbyt często, i to Papaw postanowił, że póki nie umrze, będzie dla mnie najlepszym ojcem, jakiego można sobie wyobrazić. Albo do miesięcy przeżytych wspólnie z Lindsay, nastolatką, która zastępowała mi mamę, kiedy nasza prawdziwa mama odbywała terapię w ośrodku. Bądź wreszcie do tej chwili, której nawet nie pamiętam – kiedy Papaw zainstalował na dnie mojej skrzyni na zabawki tajną linię telefoniczną, żeby Lindsay mogła zadzwonić do dziadków, kiedy w domu ciśnienie emocji groziło już rozerwaniem kotła. Kiedy myślę teraz o tym, jak blisko przepaści bywałem, czuję dreszcze. Miałem niewiarygodnego farta.

Niedawno temu poszedłem na lunch z Brianem, młodym chłopcem, który przypomina mi mnie z czasów, kiedy miałem piętnaście lat. Jego matka, podobnie jak moja, rozsmakowała się w narkotykach, i on też, podobnie jak ja, ma skomplikowane stosunki z ojcem. To przemiły chłopak, o wielkim sercu, spokojny w obejściu. Niemal całe życie spędził w Appalachach, w Kentucky. Na lunch poszliśmy do miejscowego fast foodu, bo w tamtym zakątku świata niczego innego się raczej nie znajdzie. Kiedy jedliśmy, zauważyłem parę drobnych dziwactw w jego zachowaniu, na które zapewne mało kto inny zwróciłby uwagę. Brian nie poczęstował mnie swoim milk shakiem, co niezupełnie pasowało do charakteru chłopaka, który praktycznie w każdym zdaniu wtrącał „proszę" czy „dziękuję". Szybko zjadł swoją porcję, po czym nerwowo rozglądał się po ludziach. Przygarnąłem go ramieniem i zapytałem, czy czegoś potrzebuje.

– T-tak – zaczął, unikając mojego spojrzenia. I dodał, niemal szeptem: – Może mógłbym dostać jeszcze trochę frytek?

Był głodny. W roku 2014, w najbogatszym kraju pod słońcem, chciał jeszcze coś zjeść, ale nie czuł się komfortowo z myślą o tym, że miałby mnie poprosić. Rany boskie.

Raptem parę miesięcy po naszym ostatnim spotkaniu w zeszłym roku mama Briana niespodziewanie zmarła. Nie mieszkali razem już od lat, więc ludzie spoza naszych kręgów mogliby domniemywać, że to ułatwiło mu pogodzenie się z jej śmiercią. Nic bardziej mylnego. Ludzie tacy jak Brian czy ja odcinają się od rodziców nie dlatego, że ci ich nie obchodzą – zrywamy z nimi kontakt, by przetrwać. Nigdy nie przestaniemy ich kochać, nigdy nie opuści nas nadzieja, że nasi najdrożsi się zmienią. Wręcz jesteśmy zmuszeni, czy to przez głos rozsądku, czy przez wyrok sądu, by wejść na ścieżkę samozachowawczości.

Co stanie się z Brianem? On nie ma Mamaw i Papaw, a w każdym razie nie takich, jakich miałem ja, i choć szczęśliwie należy do troskliwej rodziny, która uchroni go przed adopcją, jego wszelkie nadzieje na „normalne życie" wyparowały dawno temu, o ile w ogóle istniały. Kiedy go poznałem, jego matce już odebrano na stałe prawa rodzicielskie. Mimo młodego wieku doświadczył już wielu traum dzieciństwa, a za parę lat czekają go decyzje dotyczące wykształcenia i pracy, z którymi niełatwo mają nawet dzieci bogatych i uprzywilejowanych.

Jeśli Brian ma jakiekolwiek szanse, to dzięki ludziom, którzy go otaczają: swojej rodzinie, mnie, moim krewnym, ludziom takim jak my, i ogólnie społeczności bidoków. A jeśli taka szansa ma się ziścić, my, bidoki, musimy się wreszcie, kurwa, ogarnąć. Śmierć mamy Briana była kolejną chujową kartą w gównianym rozdaniu, ale na niej nie koniec – czy jego otoczenie zbuduje w nim poczucie, że sam może pokierować swoim losem, czy zachęci go, by wycofał się w gniew przeciwko siłom, nad którymi nie może zapanować? Czy trafi do kościoła, w którym nauki dotyczą chrześcijańskiego miłosierdzia, wartości rodzinnych, sensu życia? Czy jeśli znajdą się ludzie chętni umacniać w Brianie pozytywny przekaz, znajdą oni wsparcie uczuciowe i duchowe u swoich bliźnich?

Wierzę, że nie ma pod słońcem twardszych drani niż my, bidoki. Jeśli ktoś obrazi naszą matkę, będzie okrzesany piłą elektryczną. Jeśli bronimy honoru siostry, ktoś będzie musiał zeżreć bawełniane majtki. Czy jednak jesteśmy dość twardzi, by zrobić wszystko, co trzeba, by pomóc chłopakowi takiemu jak Brian? Czy wystarczy nam zawziętości, by stworzyć Kościół, który zmusi dzieciaki mojego pokroju, by stawiły czoła światu, a nie odwracały się do niego plecami? Czy jesteśmy dość twardzi, by spojrzeć w lustro i przyznać, że nasze zachowanie krzywdzi nasze dzieci?

Rozwiązania polityczne mogą tu pomóc, ale żaden rząd nie rozwiąże za nas naszych problemów.

Przypomnijcie sobie, jak mój kuzyn Mike musiał sprzedać dom po matce – posiadłość, która od ponad wieku należała do naszej rodziny – bo nie miał pewności, że jego najbliżsi sąsiedzi go nie splądrują. Mamaw odmówiła kupowania rowerów dla wnuków, bo wciąż znikały z jej werandy – nawet spięte łańcuchami. Pod koniec życia bała się nawet odpowiadać na dzwonek do drzwi, bo mieszkająca obok zdrowa kobieta bez przerwy nachodziła ją i prosiła o pieniądze – na narkotyki, jak się później dowiedzieliśmy. Tych problemów nie stworzył rząd, korporacje ani żadna inna siła. To nasze dzieło i tylko my możemy je rozwiązać.

Nie musimy żyć tak jak elitarni mieszkańcy Kalifornii, Nowego Jorku czy Waszyngtonu. Nie musimy pracować po sto godzin w tygodniu w kancelariach prawniczych czy bankach inwestycyjnych. Nie musimy prowadzić życia towarzyskiego na rautach. Musimy jednak stworzyć miejsce, w którym każdy J.D. czy Brian naszego świata będzie miał szansę na sukces. Nie wiem, jaka dokładnie jest odpowiedź na nasze problemy, ale na pewno na początek musimy przestać winić Obamę, Busha czy korporacyjne byty bez twarzy i zapytać siebie samych, co możemy zrobić dla poprawy sytuacji.

Chciałem spytać Briana, czy miewa koszmary, podobnie jak ja. Przez niemal dwadzieścia lat dręczył mnie powracający, okropny sen. Kiedy doświadczyłem go po raz pierwszy, miałem siedem lat, spałem smacznie w łóżku prababci Blanton. W tym śnie jestem uwięziony w dużej sali konferencyjnej w domu na drzewie – zupełnie jakby elfy z reklam ciasteczek Keebler skończyły właśnie wielki piknik, bo to nadrzewne lokum jest wciąż zastawione dziesiątkami stołów i krzeseł. Jesteśmy tam we trójkę z Lindsay i Mamaw, gdy nagle do sali wpada mama i zaczyna miotać meblami na prawo i lewo. Wrzeszczy coś, ale jej głos jest zniekształcony, jakby robota, przeniknięty trzeszczeniem radia. Mamaw i Lindsay rzucają się ku otworowi w podłodze – pewnie tam jest drabinka, po której można opuścić ten dom. Ja nie mogę dotrzymać im kroku i nim dopadnę wyjścia, mama jest tuż za mną. Budzę się akurat w momencie, kiedy ma mnie złapać, ze świadomością nie tylko tego, że potwór mnie schwytał, ale też że zostałem porzucony przez Mamaw i Lindsay.

W innych wersjach tego snu zmienia się postać przeciwnika. Był to już i instruktor musztry z marines, i ujadający pies, i czarny charakter z filmu, i wredna nauczycielka. Zawsze pojawiają się Mamaw i Lindsay, i zawsze zdążą dotrzeć do wyjścia przede mną. Ten sen za każdym razem budzi we mnie czystą trwogę. Gdy przyśnił mi się po raz pierwszy, zerwałem się i pobiegłem do Mamaw, która do późna oglądała telewizję. Opowiedziałem jej ten sen, błagając, by nigdy mnie nie zostawiła. Obiecała, że tego nie zrobi, po czym gładziła mnie po głowie, póki znów nie zasnąłem.

Podświadomość oszczędziła mi tego koszmaru przez kilka lat, aż tu nagle, znienacka, przyśnił mi się on znów, kilka tygodni po ukończeniu studiów prawniczych. Była jednak pewna zasadnicza różnica: obiektem furii potwora nie byłem ja, lecz mój pies, Casper, na którego rozzłościłem się wcześniej wieczorem. Nie było też Lindsay ani Mamaw. I to ja byłem potworem.

Goniłem tego nieszczęsnego psiaka po całym domku na drzewie z nadzieją, że go dorwę i uduszę. Czułem jednak przerażenie Caspera, jak też własny wstyd wobec tego, że puściły mi nerwy. W końcu dogoniłem psa, nie obudziłem się jednak. To Casper obrócił się i spojrzał na mnie tymi smętnymi, przeszywającymi aż do serca ślepiami, które mogą mieć tylko psy. Nie udusiłem go zatem, ale przytuliłem. A ostatnim uczuciem, które pamiętam sprzed przebudzenia, była ulga, że udało mi się poskromić temperament.

Wstałem z łóżka, żeby napić się zimnej wody, a gdy wróciłem z kuchni, Casper popatrzył na mnie przeciągle, zdziwiony, że jego człowiek o tak nieludzkiej porze jest na nogach. Była druga w nocy – pewnie o tej samej porze obudziłem się po pierwszym z tych koszmarnych snów, ponad dwadzieścia lat wcześniej. Nie było już Mamaw, która mogłaby mnie pocieszyć. Na podłodze leżały jednak oba moje psy, a w łóżku spała miłość mojego życia. Gdy nadejdzie dzień, pójdę do pracy, potem wezmę psy na spacer do parku, z Ushą zrobię zakupy i przygotuję dobrą kolację. Miałem wszystko, czego kiedykolwiek pragnąłem. Pogładziłem więc Caspera po łbie i położyłem się spać.

Podziękowania

Pisanie tej książki należało do największych wyzwań i najbardziej satysfakcjonujących doświadczeń mojego życia. Dowiedziałem się wielu dotąd nieznanych mi faktów na temat kultury, rejonu, rodziny, z których się wywodzę, wróciło też do mnie wiele spraw, o których zapomniałem. Wielu ludziom jestem ogromnie obowiązany. W dość przypadkowej kolejności:

Tina Bennett, moja cudowna agentka, uwierzyła w ten projekt nawet wcześniej niż ja sam. Zachęcała mnie, kiedy tego potrzebowałem, przeprowadziła mnie przez cały proces wydawniczy, który z początku śmiertelnie mnie przerażał. Kobieta z sercem bidoka i umysłem poety – to dla mnie zaszczyt, że mogę nazywać ją przyjaciółką.

Po Tinie największe zasługi w powstaniu tej książki położyła Amy Chua, moja wykładowczyni prawa kontraktowego z Yale, która przekonała mnie, że i moje życie, i wnioski, które zeń wyciągnąłem, są warte spisania. Ma mądrość szacownej akademiczki i pewność siebie w wypowiedziach, jak to u Matki Tygrysicy, i nieraz zdarzyło mi się potrzebować (i skorzystać) z jednego i drugiego.

Ogromne podziękowania należą się całej ekipie z wydawnictwa Harper. Jonathan Jao, mój redaktor, pomagał przemyśleć krytycznie to, co zamierzałem poprzez tę książkę osiągnąć, nie zbrakło mu też cierpliwości, by pomóc mi w dopięciu tego celu. Sofia Groopman spojrzała na tekst świeżym okiem, kiedy było to już rozpaczliwie potrzebne. Joanna, Tina i Katie zręcznie i przyjaźnie przeprowadziły mnie przez cały proces generowania publicity. Tim Duggan podjął ryzyko związane z tym projektem, postawił na mnie, choć właściwie nie bardzo miał po temu powód. Jestem bardzo wdzięczny za nich wszystkich i za to, jak pracowali na mój sukces.

Wielu ludzi czytało wstępne wersje tej książki, wnosząc cenne uwagi, od dopytywania o celowość użycia w danym zdaniu akurat tego, a nie innego słowa po podważanie sensowności wycięcia całego rozdziału. Charles Tyler przeczytał bardzo wczesną wersję tekstu i zmusił mnie do wyostrzenia kilku głównych tematów. Kyle Bumgarner i Sam Rudman zgłaszali użyteczne uwagi w początkowych etapach pracy pisarskiej. Kiel Brennan-Marquez, który przez wiele lat dźwigał brzemię, zarówno oficjalne, jak i nieoficjalne, uczenia mnie sztuki pisarskiej, przeczytał krytycznie wiele kolejnych wariantów tekstu. Bardzo doceniam trud ich wszystkich.

Jestem wdzięczny wszystkim tym, którzy otwarcie opowiadali mi o swoim życiu i pracy, w tym Jane Rex, Sally Williamson, Jennifer McGuffey, Mindy Farmer, Brianowi Campbellowi, Steviemu Van Gordonowi, Sherry Gaston, Katrinie Reed, Elizabeth Wilkins, JJ Snidowowi oraz Jimowi Williamsonowi. Odkrywając przede mną nowe koncepcje i doświadczenia, sprawili, że ta książka stała się lepsza.

Mam to szczęście, że w moim życiu pojawili się Darrell Stark, Nate Ellis, Bill Zaboski, Craig Baldwin, Jamil Jivani,

Ethan (Doug) Fallang, Kyle Walsh i Aaron Kash – każdy z nich to dla mnie bardziej brat niż przyjaciel. Poszczęściło mi się też w tym względzie, że trafiałem na nadzwyczaj uzdolnionych przyjaciół i mentorów i każdy z nich zadbał o to, żeby trafiały mi się szanse, na które – mówiąc wprost – nie zasłużyłem. Wśród nich są: Ron Selby, Mike Stratton, Shannon Arledge, Shawn Haney, Brad Nelson, David Frum, Matt Johnson, sędzia David Bunning, Reihan Salam, Ajay Royan, Fred Moll i Peter Thiel. Wielu z nich także czytało różne wersje tego rękopisu i zgłaszało uwagi krytyczne.

Niewiarygodnie wiele zawdzięczam rodzinie, szczególnie wszystkim tym, którzy otworzyli przede mną serca i dzielili się wspomnieniami, nawet tymi najtrudniejszymi i najboleśniejszymi. Szczególne podziękowania należą się mojej siostrze Lindsay Ratliff i cioci Łii (Lori Meibers) zarówno za pomoc podczas pisania tej książki, jak i za wsparcie przez całe moje życie. Wdzięczny jestem także Jimowi Vance'owi, Danowi Meibersowi, Kevinowi Ratliffowi, mamie, Bonnie Rose Meibers, Hannah Meibers, Kameronowi Ratliffowi, Meghan Ratliff, Emmie Ratliff, Hattie Hounshell Blanton, Donowi Bowmanowi (tacie), Cheryl Bowman, Cory Bowman, Chelsea Bowman, Lakshmi Chilukuri, Krishowi Chilukuri, Shreyi Chilukuri, Donnie Vance, Rachael Vance, Nate'owi Vance'owi, Lilly Hudson Vance, Daisy Hudson Vance, Gail Huber, Allanowi Huberowi, Mike'owi Huberowi, Nickowi Huberowi, Denise Blanton, Archowi Stacy'emu, Rose Stacy, Rickowi Stacy'emu, Amber Stacy, Adamowi Stacy'emu, Tahetonowi Stacy'emu, Betty Sebastian, Davidowi Blantonowi, Gary'emu Blantonowi, Wandzie Blanton, Petowi Blantonowi, Salicylowi Blantonowi, i każdemu stukniętemu bidokowi, którego miałem zaszczyt nazywać krewniakiem.

Na koniec, ale wcale nie jako najmniej istotna, moja kochana żona Usha, która każde słowo rękopisu przeczytała dosłownie dziesiątki razy, zgłaszała przydatne uwagi (nawet kiedy się przed nimi broniłem!), wspierała mnie, kiedy chciałem to rzucić, i świętowała ze mną, gdy praca szła naprzód. Jakże wiele zasługi należy jej przypisać zarówno za tę książkę, jak i za moje szczęśliwe życie. Choć wśród rzeczy, których najbardziej w życiu żałuję, jest fakt, że Mamaw i Papaw nie mieli szansy jej poznać, to, że poznałem ją ja, to źródło mojej największej radości.

TYTUŁ ORYGINAŁU *Hillbilly Elegy*
PRZEKŁAD Tomasz S. Gałązka

WYDAWCA Katarzyna Rudzka
REDAKTOR PROWADZĄCY Adam Pluszka
REDAKCJA Ewa Polańska
KOREKTA Agnieszka Radtke, Jan Jaroszuk
PROJEKT OKŁADKI © Jarrod Taylor
ADAPTACJA PROJEKTU OKŁADKI Agnieszka Wrzosek
OPRACOWANIE GRAFICZNE I TYPOGRAFICZNE, ŁAMANIE
manufaktura | manufaktu-ar.com

ZDJĘCIA NA OKŁADCE
© Joanna Cepuchowicz / EyeEm / Getty Images,
© megatronservizii / Stock by Getty
ZDJĘCIE AUTORA © Luke Fontana

ISBN 978-83-65973-04-7

WYDAWNICTWO MARGINESY SP. Z O.O.
UL. FORTECZNA 1a, 01-540 WARSZAWA
TEL. 48 22 839 91 27
redakcja@marginesy.com.pl
www.marginesy.com.pl

WARSZAWA 2018
WYDANIE PIERWSZE

ZŁOŻONO KROJEM PISMA Scala

KSIĄŻKĘ WYDRUKOWANO NA PAPIERZE Creamy 70 g vol 2.0
DOSTARCZONYM PRZEZ Zing Sp. z o.o.
ZiNG

DRUK I OPRAWA
Toruńskie Zakłady Graficzne Zapolex Sp. z o.o.